JN041948

「お金」からの解放

2050年を生きる僕らのマニフェスト

This Could Be Our Future
A Manifesto for a More Generous World
YANCEY STRICKLER

ヤンシー・ストリックラー　久保美代子 訳　早川書房

２０５０年を生きる僕らのマニフェスト

——「お金」からの解放

THIS COULD BE OUR FUTURE
A Manifesto for a More Generous World
by
Yancey Strickler

Translated by
Miyoko Kubo
First published 2023 in Japan by
Hayakawa Publishing, Inc.
This book is published in Japan by
arrangement with
Viking
an imprint of Penguin Publishing Group
a division of Penguin Random House LLC
through Tuttle-Mori Agency, Inc., Tokyo.

装幀／albireo
カバー写真／Ainur Iman on Unsplash
カバー・表紙・扉イラスト／Yancey Strickler

コージと未来の僕らにささぐ

目次

訳者による注は〔　〕に入れ小さめの文字で示した。

はじめに

きっかけは、ある新聞記事のヘッドラインだった。

季節は秋。妻と息子と一緒にニューヨークの街を歩いているとき、そのヘッドラインが目に入った。

「中国人民解放軍（PLA）、二〇五〇年には世界最強クラスの軍に」と《チャイナデイリー》の第一面にあった。[1] ヘッドラインの下には、習近平国家主席と一列に並んだ人民解放軍の兵士らの写真が載っていた。

二〇五〇年という年代に目が釘づけになった。遠い未来だけれど、遠すぎるというわけじゃない。記事を見た当時からすれば三三年さきのことだ。**そのころ、僕はきっとまだ生きている。**

そう考えると、ある思いが湧いてきた。中国は二〇五〇年に向けて計画を立てているというのに、僕らの国、アメリカ合衆国はその月の予算についてさえ、意見が一致していない。

二〇五〇年、僕らはいったいどこにいるのだろうか。

考えはじめたら、止まらなくなった。

■■■■

あなたがいま手にしているこの本は、その疑問に対するひとつの答えだ。唯一の答えではなくて、答えのひとつにすぎない。とはいえ、二〇五〇年に向かうまえに、まずは現在の僕らがどこにいるのか、知っておく必要がある。

現在の世界にはびこる考えを僕は「利潤最大化」（financial maximization）主義と呼んでいる。何かを決めるとき、もっともお金の稼げる選択肢が正しい選択という考えだ。これが、いまの世に広まっている標準的な枠組み（デフォルトの枠組み）ではないだろうか。

ビジネスの世界であれ、経済の世界であれ、金融の世界であれ、金銭的な成長を重視するのは基本中の基本だ。お金を手にいれるにあたって肝心なのは、できるだけたくさん手にいれること。

それでも、ここ数十年のあいだに出現した利潤最大化の影響は、これまでとは比べものにならない。以前より大きく、強くなってきている。利潤最大化へと駆りたてる衝動が、僕らの組織や制度、夢さえも支配するようになってきた。お金がなにより重要なものになってきているのだ。

『マネー・ボール〔完全版〕』（中山宥訳、ハヤカワ文庫NF、二〇一三年）や『世紀の空売り――世界経済の破綻に賭けた男たち』（東江一紀訳、文春文庫、二〇一三年）の著者、マイケル・ルイスは『ライアーズ・ポーカー』（東江一紀訳、ハヤカワ文庫NF、二〇一三年）のなかで、利潤最大化の動きが始まった一九八〇年代にウォール街で働いていた経験を書いている。ルイスによると、同僚のトレーダーらは「自分たちがリッチになれることならなんであれ、世の中のためにもなると思いこんでいた」という。自分たちの行為が仕事を生みだすものであれ、仕事を破壊するものであれ、どうでも良かった。とにかく、その行為を行なってたくさんのお金を稼ぐこと。それがいちばん重要だった。

これこそ、利潤最大化という考えが社会に対して大規模に行なってきたことだ。とにかく正しい選択はもっともお金が稼げる選択肢だ、と僕らは思いこまされ、その向こうにある「良い」とか「悪い」という概念は置き去りにされた。利潤最大化をめざすターミネーター的な考えでいくと、物事の善悪なんていうのは、あまりに不合理に思えるのだ。気にしているのは、「多い」か「少ない」かということだけ。そして、いつだってもっとたくさん欲しくなる。

このお金至上主義とも言える考えが成長していくにつれ、その影響は金融領域の堤防を突き破って広がっていった。さまざまな領域に浸透していけばいくほど、僕らはますます、どういう場合であれ金銭的な見返りがいちばん大きいものが、正しい答えだと思うようになっていった。その他の価値は二の次か、気にもされない。

金銭的な成長に注意を払うのがいけないわけじゃない。経済的な安定がなければ、人も組織も寿命が縮む。それはよろしくない。お金は大事だ。でも、僕らが守り、育てていくべき唯一の価値形態というわけでもない。

この金銭的な価値の最大化には罠がある。次の三つの考えにとらわれてしまうという罠だ——（1）人生の意味とは経済的にできるだけ裕福になること。（2）周りはみんな敵。（3）この風潮は必然で、永遠に続く。

僕らはこのような考えを真実だと思いこむ。でもそうじゃない。これらの考えは、まえの世代に差しだされ、受けいれられた考えだ。このような考えが、僕らをばらばらにして、力を奪い、未来を想像させせまいと制限をかける。どこか新しい場所へたどりつきたいのなら、これらの考えを見直さなくては。

■ ■ ■ ■

この本で語っているのは、ひとつのシンプルなアイデアだ。それは僕らが、さまざまな価値の定義をもっと幅広く受けいれれば、足りない世界が豊かな世界になりうるという考えだ。

人生には、価値のあるものがたくさんある。たとえば愛情やコミュニティ、安全、知識、信念などがそうだ。僕らにはそれがわかっているというのに、たったひとつの価値にすぎないお金がほかのすべての価値より優先されるのを、ずっと許してきた。もっと寛容で、倫理的で、公平な社会を生む潜在的な力が、お金がいちばん、お金がもっとも優先されるべきという考えに支配され、制限される。そうやって、僕らの可能性に蓋がされているのだ。

ごく最近まで、このような会話は社会の隅で細々と語られているにすぎなかった。けれども近年では、メインストリームの会話になりつつある。二〇一九年、「フォックス・ニュースチャンネル」の司会者タッカー・カールソンは、ゴールデン・タイムの自身の番組で一五分にわたる独白を行ない、そのなかで利潤最大化に対する疑問を舌鋒するどく唱えた。カールソンの言葉をここで引用しておこう。

いつか、ドナルド・トランプはいなくなります。残りの私たちもいなくなります。この国はそのあとも残るでしょう。残った国は、どうなっているでしょうか。孫たちにどんなふうに生きてほしいですか。大切なのは、この問いだけです。

かつて、この問いの答えは明らかでした。アメリカにとって最優先されるゴールは、さらなる繁栄。つまり、より安い消費財を意味しました。けれども、いまもそうでしょうか。安いアイフォーンや中国からやってくるプラスティックのガラクタをアマゾンからどんどん購入すれば、幸せになれると考えている人など、いまどきいるでしょうか。現在のところ、そんなことを信じている人はいないでしょう。多くのアメリカ人はあふれるほどの物に囲まれています。それでも、薬物依存や自殺によって、多くの国民が命を落としています。国の安寧が国内総生産（GDP）で測れると考えている人がいるとしたら、それは愚か者です。

私たちを統治している人びとは、自分たちが統治している人びとに対して長期的な義務を感じていない雇われ者です。いわば彼らはデイ・トレーダーのようなもの。あるいは代用教員。あるいはただの通りすがり。統治という仕事に身を削っていないのは、あきらかです。私たちが抱えている問題を解決することなどできません。その問題を理解しようとさえしていないのですから……。

支配階級にとって答えはつねに、さらに多くの金融取引を行なうことなのです。そして私たちにこう教えるのです。高潔な行為とはわが子を育てるより、魂のない会社に人生をささげることだと。

市場資本主義は信仰ではありません。市場資本主義はツールです。ホッチキスやトースターみたいな道具にすぎません。それを崇拝するなんて愚かです。私たちの制度は、人間が人間のために作ったのです。私たちは市場に仕えるために存在しているのではありません。逆です。家族を弱体化したり破壊したりする経済制度など、維持する価値はありません。そのような制度は健全な社会の敵です。[2]

政治的な志向にかかわりなく、金銭的な価値の最大化によって道を踏みはずしていると考える人びとがいるのだ。

では、どうすればいいのだろうか。本書が提案するのは、価値の枠組みを押しひろげること。それが人間を駆り立てる利潤最大化の影響を止める道だ。

ゴールはお金の排除ではない。無欲になることでもない。利益を出すなというのでもない。ゴールは、コミュニティや知識、目的（パーパス）や公平性、安全、伝統、未来のニーズといった価値にも、僕らの直面する大きな決断や日々の決断に、合理的な発言力を持たせられる世界だ。つまり、どれがいちばんお金を稼げるかということだけで、何かを選んだりしないってことだ。

僕は、こんな未来がありうると思っている。しかも、意外と早く、そんな未来がやってくるかもしれないとも思っている。二〇五〇年になるころには、利潤最大化の向こう側にある、理にかなった価値という考えが広がり、新しい方法で価値の枠組みが拡大しているかもしれない。

二〇五〇年というのは、新聞の見出しで切りのいい数字として選ばれた以上の意味がある。現在からすると、それは一世代分の年数だ。いまから約三〇年後。三〇年というのは、重大な変化について考えるのに、ちょうどいい時間尺度だ。

三〇年かけて、インターネットは作られた。三〇年かけて、影も形もなかったエクササイズという習慣が、そこらじゅうにジムやヨガスタジオが出現するまでになった。三〇年かけて、大半の人たちが煙草をやめた。複利の法則では、小さな変化が毎年積み重なって、徐々に勢いがついていく。

いまから約三〇年後の二〇五〇年ごろ、社会は初めてミレニアル世代とZ世代に導かれるようになる。このふたつのグループは、たとえばインターネット後に成長した初の世代という面を含め、多くの面で注目に値する。これらの世代は、自分たちが引き継ぐ世界に強い不満を示している。ハーバード大学政治学部による二〇一四年の世論調査では、一九歳から二九歳までのアメリカ人で自分自身を資本主義者と呼んだのは一九パーセントで、資本主義を支持すると答えた人は半数に届かなかった[3]。

この世代の人びとには、僕らをどこへ導くかについて、じっくり考える機会がある——し、その責任があるともいえる。三〇年後はそれほど遠い未来じゃない。僕らが考えているより早くやってくる。

三世紀まえ、人びとは貴族として、または支配される臣民として生きていた。個人個人にそれぞれ権利があるという概念は、二〇一六年の自動運転の車みたいなもので、理論としてはすばらしいけれど、日常の現実からはほどとおい理想だった。金持ちが自らの権力を他者と分けあうことがあるとは想像もつかなかった。会社を立ちあげるには、上院に嘆願せねばならなかった。子どもは重労働者として長時間働くものとされていた。

そのあと新しい考え方が発展し、世の中がどんなふうに機能するかについての考えが広まった。フランス革命から独立宣言、アダム・スミス、カール・マルクス、ビートルズ、ヒップホップ、そして「新スタートレック」。まばたきする間に時代が変わった。それはまったく別の世界だった。そうなったのは、さほど昔のことじゃない。

二〇五〇年の世代は、僕らをどこに連れていくのだろうか。価値の定義を広げることがめざすべきゴールだと、僕は考えている。

価値についてもっと幅広い考えを受けいれれば、公平性や熟達(マスタリー)、パーパス、コミュニティ、知識、家族、信念、伝統、そしてサステナビリティを高められる無限の可能性がある。僕らは経済的な成長のために開発してきたスキルやツールを使って、さまざまな価値を支えたり、守ったりできる。これこそが、なにも破壊したりせずに、成長を続けられる進化の道だ。

■ ■ ■ ■

ところで、ここまでいろいろ語ってきた僕は何者なのか。

もうまもなく、僕の物語が始まる。とはいえ、まず知っておいてもらうべきことがある。僕は経済学者でも歴史家でもない。僕はこれから本書で探っていくさまざまな分野にいる大勢のうちのひとりだ。この本では、一分の隙もない法的な議論をするつもりはないし、そんなことはできやしない。タイトルにあるように、この本は、ある種の宣言(マニフェスト)だ。データや歴史的な出来事や、個人的な経験にもとづいて、新しい視点を語っている。

本書は二部構成になっている。

第一部では、いまに至るまでの経緯を探る。利潤最大化はどこからやってきたのか。それがいかにして地域社会や政治、映画やショッピングモールまで変えてしまったのかを振り返る。

第二部では、価値についての新たな考え方を提案している。ポップスターのアデルや、スリーポイント・シュート、医学の歴史を例に取り、価値に対する新しいアプローチを発見したときに、何が起きるかを示している。そして、日本の弁当箱が、僕らの秘密の突破口になるかもしれないという話をする。最終章のあとには、付録と注釈をつけて、本書の背景にあるアイデアや思考プロセスをさらに深く掘りさげ、本書の事実や数字の出典を示し、お薦めの本と次のステップとして参考図書を紹介している。

この本で、僕が最終的に望んでいるのは、誰かが——というかあなたが——これらのアイデアを取りいれて、それを構築するだけの価値があると思ってもらえることだ。そして、あなたのアイデアと僕のアイデア、そしてそれらのアイデアのもとになったアイデアが組みあわさって、よりよい生き方ができるようになり、価値がよりよく理解される世界で、未来の世代が暮らせればいいと願っている。

もちろん、これは大それた考えだ。でも、この本を読み終えるころには、実現可能なアイデアでもあると思ってもらえれば、と願っている。めざすゴールがあれば、おどろくほど遠くまで行けるものだ。

第一部

第1章　シンプルなアイデア

語り手というのは自身の物語を伝えるものだ。だからまずは、僕のことを話そう。

僕は一九七八年にバージニア州南西部で生まれた。母は地元のカレッジの事務員だった。父は出張の多いウォーターベッドのセールスマンで、ミュージシャンでもあった。

三つのときに親が離婚して、数年後に母が再婚した。母と僕は、クローヴァー・ホロー渓谷に近い農場へ引っ越した。そこが僕の育った場所だ。

母と継父と僕は、福音派のキリスト教徒だった。僕らが通っていた教会では、通路で人びとが踊ったり、摩訶(まか)不思議な言葉を発したりしていた。牧師は、神に仕え、互いに愛しあって生きることや、世にはびこる邪悪なものについて説教した。六年生になるまで、僕は教会学校に通い、日常生活の一部として、聖書について学んでいた。

僕が育った場所では多くの人が似たような環境にいた。それでも僕はなじめなかった。アメリカンフットボールはしないし、狩猟解禁日に授業に出席している数少ない少年のひとりだった。僕はいじめられた。スクールバスのなかで、髪にガムをべったり付けられたり、コーラの缶をぶつけられたり、当時流行していたスコールという名前の嚙み煙草を吐きかけられたりした。同性愛者に対する罵詈雑言をあまりに浴びせられるので、自分では気づいていないだけで本当はゲイなのだろうかと考えたりした。辛い日々だった。

でも僕には野望があった。ライターになるという夢だ。カレッジを卒業したあと、ニューヨークに移住して、その夢を追いかけた。モーテルで夜間受付をしたり、通っている学校で技術サポートの仕事をしたりして、二五〇〇ドル貯めた。

そして、とにもかくにも夢をかなえた。給料は安いが、すばらしい仕事を得た。新聞の記事を短く要約してラジオ向けのコンパクトなニュース原稿にする仕事だ――それは解雇されるまでの話だけど(この話はまたのちほど)。そして初めて、ものを書いて小切手ももらった。あるレコードの批評が《ヴィレッジ・ヴォイス》に載って七五ドルを手にいれたのだ。音楽評論家として最高でもなかったし、有名でもなかったけれど、ニッチな分野を自力で開拓して、ほぼ一〇年続けた。夢が実現したのだ。

そのあと、キックスターターが生まれた。

ペリー・チェンがキックスターターのアイデアを思いついたのは、二〇〇一年の終わりか二〇〇二年の初めのころだった。ペリーと僕は二〇〇五年にニューヨークで出会ってすぐ意気投合した。ペリーからそのアイデアを聞いたのは、それからまもなくのことだった。ウェブサイト上で世の一般の人びとに自分の計画を提案し、金銭的な支援を呼びかける場を提供するというアイデアだ。芸術家を支援するパトロンみたいなものだが、お金の出処は一六世紀の教皇でもなければ金持ちの伯父さんでもない。インターネット上にいる人びとだ。そして、ここにひとつひねりがある。期日までに目標の支援額に達しなければ、お金の受け渡しはない。

初めてこのアイデアを聞いたときは、なんだか気に食わないなと思ったことを覚えている。どうも「アメリカン・アイドル」を思い浮かべてしまうとペリーに話した。けれども、話を聞くうちに夢中になった。ペリーがCEOで、僕は共同創設者でありコミュニティのリーダーでもあった。それからいくらもたたないうちにチャールズ・アドラーが共同創設者に加わり、デザインのリーダーになった。僕ら三人とほかにも多くの人びとが懸命に働いてキックスターターを作り、世に送りだした。

これを書いているいまの時点で、二〇〇九年にローンチされて以降、キックスターターを通じて数十億ドルが、創作活動をしている人たちの手に渡っている。また、一〇万件以上の新たなアイデアがキックスターターを通じて提案されている。アイ・ウェイウェイ（艾未未）のパブリック・アート、オスカーを獲得した映画、グラミー賞受賞アルバム、新しい分野のテクノロジー、数えきれないほどの書籍、アートワーク、そのほかのクリエイティブなプロジェクト。例を挙げればきりがないほど数多くのプロジェクトが、キックスターターを通じて生まれている。

キックスターターは世界的に知られたツールだけれど、一般受けする企業だったことはほとんどない。設立当初から、キックスターターはもっぱら、クリエイティブなプロジェクトの実現の手助けに焦点を絞っていた。誰でも使える万能の存在になりたいとは思っていなかった。目標は、何か役に立つものを作って、それを長く続けることだった。僕らはけっして会社を売らないし、株の公開（上場）もしないと公然と話してきた。僕らは自分たちにとって最善と思えることをするために、キックスターターを利用するつもりはない。キックスターターのミッションとして最善と思えることをする。

シリコンバレーの企業は、札束にまみれて燃えつきているかもしれないが、僕らはそういう会社とはちがう。僕らは小規模のままで、身の丈（たけ）にあった生活を続けている。キックスターターは事業を立ちあげて一四カ月で黒字経営になった。キックスターターのオフィスでは、一〇〇人を少し上回る人びとが働いている。オフィスとして数年まえに購入したのは、ブルックリンにある古い鉛筆工場だ。キックスターターは、オフィスの建物さえ借り物じゃない。

この独立精神に導かれ、キックスターターはパブリック・ベネフィット・コーポレーション（ＰＢＣ〔Ｂコープとも呼ばれる〕）になった。ＰＢＣというのは、社会のためになる公共の利益と、株主の利益にバランス良く合法的に貢献する営利企業のことだ。二〇一五年にキックスターターはＰＢＣになり、会社としての行動や影響力に関して、それまでより高い水準を設けたことをはっきり示した。キックスターターとパタゴニアの二社は、ＰＢＣへの転換をなしとげた企業としてよく知られている。

キックスターターはクラウドファンディング業界全体に影響を及ぼしてもいる。僕らはクラウドファンディングのサイトとして最初にローンチしたわけじゃないけれど、クラウドファンディングサイトとしての見た目や雰囲気、機能性はキックスターターがもとになっている。[1] オンライン上の政治資金調達サイトも、キックスターターをひな型にしているものが多い（これについては残念に思っている）。

クラウドファンディングというのは、現在は誰からも理解されているように思えるアイデアだ。人びとがそれぞれ少額のお金を出しあって、集団行動（コレクティブ・アクション）を生みだす。いまでは、空気みたいに当たり前の存在になっている。

でも、以前はそうじゃなかった。お金を出してほしいと言われて、互いにお金を与えあうというアイデアは、いまは普通のことと思われている。けれども、一〇年以上まえに、僕らがこのアイデアを周りの人に話したときは、かなり奇妙な話だと思われた。

投資家やクリエイターなど、このアイデアにかかわってほしいと僕らが考えた人たちと会ったときのことはいまでも覚えている。たしかに賛同してくれる人も多かった。けれども即座に拒否する人たちもいた。

そういう人びとの反応はだいたいこんな感じだ――「赤の他人にお金を出そうとする人なんていないよ。世の中そんなに甘くないって」。

それから決まって、キックスターターを投資ツールみたいにすればいいと言われた。「プロジェクトに金銭的な利点が欲しいね。世の中そういうものでしょ」

それこそ、僕が変えたいと思っている世界だった。誰かがどれほどお金を儲けられるかによって、あるアイデアの存在が正当化される世界とは、なんと窮屈な世界だろうか。そんな世界から自由になりたかった。

「世の中そういうものでしょ」を無視することで、僕らは世の常を超えた向こう側のことを考えられるようになった。それによって、何ができるかについて、もっと広い視野で考える余地ができた。

一〇年後、数十億ドルものお金がやりとりされ、何千万人もの人たちが、僕らの想像していたとおりにクラウドファンディングを経験した。キックスターターやゴーファンドミーやその他を介した経験。人やアイデアを支援する人びとの厚意で成り立つ、まったく新しい経済。

当時は何ができるかを見定める人びとの視野が、あまりに狭かった。それはいまもよく感じる。

■ ■ ■ ■

クラウドファンディングというのは、存在が当たり前になっているほかの人工物や加工物とはかなり異なる。

たとえば、ピアノの外見とか、朝食に飲むオレンジジュースとか、いまあなたが読んでいる文字の形とか。僕らはそれらのものがない世界を想像できない。僕らはそれらを「そういうもの」として考えている。けれどもそれらはすべて、あなたや僕みたいな誰かが思いついた概念なのだ。僕は合理的で秩序だった世界を信じて育った。心配する必要はない。歴史は論理的だ。責任ある人びとは何が起こっているのかを把握している。何も問題はない。

僕らはみな、このようなバージョンのいくつかをいまだに信じている。けれども、それは真実じゃない。

真実は、それらはみな作られたということだ。キックスターターが作られたのと同じように。誰かが何かを考えだし、それを実現しようと試みる。ほかの人びとがその新たなアイデアを信じはじめたら、それは現実のものになる。

たとえば、知っているだろうか。ハイタッチが、一九七七年に野球の試合の最中に発明されたのを。

「熱狂的な勝利の瞬間で……次の打者として待っていた［グレン・］バークは、興奮して片手を高く上げ、打席で友を迎えた。［ダスティ・］ベイカーは、どうすべきかわからないまま、バークの手のひらを軽く手で叩いた。ベイカーはのちにこう述べた。〝グレンは興奮して手を上げて、背中をそらせるようにした。（中略）だから、私も手を上げてその手を叩いた。そうすべきという気がしたから〟」[2]

新たなアイデアに関していうと、このフレーズをよく耳にする――「そうすべきという気がした」。ほかの人びとも同意するなら――みんながハイタッチしているとおり――これは「そうして当然のこと」になった。運営委員会からお墨付きをもらうわけじゃない。認可印もない。長年の構想もない。偶然の産物だ。

真実は、そこにはほとんど秩序がないということだ。人びとは毎朝目を覚まして、それらの概念の存在を信じつづけるので、現状が維持される。あるいは、それらの概念は日常にかなり深く組みこまれているので、もはやそれを概念として認識しなくなっている。

そういう概念は当然すぎて、意識するのがむずかしい。というか、少なくとも僕にとってはそうだった。客観的にはわかっていたけれども、真に理解できたのは、人生をかなり生きてきてからだった。

そんなとき、キックスターターが生まれた。バージニア州郊外の農場出身の僕、なんの変哲もない人間の僕が、世界にさざ波を起こしたのだ。この出来事で僕は、世の中というのは、信じこんでいたより、もろいものだと知った。

いったんそんなふうに世の中を見はじめると、そんなふうにしか見られなくなった。

■■■■

二〇一五年、僕は講演の依頼を受けた。アイルランドの首都ダブリンで開催された大規模なテックカンファレンス、ウェブサミットに招待されたのだ。何万人もの人びとがやってくることになっていた。僕はその講演を有意義なものにしたかった。

このスピーチのなかで、僕はこのアイデアの最初の種をシェアした。それは次のような考えだ。映画や音楽、僕らの隣近所、なにもかもを投資対象として利用している人は、僕らの社会の一部にすぎない。それなのに、もっとお金を稼ぐために、お金への飽くなきニーズで僕らの世界は圧倒されてきた。

二〇分のスピーチで、会場にいる何千人ものテック系の人びとに、自分たちがいかに機能しているかを見直そうと促した。僕らは、起こっていることを必然として受けいれてばかりじゃいられない。出口を見つけなくては。世の中の常識という圧力に背を向けて、新しい道を作ろうと提案した。それが可能になった例として、キックスターターを取りあげた。僕らの会社は、金銭的な利益を最大化しないことで、僕らの理想主義と独立を維持してきた。多くの企業が意欲的に現状とはちがう選択をすれば、それらの企業もこれを実現できる。[3]

本当は、壇上でキックスターターを売りこむのが普通だろう。そのかわりに僕が売りこんだことを――いや売りこまなかったことを、だろうか――誰が賛同してくれるだろうか。これは、講演として期待されるような話じゃなかった。

僕はそれまで講演をしてきたときとは比べものにならないほど、緊張していた。それでも、不安よりも確信がまさっていた。当時、名の知れた企業のCEOだった僕が、これを述べるために自分の持ち時間を費やせば、僕のアイデアはもっと大事に扱われるようになるだろうという確信だった。ただ、ほかの人にとって、このアイデアが重大な意味を持つことになるかもしれないと思うと、怖いような気もした。

そのあと、僕は講演を聴いていた人びとに会った。この人たちは、そのアイデアがはっきり口にされるのを聞いて感動していた。この出来事に励まされて、僕はさまざまな場所でこの話をした。バルセロナやベルリン、ロンドン、メキシコシティ、ノルウェー、ソウル、東京、ニューヨーク、オーランド、シカゴ、ミシシッピ州ジャクソンで、聴衆と語りあった。訪れた会場のどこでも、未来についての新しい考え方に対する憧(あこが)れのような思いがみられた。

■ ■ ■ ■

キックスターターのおかげで僕は、アイデアがどんなふうに機能するかについて、独特の視点を得た。それが得られたのは、このプラットフォームの共同創設者という経験のおかげでもあるし、キックスターターを介して数多くのアイデアが実現していくのを見守ってきたおかげでもある。

僕らがキックスターターについて語りはじめたころは、人びとに見せるためのウェブサイトがまだなかった。「クラウドファンディング」という言葉が知られるようになるのも、まだ数年さきのことだった。[4] 僕らは言葉だけでアイデアを説明し、内容を知らせ、わくわくしてもらわねばならなかった。

これは簡単なことじゃない。僕自身でさえ最初に話を聞いたときは、なんだか気に食わないという印象だったことを思い出してほしい。けれども、アイデアについて同じ話をすればするほど、どういう言葉で人びとが興味を持ち、どういう言葉で興味をなくすかが、だんだんわかってくるものだ。僕は実践を繰り返すうちに、話を聞いた人がキックスターターとかかわりたくなる話し方を学んでいった。

ついには、人びとが興味を失う瞬間さえわかるようになった。アイデアについて説明している最中に相手の目がどんよりしてくるのを見て、「ああだめだ。もう話を聞いてないぞ」と、何度思ったことか。そういうときはメモを取り、何を話していたにせよ、もっといい表現を探したり、話題を変えて相手の注意を引き戻したりする方法を探した。

ときおり、会話の相手がかなり疑り深かったりすることもあった。プロジェクトで金銭的な見返りを求める投資家などがそうだ。けれども、当初から支持してくれる人たちも多かった。とくにクリエイティブな活動をしている友人たちはわかってくれた。自分たちの抱えている問題が、キックスターターが生まれれば解消されるからだ。クリエイターたちは、資金調達の道がどれほど細くて狭いかを、身をもって知っていた。キックスターターの初期の投資家に、クリエイティブな世界の人たちがいたのは、偶然じゃない。

二〇〇九年にキックスターターをローンチした翌日、僕は「なぜキックスターターなのか？」というタイトルのブログを投稿した。ここに引用しておこう。

ビートルズは、ほぼすべてのレコード会社から門前払いをくらった。ジョージ・ルーカスは、映画「スターウォーズ」を制作するための映画スタジオをなかなか見つけられなかった。《ワシントン・ポスト》の記者だったボブ・ウッドワードとカール・バーンスタインはたったふたりで、ウォーターゲート事件を担当させられた。ジョン・ケネディ・トゥールが墓に入ったとき、著書の『愚か者同盟』（木原善彦訳、国書刊行会、二〇二二年）はまだ出版されていなかった。

このような逸話は伝説となり、教訓にもなる――良いアイデアはなかなか気づいてもらえないし、専門家は当てにならない。石の上にも三年。たしかにそのとおり。［それでも］現在の判断システムは誤りが多いように思えるし、時代遅れになっているのではと検討してみる価値はある。判断システムはそのシステム自体以外の誰の意見も代弁していないのではないだろうか、と。良いアイデアや、よくできた作品や、情熱的に追求された真実は、門番から成功への許可の手形をもらう必要などないのではなかろうか。

資金集めという試練（金持ちで太っ腹の伯父さんのいない誰にとっても）に直面したときに、注目されるのは儲けや儲けの見込みばかりだ。芸術性でもなければ情熱でもなく、才能でも、インスピレーションをかきたてるすばらしい物語でもない。

キックスターターの目標は、自分のアイデアに投資してもらう機会を人びとに提供して、そのアイデアにもっとも近い人びと（友人やファン、コミュニティの仲間たち）と直接つながり、アイデアを実現できるようにすることだ。キックスターターは、貸付や投資、商業的な取引、助成金などの伝統的な方法をスキップするひとつの方法だ。これによってプロダクトや契約条件に口を出す仲介者を通さずに、クリエイションを介してお互いが価値を提供しあえるようになる。[5]

これを書いた当時、キックスターターが、そびえたつほど高いこんなゴールに近づけるのかどうか、僕にはまったく見当もつかなかった。一〇年後、キックスターターはゴールに近づくどころか、それ以上の結果を残した。キックスターターやその他のプラットフォームは、クリエイティブなプロジェクトやアイデアに向けた資金調達の新しい可能性を確立した。そしてそれらのプロジェクトやアイデアのなかには、いまや一般に受けいれられ、メインストリームになっているものがある。

キックスターターのプロジェクトの多くは同様の転換をたどり、目新しくてまだ世間から認められていなかったアイデアが、いまではメインストリームとして受けいれられている。「カード・アゲンスト・ヒューマニティ」という卓上ゲームは、キックスターターの一プロジェクトとしてクラウドファンディングが開始されたあと、何百人もの人びとから支援された。オキュラス社のリフトというVRゲーム用のヘッドマウントディスプレイもそうだ。これがキックスターターでローンチされたときは、ガレージで生まれた試作品だった。ペブル社はキックスターターで複数のプロジェクトを立ちあげて、スマートウォッチをいくつか開発した。レストランや映画館、ギャラリー、その他のパブリック・スペースが現在、支援者とプラットフォームのおかげで何百とオープンしている。これらのプロジェクトはみな、キックスターター自体と同じようにアイデアとして始まった。

キックスターターを立ちあげた最初の年、プロジェクトがローンチされるたびに僕は、ほぼすべてのプロジェクトを吟味した。何年ものあいだ、ミュージシャンやアーティスト、ダンサー、ゲーム制作者、技術者、デザイナー、映画制作者など、想像しうるあらゆる種類のクリエイターのプロジェクトが世に出るよう、個人的に応援してきた。ニール・ヤングやスパイク・リーなどの大御所に助言することさえあって、それらの有名人たちがどのようにして作品を形にするのか、間近でのぞきみることもできた。

二〇一一年、数々の賞を受賞したドキュメンタリー映画の監督、ジェヘイン・ヌジェームと「ザ・スクエア」という映画の資金調達プロジェクトで一緒に仕事をした。その当時はアラブの春の抗議活動が盛んに行なわれていた時期で、ジェヘイン・ヌジェームと映画制作クルーはカイロのタハリール広場まで撮影に出かけた。撮影スタッフたちは数名の抗議リーダーを追いかけていた。ある日、ジェヘインから撮ったばかりのビデオクリップが届いた。映像には、戸口のすぐ外で政府による砲撃が起こり、身動きが取れなくなったカメラクルーが撮ったシーンが収められていた。撮影者が大きく息をつくのに合わせて、映像も上下した。その映画は三年後、オスカーの長篇ドキュメンタリー賞にノミネートされた。

いいアイデアもダメなアイデアもいろいろ見てきたおかげで、何かがうまくいったり、いかなかったりするのはどういうときか、僕はわかるようになった。利潤最大化について、世界じゅうの人びとと話していると、資金調達方法のアイデアとしてキックスターターのことをクリエイターたちに語っていたころみたいな気分になる。利潤最大化という概念は急速に広く認識されていっている。

僕は早い段階でそういう感覚を得た。あるリーダーシッププログラムに一緒に参加していた人たちに、この本についてプレゼンをしたときのことだ。ミャンマー出身のクラスメイトが財布から二〇ドルを出して、本が出たら初版が欲しいと言ってくれた。[6] ミシシッピ州の牧師がまだ芽生えたばかりの僕のアイデアを聞いたあと、励ましてくれたときもそう感じた。アブダビで、イスラム教徒の男から、お金以外の価値の重要性を擁護してくれてありがとうと感謝されたときも、そう感じた。

アイデアを実行するとなると、そのアイデアと現実とのあいだには重大なギャップがあるけれども、問題はそれだけじゃない。もうひとつ大事なのは信用だ。アイデアで重要なのは、人びとにそのアイデアが実現できると信じてもらうことだ。アイデアそれ自体ができることには限りがある。アイデアを支援してくれる人や、広めてくれる人、実行してくれる人がいてこそ、そのアイデアは実現する。

多くの人たちが利潤最大化の限界に気づきはじめている。それは事実だ。それが変化への重要なステップになる。それらの人たちが権力者でなかったとしても、かまわない。

昔なら、教皇や王や、企業の取締役や役員室にいるお偉方の声だけが重要視された。けれども、現在は僕らみんなの声が重要になっている。僕らはみな、世界に影響を及ぼす力を持っている。問題は、その力の使い方を知っているかどうかだ。

■■■■

利潤最大化というこのアイデアに、理論として興味が湧いてきた人がいるかもしれない。ディナーパーティの会話にもってこいの話題だと思ってもらえたかも。けれども僕は、このアイデアは理論にとどまらないと思っている。大きな変化はすでにやってきている。僕らが準備を整えているか否かにかかわらず。

激増する人口（二〇五〇年には、二〇〇〇年のほぼ倍の約一〇〇億人に[7]）や広がる格差、環境圧、技術の転換によって世界は変わりつつある。人口増大と資源不足の組み合わせだけでも、明快な答えのないむずかしい方程式ができあがる。

海面が上昇し、多くの生物種が絶滅しているというのに、僕らは相変わらず金儲けを優先しつづけている。それを優先しつづける方法がほかにないか、せっせと探している。

僕らは、この自動車事故は自分たち以外の車に起きたとみている。自分たち以外の人が事故を起こし、自分たち以外の人がその事故の後始末をして、もし対処できなければ自分たち以外の人が苦しむ。僕らの誰もがみな、心のなかで自分とは関係がないと考えている。

あるいは、ほかの人を非難し、スーパーマンが来てなんとかしてくれないか、みたいな解決法を願う。たとえば、天才技術者が空気や海をきれいにする方法を発明してくれたらとか、ウォーレン・バフェットやオプラ・ウィンフリーがそれに金を出してくれたらとか。あるいは、もっといいのは、いままで知られていなかったけれど、じつはスティーブ・ジョブズには最後のプロダクトがあって、それがユーザーに宇宙の謎を解き明かすヒントを与え、結果としてあらゆる問題が解決されるとか。ジョブズの最後の言葉「オーワオ、オーワオ、オーワオ」は、最後のユーザー・エクスペリエンス、iUsを味わった最初の言葉でもあるとか。[8]

とはいえ、願望は計画ではない。やぶれかぶれのロングパス（ヘイル・メアリー）を戦略にしているとしたら、その時点ですでに負けているということだ。それなのに僕らは、目の前に立ちはだかっている大きな難題を、解決する価値もないものみたいに扱っている。

道徳哲学者ウィリアム・マッカスキルがかつて、現在の人類はいったい何歳かについての洞察を示したことがある。地球上のその他の種と比べて人類全体の寿命をはじきだし、それを個人の一生に置き換えると、僕らは一〇歳に等しいらしい。[9] まだ思春期にもなっていない。つまり、人類の歴史はこのさき何万年も続くということだ。それなのに僕らは、終わりかけの最後の一団みたいにふるまっている。これまでの不始末を片付けてくれる人がいるかどうか、誰も気にしちゃいない。

人類が生きるには、ここはなんとすばらしい（クレイジー）場所だろうか――すごく近い未来は、すごく希望に満ちている。いや、そんな馬鹿な。

世界が破滅するとか、望みは何もないと思っているわけじゃない。

世界はいつだってより良い方向へ変化していくものだ。けれども、変化に気づくのは簡単ではない。変化を見張るのは、草が伸びるのを見張るようなものだ。目で見てもわからないけれど、つねに目の前に存在している。

社会が大きな変化を経るとき、人びとは世の中が思っていたほど強固なものではないと知る。僕はキックスターターで、ささやかながらもそれを知った。それが僕を変えた。ふいに視界が開けたような気がした。世の中というものがどういうものか、よく見えるようになった。

このさきのページをめくるあなたが、同じような気持ちになってもらえれば、と願っている。

第2章　対向車線を横切らないルール

自分が車で通勤するところを思い浮かべてほしい。

車に乗る。駐車場からバックで車を出す。家の前の通りを走って幹線道路に出て、二〇分ほど車を走らせる。幹線道路から離れて五分後、会社の駐車場に車を停める。

では、少しまえに戻ってみよう。会社までの進行方向側にどんな店があっただろうか。居住地域から商業地域へと通勤しているアメリカ人は、ガソリンスタンドやスターバックス、ダンキンドーナツ、その他ドライブスルーで朝食が買えそうな店が道路脇に見える可能性が高い。朝の時間帯に寄りたくなりそうな種類の店だ。

さて、次は帰宅の場面を思い浮かべてみよう。走っている道路沿いに見えるのはどんな種類の店だろうか。

アメリカ人が居住地域に向けて車で帰るとき、進行方向の道路沿いによく目にするのは、ショッピングセンターや食料品店、レストランだろう。これらは仕事のあとに寄りたくなる類の店だ。

小売業の世界で、車の進行方向側に店舗を設けるという考えのベースにあるものを、「左に曲がらないルール（フト・ターン）」という[1]（左側通行の日本では「ノー・ライト・ターン・ルール」と呼ぶべきかもしれない）。

小売業では、飛び込みの客ほど重要なものはない。大事な飛び込み客を引き寄せる重要な要素のひとつが、走っている道沿いにその店があることなのだ。

めざすゴールは、一日のなかの適切な時間に対向車線を横断せずに店に入れるようにすること。たとえば、コーヒー・ショップなど仕事に行くまえに使われる店なら、朝の通勤車両が進む方向側に店があるべきだ。食料品店など仕事帰りに寄る店は、帰宅する車が走る道沿いにあるべきだ。

人は車を走らせている方向に沿った店に入りたがる。道の向こう側に横断するのは時間がかかるからだ。辛抱強く待てる人はそれほど多くない。走っている道沿いの店に入るほうが早いし、安全だし、車の流れも止めなくてすむ。

ハイウェイから出て、ガソリンスタンドを探そうとしたら、どのスタンドも対向車線側だったという経験はないだろうか。

これはノー・レフト・ターン・ルールが機能しているからだ。そんなときのあなたの車は、一般的な車の流れに逆らって進んでいるはずだ。

質問：道を渡ればいいだけじゃないですか？

回答：それをしないものなんです。

隠れデフォルト

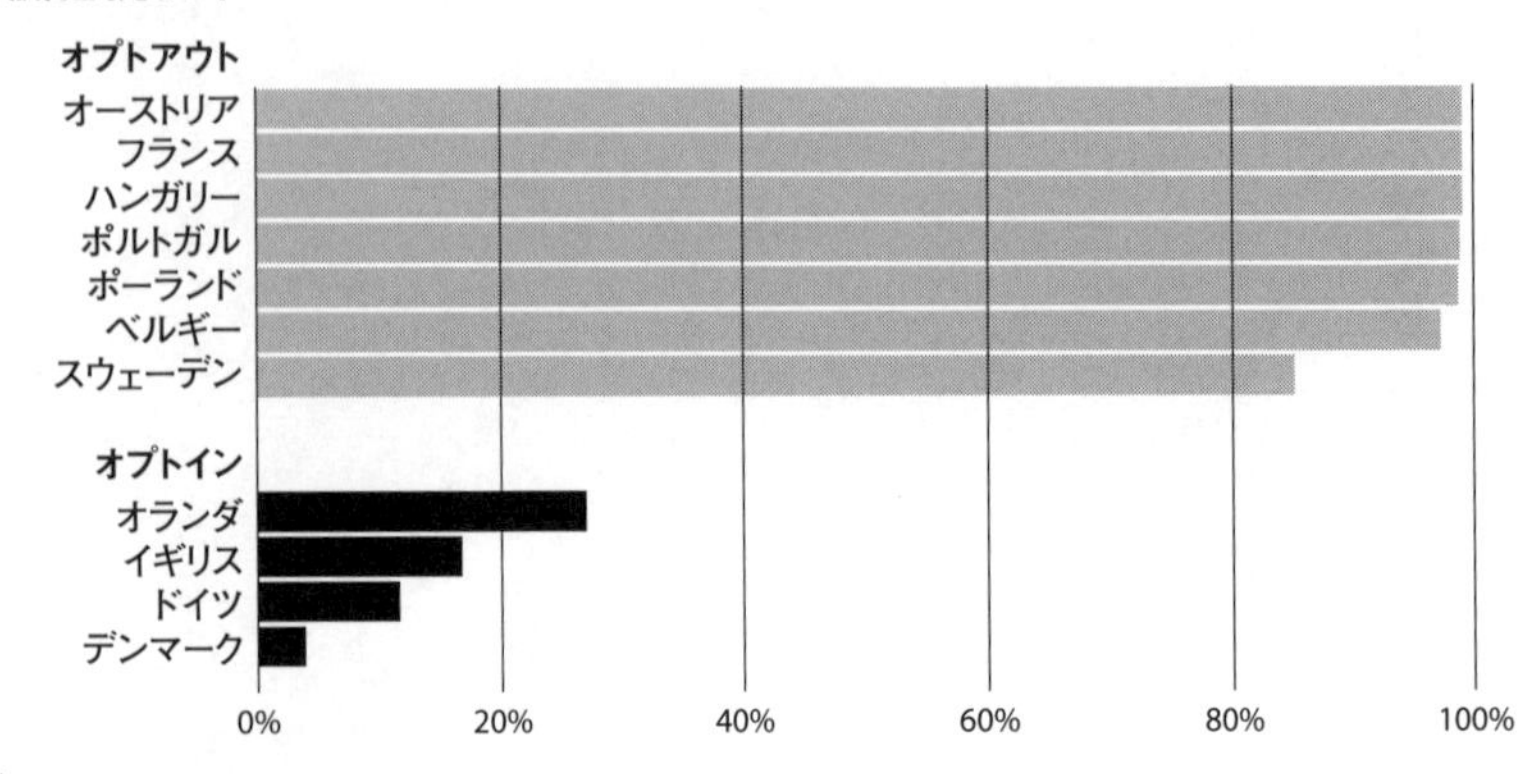

出典：JOHNSON AND GOLDSTEIN 2003

ノー・レフト・ターン・ルールは、隠れデフォルトの一例だ。隠れデフォルトとは、僕らの行動に影響を与える目に見えないルールのことをさす。隠れデフォルトとは、駐車場の白線みたいにやんわりと僕らを誘導するナッジだと、ハーバード・ロースクールの教授キャス・サンスティーンは書いている。[2] 現代の世界は、このような隠れデフォルトに満ちている。そりゃそうだ。これはめっぽう効果的なのだから。

　たとえば、臓器提供率をみてみよう。人びとが臓器提供を選ぶかどうかは、死にまつわるその国の文化的な信念に左右されるという印象がないだろうか。ところが実際のところ、本人の意思は意外と選択に反映されていない。

　上のグラフは、ヨーロッパのさまざまな国別に、臓器提供を選択した人びとの割合が示されている。[3]

　オーストリアとドイツなど、似ていると思える国のあいだにひどく大きな差があることに注目してほしい。オーストリア人とドイツ人のあいだで、死についての信念に大きな違いがあるのだろうか。

米国下院議員の再選率

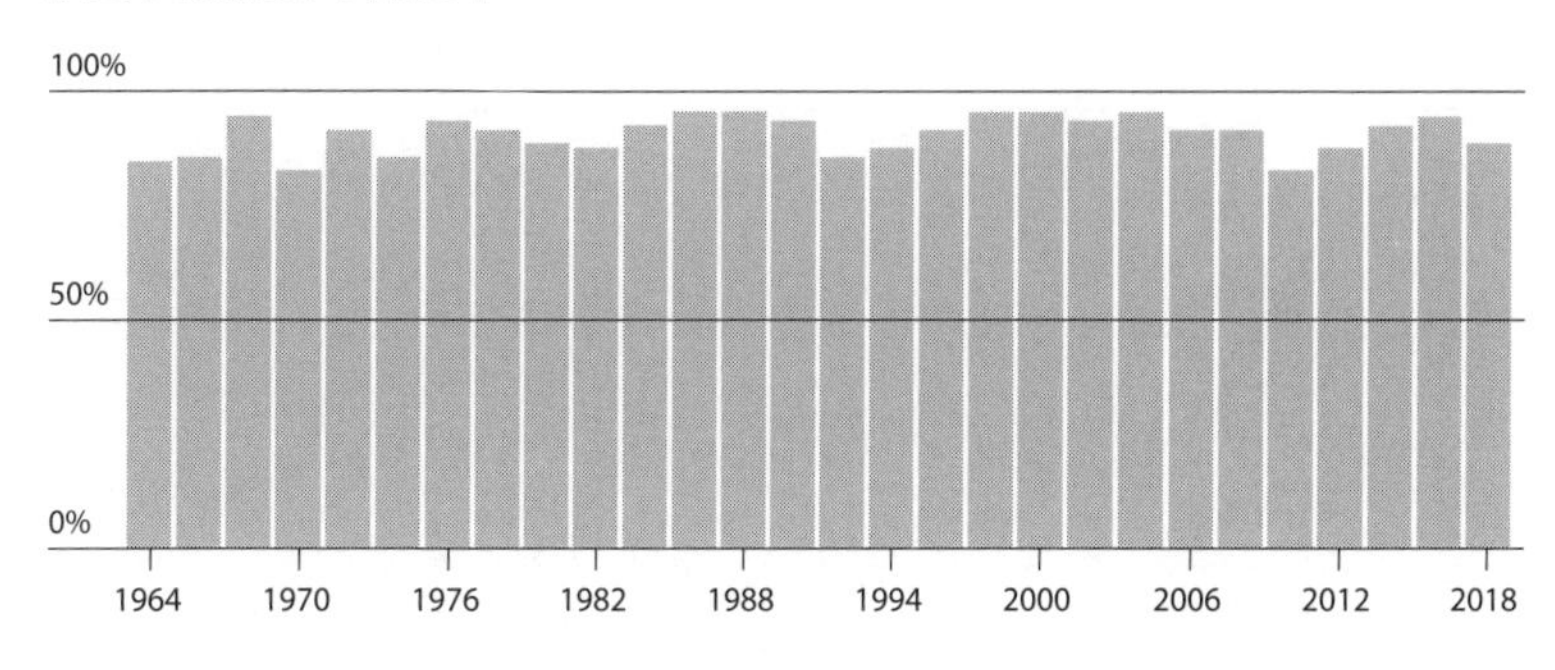

出典：CENTER FOR RESPONSIVE POLITICS

いや、そうじゃない。違うのは、記入方式だ。オーストリアでは、もとの設定が「臓器提供をする」という選択になっている（オプトアウト）。ドイツでは、もとの設定が「臓器提供をしない」になっている（オプトイン）。

僕らは目の前にある、もとの設定（デフォルト）に流される傾向がある。それが、臓器提供する、提供しない、どちらであれ。

ジムに入会している人びとの六七パーセントは、ジムを使っていないのに会費を払いつづけている。[4]「メールマガジンを受けとる」という項目に入っているチェックを外す人はたった〇・二八パーセントで、九九・七パーセントはスパムメールを受けとりつづけるという選択を受動的にしている。[5]

上のグラフは、過去五〇年にわたる米国下院議員の再選率を示している。

このグラフを見れば、現職の連邦議会議員はさまざまな構造的利点を得ていると考えられるだろう。新人の候補者に比べて、現職議員のほうが資金集めをしやすい。議員という職によって人の役に立つこともできる。名前もよく知

米下院議員再選率と連邦議会支持率

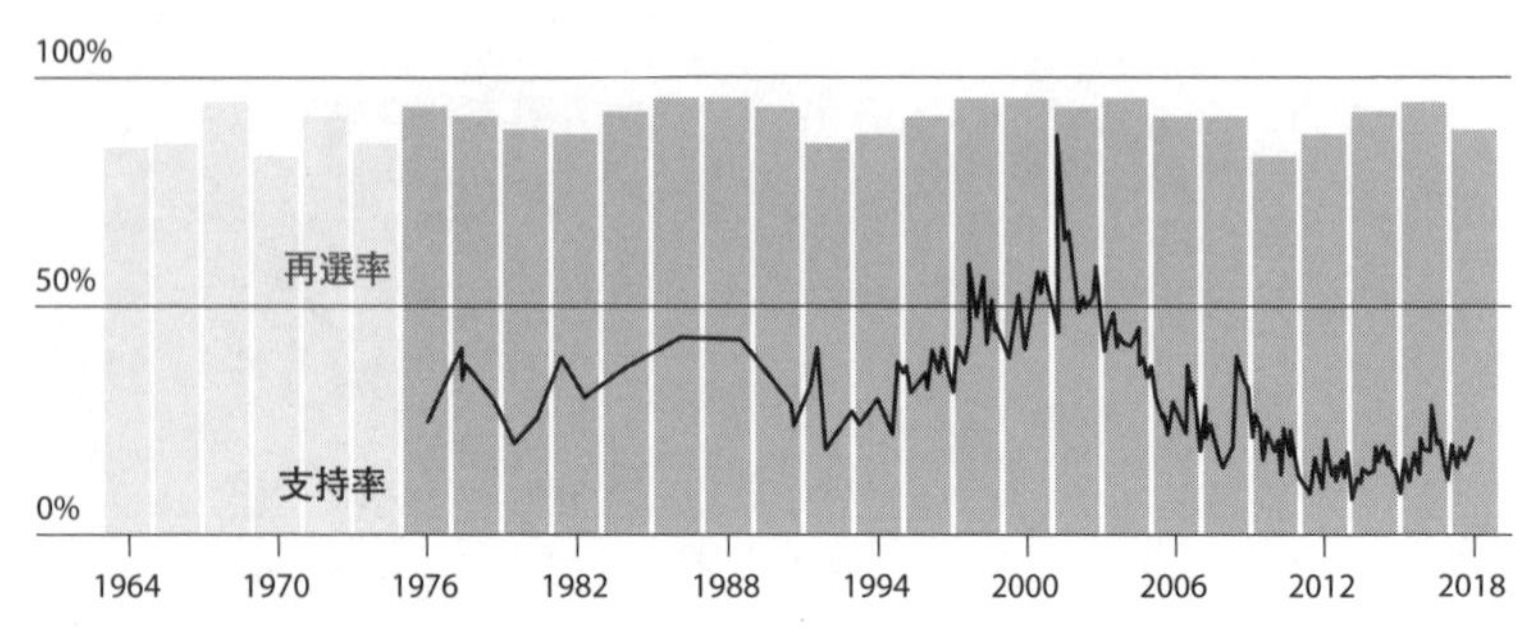

出典：CENTER FOR RESPONSIVE POLITICS

られる。これはどのようにして隠れデフォルトになるのだろうか。

まさにこれがそうなのだ。隠れデフォルトは、たまたま起こるわけじゃない。結果として生じるのだ。積み重なって徐々に定着する。知恵と力が行使され、時間をかけて、デフォルトが変わっていくのだ。

これが起こるのは、妥当な理由がある場合（進行方向にある店に入るより、対向車線側の店に入るほうが危険だし、健康でない人にとって、健康な人の臓器提供が増えるのは有用だ）と、あとでみていくけれど、妥当な理由があまりない場合がある。

上のグラフはさきほどと同じ連邦議会議員の再選率に、連邦議会の支持率を重ねてみた。[6] ひとつのパターンにお気づきだろうか。

連邦議会への不満が高まっているというのに、その不満の原因であるはずの現職議員（デフォルト）への依存もますます高まっている。僕らはデフォルトに流されているのだ。

これは、いかにして僕らがデフォルトに沿っているのかを示している。僕らは現職議員を気にいっていないときでさえ、その議員たちをありがたく思っている。さて、これで（誰に投票すべきかという）悩みがひとつ減った、というわけだ。

利潤最大化という隠れデフォルト

デフォルトのなかには、目に見えるし、変えられるものもある。たとえば、クレジットカードの請求書はペーパーレスにすることができる。ほかの通知の設定も変えられる。けれども、ほとんど気づかないデフォルトもある。

デヴィッド・フォスター・ウォレスが書いた物語がこれをうまく描写している。[7]

老いた魚と若い魚が海を泳いでいる。

老いた魚がこう言う。「今日の水はどんな具合だね」

若い魚が答える。「水って何？」

背景込みで世界を見るのは簡単ではない。ジム・キャリーが映画「トゥルーマン・ショー」で触れたセットの壁みたいなものだったら、話は別だけど。実際の世界はそうじゃないのだ。

隠れデフォルトは世の中の一部となって、生活に深く埋めこまれている。それは習慣だったり、しきたりだったり、社会ルールだったりして、僕らの種族や国を形づくっている。出生や結婚や死にまつわる儀式もそうだ。だからこそ、僕らはある色の服を着て、ほかの色は避けたりする。それらは僕らが生きている物語に溶けこんでいる。生活しているなかでふと引き寄せられる、見落としやすい潮の流れだ。

行動経済学者のダニエル・カーネマン、エイモス・トヴェルスキー、ダン・アリエリー、イリス・ボネットやその他の人びとは、僕らがいかに影響されやすいかを示している。僕らの選択はたやすく操作される。操作されていると気づいていないときはとくに。そういう場所に隠れデフォルトは潜んでいる。

カーネマンとトヴェルスキーは、アンカリング効果と認知バイアスに関する研究でこれを示した。[8] たったひとつの言葉、あるいは無関係だけれど印象に残る情報のかけらの存在がいかに、僕らのふるまいを変化させることか。アリエリーはいかにして感情が僕らの選択に影響を及ぼし、「無料」というような言葉が僕らの考えをいかに変えるかを示した。[9] 僕らは自分の行動が客観的な事実にもとづいていると考えている。だけど、隠れデフォルトに誘導されていることが多い。

本書はとくにひとつの隠れデフォルトについて書いている。ほかの何にもまして、世の中に大きな影響を及ぼしている目に見えない力について、書いている。磁石が北をさすように、その方向に僕らを引き寄せるもの。

それが、利潤最大化という隠れデフォルトだ。利潤最大化が示すのは、いかなる決定であれ、理にかなった選択は、もっともお金が稼げる選択肢だということだ。これは、さまざまな僕らの選択の背後で、土台になっている「根拠」だ。現代生活のなかにある、進行方向沿いの店だ。

利潤最大化は、合理的な進歩という概念を明確に示す。ほぼまちがいなく、過去一世紀にわたる進歩の測定基準の中心を担っていたのは、国内総生産（ＧＤＰ）だった。これがおもに測定するのは、僕らがどれほどうまく金銭的な利益を最大化できているかだ。けれどもＧＤＰは、お金のもっと大きな意義を評価しているわけではなく、どれだけ多くのお金が動いたかを示すだけだ。

成功を計測する方法がわかれば、何もかも納得がいく。

この方法でアメリカは現在の医療保険制度を正当化しているけれども、自己破産の六二パーセントはこの制度が原因で生じている。[10] 医療提供者、製薬会社と保険会社は、人びとのポケットを空っぽにさせる複雑怪奇な制度を通じて売上を増やし、金銭的な利益を最大化している。

これこそが、患者にとって欠かせない既存の薬の価格が上がりつづけているというのに、そのいっぽうでそれらの薬を製造している製薬会社の収益が増大しつづけている理由だ。[11]

またこれこそが、二〇一八年に製薬会社が自社の収益を、研究開発や賃金上昇に費やすよりも自社株買いに費やした理由でもある。株主と株価が最優先で、労働者や自社の未来は、二の次なのだ。[12]

製品開発の世界でよく言われるように、計測が可能な価値で、あなたの価値が決まる。

■ ■ ■ ■

金融の世界は利潤最大化というゴールをめざして機能するものと、僕らはみなしている。ところがこの主義がいまや、ビジネスの世界だけでなく、さまざまな分野を圧倒している。

たとえば教育界や政府、医療、科学界は、利潤最大化の原理にしだいに駆りたてられるようになった。以前なら、それぞれの功績――知識、サービス、治療、発見――に焦点を絞っていた制度が、たったひとつの尺度、つまりお金で測定されるようになっている。

こんなふうに想像してみてほしい。

教育や政府、医療、科学それぞれの分野が大きな石造りの建造物だとする。パリやマンハッタンにある、そびえるような建物だ。

それらの建物は基礎を築くだけでも何世紀もかかった。建物の基礎の部分には、聖書の「創世記」、メソポタミアの楔形文字やエジプトの象形文字、プラトンの著作『国家』(藤沢令夫訳、岩波書店、一九七九年)、ニュートンの法則などが埋めこまれている。

それらの建物は、最初は苦労して建てられた。それぞれの分野の大きな功績がレンガのひとつひとつになった。ところが、知識が広まるにつれ、建造スピードは数世紀から数十年に速まった。

それぞれの建物には、これまで取り組んできたあらゆる側面が含まれている。存在を最初に示したのは、哲学と思想だった。伝統や儀式がこの文化や価値観を維持している。何世代もの男女がその恩恵と知識を広める。若者はその高いレベルに加わりたいと夢見る。二〇世紀のあいだ、アメリカはその建物を、国の偉大さの証拠として指し示していた――ほらごらん、民主主義の社会がもたらした驚異を。それを見て、世界じゅうが感銘を受けていた。

といっても、すべてが完璧とはいかない。

それらの建物はしばしば議論の的になった。政治家は構造や内容、メンバーについて議論した。何を含めるべきか。何を含めないか。誰を仲間にいれるか。誰をいれないか。どれほどのキャパシティにすべきか。

それらの建築が完了したと考えている人びとと、さらに建物を加えたり、改築したりしたい人びととのあいだではしょっちゅう摩擦が生じている。新たな知識や新たな建物の出現は、既存の秩序の一部をどうしようもなくおびやかす。その議論は文化的な分断を引き起こすこともある。

たとえば、学校で進化論を教えるべきかとか、幹細胞研究の倫理的な側面とか。

これまでのところ、それらの建物はさまざまな嵐を切り抜け、時間とともに進化してきた。ところが、二〇世紀が終わりに近づくにつれ、その気風が変わった。新たなエネルギーにその座が奪われた。

こんにちの世の中を支配している視点でそれらの建物を見るとき、その視点で教育、政府、医療、科学の重要性が認識される。その視点で、社会にどれほど貢献しているかが評価され、それぞれの利点が分析される。

巨大な市場が狙えるか。メガ級の潜在的利益があるか。それはどれくらい儲かるのか。

現在の視点が判断するのは、施設の良しあしではなく、資産だ。お金だ。銀行強盗が盗んだ金を山分けするときみたいに。

建物の用途についてのあらゆる議論――どんな修繕が必要か、誰がそれを頼りにしているのか――は、誰が何を手にいれるかより重要でなくなる。

それぞれの建物で生みだされるものも、同じような扱いを受ける。教育や医療などの社会的なサービスは、かつては費用としては名ばかりだったが、いまではおどろくほど高く付く。それらの建物が分割され、売られていくにつれ、国民はその請求の支払いを強いられてきた。

利潤最大化というデフォルトに支配されていくとは、こういうことなのだ。つまり、僕らの社会が、売ったり買ったり、取引するためのポートフォリオとして見られることになる。それは、偏執的な新興財閥(オリガルヒ)の目で世界を見るようなものだ。その目には、あらゆるものに値段がついているように見える。

合理的な理論の起源

すべてはまったく悪気なく始まった。一七七六年、スコットランド人の経済学者で哲学者のアダム・スミスは、人びとが自己の利益にしたがって行動するとされるとき、社会はもっともよく機能すると主張した。「われわれが夕食にありつけるのは、肉屋や醸造家、パン屋の善意のおかげではなく、それぞれが自己の利益を得るために行動するからだ」という有名な一節は、著作の『国富論』（改版、大河内一男監訳、中公文庫、二〇二〇年）にある。

肉屋になってくれとなだめすかして、肉屋をしてもらっているわけじゃない。肉屋が肉屋をしているのは、生きるためであり、家族のニーズを満たすためだ。それは肉屋が自らそうしようと思ってしていることだ。これは人びとを力づける概念だった。人は自分の利益になることをするものだという信頼の上に社会を築けた――それは好ましいことだった。

スミスは、個々の意志が集まった「見えざる手」によって、資本金、土地、労働者のあいだの力のバランスが保たれると考えた。このバランスが、生産―再投資―改善という連続サイクルを生みだし、それがみんなの利益になるという考えだ。

なんとすばらしいアイデアだろう。そう思わないか？

けれどもここで注意してほしいことがある。スミスは肉屋に次のようなことは言っていない。ブタの屠畜料をできるだけ高くして、肉の質を許容される最低レベルに下げ、労働者を低賃金で酷使して儲けを最大にし、そのお金を経営陣と投資家に分配せよ、なんてことは。

それでも、現在の多くの企業では、この戦略がスタンダードになっている。投資家が企業にそういう行為を期待しているのだ。資本主義とはそういうものだと多くの人が思っている。企業が金銭的な利益を最大化するためにできるかぎりのことをしないなら、投資家はそうしてくれる新しいリーダーを呼んでくるだろう。

アダム・スミスは利益の重要性を強く信じていた。利益という手立てを使って、企業は賃金を上げたり、より良い、より特殊な物品やサービスに投資したりできるし、社会は最終的に成長していける。けれども、利益それ自体はゴールじゃない。

こんにちの世界を席巻している利潤最大化というのは、それとは別物だ。この考えが出現したのは、僕らが思っているより最近のことだ。

■ ■ ■ ■

第二次大戦後の一九五〇年代前半に、米国は新しい世界的な大国として存在感を増してきた。その一〇年ほどまえ、アメリカは日本に史上初の（そして願わくは最後の）原子爆弾を落とした。原子爆弾は、前例のない力を解き放ち、ソビエト連邦もその爆弾を保有するようになって、さらに恐ろしい武器になった。この二国がにらみあい、新たに発明された「終末時計」――人類が自滅に近づいていることを示すために創造された――はこの世の終わりまでたった二分になった。

国防総省は、ランド研究所というエリートシンクタンクの科学者や数学者集団に、新たな核の時代に米国はどうふるまうべきか戦略を練るよう求めた。

状況を検討するために、研究者らは当時出現したばかりのゲーム理論という分野に目をつけた。ゲーム理論では、ゲームやその他の戦略的な衝突の際に、数学モデルを使って合理的で最適な戦略を決める。

科学者らは、ソビエト連邦との核兵器をめぐる膠着状態にゲーム理論を当てはめて、米国が取れるさまざまなアプローチ、それに対するソ連の反応、そこから状況がどこへ向かう可能性があるかなどについて検討した。いかなる戦略を検討したにせよ、どういう結果が起こりうるかについて、意思決定者らはゲーム理論によって自分たちの認識を広げることができた。

ランド研究所の科学者はさまざまなシナリオを作り、多種多様な衝突のタイプを検討した。それらのシナリオの多くは、人びとをプレーヤーとみなして、対戦するゲームのような形をとる。ゲーム理論のシナリオとして、おそらくもっとも有名な例は、一九五〇年にランド研究所が考案した「囚人のジレンマ」と呼ばれるゲームだろう。そのシナリオをここで紹介しよう。

あなたは相棒と銀行強盗をした。ふたりとも逮捕されて、別々の取調室にいれられている。そして、警官からそれぞれ、次のような取引を持ちかけられる。

相棒に罪をなすりつけて、相棒が黙秘すれば、あなたは釈放されるけれども、相棒は三年間刑務所暮らしになる。

相棒があなたに罪をなすりつけて、あなたが黙秘すれば、あなたは三年間刑務所に入り、相棒が釈放される。

お互いに罪をなすりつけあえば、ふたりとも二年間刑務所暮らしになる。

ふたりとも黙秘すれば、どちらも一年だけ刑務所に入る。

ふたりは別々の取調室に入っているので、相棒がどういう決定をしたのかわからない。だから、どれが「正しい」答えなのか決めることができない。相棒がどういう行動を取るか考えて、それにもとづいて行動するしかない。

囚人のジレンマは、ゲーム理論の概念に沿った合理性が示す予想外の結果を表している。一九五四年にランド研究所が出版したゲーム理論についての本、『ウィリアムズのゲーム理論入門―経営・人生ゲームの戦略と応用』（竹内啓、関谷章、新家健精訳、白揚社、一九六七年）で著者のJ・D・ウィリアムズは、ゲーム理論は「合理的な人びとが取るべき明確な行動があるという視点に立っている」と書いている。

この本には次のような記述がある。

人びとがふるまうべき方法があるというこの理論は、法または倫理に沿った義務を表してはいない。むしろこの理論が表しているのは、ある意味数学的な道徳規範か、少なくとも数学的な倹約策で、プレーヤーは良識にもとづいた目標として、相反するゴールをめざす腕のいい敵を相手に、そのゲームで安全にできるだけ多くの利を得ることを求められる。これがわれわれの合理的なふるまいのモデルである。[13]

合理的なふるまいのモデルにしたがった場合、囚人のジレンマで最適な戦略はどれだろうか。それは、相棒を裏切ることだ。ひとつにはそれが、自分が自由になれる唯一の方法だから。相棒を信頼すれば、より大きな危険に自分の身をさらすことになる。自分自身のことだけに気を配っていれば、危険は少なくなる。そして、あなたがその結果に行きついたのなら、きっとあなたのいわゆる相棒も別の取調室でそう考えるだろう。そこから被害妄想的思考のサイクルが始まる。

名誉や忠誠など観念的な価値基準は、当局に対抗して相棒と団結せよと促す。けれども、この新しい合理的な世界観にしたがえば、この行為はまちがっている。団結はあまりに危険すぎる。合理的なものの見方でいえば、さっさと仲間を裏切るべきなのだ。

とはいえ、どちらのプレーヤーも黙秘したときどうなるかをみてみよう。この場合はのべ刑期が短くなる。ひとりが黙秘したときはもういっぽうが三年の刑期になるのに対し、ふたり合わせて刑期が二年になるからだ。これは全体でみると最良の結果といえる。けれどもこの結果は、どちらのプレーヤーも、目の前の自己利益を最大にするという戦略を取らなかった場合にのみ可能になる。

囚人のジレンマを初めてプレーした人びとのなかに、ランド研究所の事務職員たちがいた。事務職員たちの多くは、相棒に忠実でいることを選んだ。その人びとにとっては仲間との関係が重要だった。事務職員たちはゲームのなかでもっとも望ましい結果に到達した[14]。

ゲーム理論によって設定された合理性のモデルにしたがうと、それらの事務職員は正しくプレーしていなかったことになる。当座の自己利益の追求こそが、合理的な行為なのだから[15]。

■
■
■
■

ランド研究所は、日常生活にゲーム理論を取りいれて普及させる目的で『ウィリアムズのゲーム理論入門』を出版した。「ゲーム理論は発展するにつれ——あるいは発展のようなものが起こるにしたがって——人生のさまざまな場面で重要な概念や力になる」と、ウィリアムズは書いている。

これはそのとおりだった。ゲーム理論は、新しい「超論理的な」考え方のツールになった。なにによりこの視点は、自己の利益を最大化することの合理性を伝えている。

このような考え方は、ランド研究所の科学者が考えていたとおりの利益をもたらした。けれども、それには思わぬ弊害も付いてきた。もっとも注目すべきは、個人主義的で被害妄想じみてさえいる、ものの見方だ。

『ウィリアムズのゲーム理論入門』の冒頭付近で著者は、読者にほかのプレーヤーと五人でポーカー・ゲームをしている場面を想像するよう促している。ところが著者はとつぜん「ゲームが始まるまえに、プレーヤーのうちふたりが、勝っても負けても分け前をあとで分けあおうと結託している」という状況を付けくわえた。ポーカーはもともとプレーヤー同士が対抗関係にあるゲームなのに、ゲーム理論の視点によってさらに賭けの度合いが高まる。人びとはあなたを騙（だま）そうと企んでいる。ゲームには罠がある。さあ、どうする？

この理論によって僕らは、アダム・スミスの自己利益の概念から、ダークサイドに一歩踏みこんだ。スミスにとっては、自己の利益は信頼を築く土台だった。肉屋にとって利益になることを行なうだろうという考えを土台にして、相手を信頼できた。ところがいまは、同じ概念が、相手を信頼しないことの合理性を正当化するのに使われている。実際のところ、どれくらい肉屋を信頼できるだろうか。なかで何が起こっているかなんて、わかりゃしない。自分以外の誰かを信頼するなんて、愚かだ。

このゲーム理論のマインドは、冷戦時のソ連に対する米国の戦略を導いた。危険の度合いを考慮すれば、これはおそらく賢明なことだったのだろう。それでも、ゲーム理論の考案者がまさに予想したとおり、たいして時間がたたないうちに、この哲学が日常生活に浸透した。僕らはみなそれぞれ、自身のミニチュア冷戦のただなかにいた。誰もが何かを所有しようとしていた。誰もがほかの誰かと敵対していた。これが冷徹で厳しい現実の生活だ。理論がそれを証明していた。

僕らがやっているゲーム

囚人のジレンマは、その合理性にもかかわらず、盲点がひとつある。この盲点がゲーム自体の隠れデフォルトとなって、自己利益を優先せよという寓意を強く形づくっている。

それは――壮大な宇宙の真理などではなく――取調室がこのゲームの寓意にもっとも大きな責任を果たしているところだ。ふたつの取調室がプレーヤーを世の中から孤立させている。世の中そのものを表しているのではなく。

取調室の外で同じシナリオを想像してみよう。たとえば推理ゲーム「クルード」の舞台になっているディナーパーティはどうだろう。マスタード大佐とミセス・ピーコック〔いずれもクルードの登場人物〕とのあいだで真剣な戦いが行なわれるところを想像するのは、ばかばかしく思える。警察を混乱させるために協力しあうシナリオのほうが、だんぜんイメージしやすい。

これは本当だ。ゲーム理論のなかでは、囚人のジレンマは非協力的なゲームとして分類される。つまり、これはデザインによって敵対的なシナリオになっているのだ。けれども、同じようなシチュエーションで協力的に取り組むのが合理的とみられるゲーム理論のシナリオがある。それはスタグハント（鹿狩り）ゲームという。こちらも有名なシナリオだ。

このゲームの選択肢は囚人のジレンマとよく似ている。プレーヤーはふたつの選択肢を与えられる。

ひとりで狩りに出かけて、小さな獲物を得る。

もうひとりのプレーヤーとともに狩りに出かけて、もっと大きな獲物を得る。

ただし、いっぽうのプレーヤーがふたりで狩りをするほうを選択し、もういっぽうがひとりで狩るほうを選んだ場合、ふたりで出かけるほうを選択したプレーヤーは、何も得られない。

プレーヤーは選択するまえに、互いに相談することができない。だから、囚人のジレンマみたいに、相手を信頼することですべてを失う可能性がある。けれども、このゲームの構造は明らかに、協力しあうことですばらしい成功を味わえることを示している。

囚人のジレンマとスタグハントゲームは、ふたつとも合理的だけれど、世界を見る視点が根本的に異なっている。片方は競争のカラーが強い。地球は、人びとが取調室で互いに敵対して陰謀を企てている惑星だ。けれども、もういっぽうは協力がポイントだ。一緒に狩りに出かければ、もっと食べ物が手に入るのだから。

どちらのゲームでも、協力することで最大の見返りが得られる。けれども、プレーヤーに真実を明らかにしているのは、そのうちのひとつだけだ。

どうプレーするかを示唆する手掛かりがどれほど重要かを、鮮やかに示している研究がある。[16]研究者はふたつの異なる囚人のジレンマゲームを用意し、参加者にプレーさせた。ふたつのゲームのルールは、さきほど述べたシナリオと同じだった。

このふたつのゲームの唯一の違いは名前だ。いっぽうは「ウォール・ストリート・ゲーム」、もういっぽうは「コミュニティ・ゲーム」と名付けられた。研究者はこのふたつのゲームを、スタンフォード大学の学生とイスラエルの空軍パイロットにしてもらった。どちらのグループでも似たような結果になった。

「ウォール・ストリート・ゲーム」をしていた人びとは、「コミュニティ・ゲーム」をしていた人びとと比べて、大きな見返りをひとりで得ようとしてパートナーを裏切る割合が高かった。「ウォール・ストリート・ゲーム」のプレーヤーは、仲間が裏切ると思い、相手よりさきに裏切ろうと思ったのだ。それが理にかなった行動だった。

いっぽう、「コミュニティ・ゲーム」というシナリオでのプレーの結果はまったくちがっていた。「ウォール・ストリート・ゲーム」で互いに裏切りあったプレーヤーたちが、協力しあった。「コミュニティ・ゲーム」という名前を考慮すると、これもまた、理にかなった行動だった。「ウォール・ストリート」バージョンをプレーしているとき、仲間を裏切らない行動を選んだプレーヤーは四〇パーセント未満だった。「コミュニティ」バージョンをプレーしているとき、仲間と団結しようと行動した人は約七〇パーセントだった。名前がちがうだけで中身は同じゲームなのに。

この世は「ウォール・ストリート」の世界か、「コミュニティ」の世界か。囚人のジレンマの世界か、スタグハントの世界か。結果の一部が、ゲームの名前で変わる。それこそが、隠れデフォルトというものがいかに強力かを表している。

隠れデフォルトによって標準が決まる

コンテクストの設定によって、隠れデフォルトが僕らの選択に影響を及ぼす。このコンテクストを僕らはぼんやりと、「世の中ってそういうもの」とか「そんなものだ」と表現する。それは「普通のこと」なのだ。それらのフレーズは、その人が自分で決断をくだしていない部分を特定している。むしろその選択は、ほかの誰かや何かによってすでにくだされている。

隠れデフォルトによって、僕らは何を事実として認識するかさえも決められていることがある。僕らは、客観的な事実にもとづいて自分が決定をくだしていると思っている。けれども、誰もがみな、自分たちが暮らしている文化的な背景（カルチュラル・ナラティブ）によってさまざまな規範やデフォルトにしたがっている。「コミュニティ・ゲーム」や「ウォール・ストリート・ゲーム」の世界と同じく。

この傾向によって、隠れデフォルトの最後にしてもっとも厄介な問題が導かれる。

それは僕らが、隠れデフォルトとして物事とはそういうものだと認識しているだけでなく、そうあるべきだとみなしている点だ。

そういうものはそうあるべきものとして、みなされることが多い。この考えのせいで、世の中を別の角度で想像するのが、ひどくむずかしくなる。

社会学者のマックス・ヴェーバーは、自分たちがいかに、合理性という鉄の檻（おり）にとらわれているかを書いている。最終的に僕らは、その檻自体を自然界の創造物のようにみなすようになる。

そう、たしかに鉄の檻はあるとも。でも、これはここにあって当然のものなんだ、と。

ところが、過去を振り返ってみれば、以前に存在していた世界は、いまとはまったく別物だったとはっきりみてとれるだろう。どういうわけか、僕らは以前とはちがう場所にたどりついた。そして、ここからまた別の場所へ行きつくだろう。僕らがとらわれている檻は、僕らが思っているほど強固なものじゃない。

第3章　何もかも同じなわけ

二〇一七年、サム・ハントというカントリー歌手の曲「ボディ・ライク・ア・バック・ロード」が、これまでどの曲も達成したことのないことをした。八カ月、つまり三四週連続でこのバラードが、ビルボードのホット・カントリー・ミュージックというチャートの一位を獲得しつづけたのだ。[1]音楽史のなかで、ビルボード・カントリー・チャート一位をこれほど長く維持した曲はほかになかった。エルヴィス・プレスリーよりも、ビートルズよりも、フランク・シナトラよりも、マイケル・ジャクソンよりも、マドンナよりも長い。どの曲よりも長い期間だ。

「ボディ・ライク・ア・バック・ロード」が、もっとも長く一位でありつづけたのは、とんでもない異常値のようにみえる。回路内の誤信号みたいに。でも、そうじゃない。これは、ある風潮のロジカルな結果だ。

ラジオをつけると聞こえてくる。映画を観にいくと目にする。都会の街でも小さな町でも感じる。いったん利潤最大化が幅を利かせるようになれば、何もかもが同じになっていくのだ。

連続一位の曲

ラジオは、かつての栄華には及ばないけれど、いまだに強い影響力を保っている。新しい音楽を発見するためのツールとしては、まだトップの地位にある。災害時に避難指示などを伝える非常警報システムとしても一役買っている。多くのアメリカ人が毎日のようにラジオを聴いている。

僕らはラジオの衰退を目にしてきたので、これを時代遅れのテクノロジーとみなしている。けれども、一九二〇年代にラジオが登場したときは、一九九〇年代にインターネットが登場したときと同じくらい世界を揺るがした。

インターネットの普及を喜ぶ言葉の多くは、ラジオが出現したときに言いあらわされた言葉だった。無線機を使えば誰でも、大気中に放出した電波に乗せて信号を送ることができたし、科学によってその電波を利用することができた。それは革命的で民主的だった。

ラジオは最初の真のマスコミュニケーションの手段だった。人間が初めて、大陸や大海の向こう側にいる人間と、声を使って即時に通信した方法だ。神のような力を人間が手にいれたのだ。

ラジオを導入した人びとは、その重要性に気づいていた。ラジオ放送が初めて行なわれてまもなく、米国連邦議会は、ひとつの企業が所有できるラジオ局は二局までと制限をつけた。政府は、この新しいリソースが少数の手に集中しないようにするために必要な制限だと述べた。ラジオは公共の財産だった。この考えのもとで、ラジオは全盛を迎えた。それぞれのコミュニティには、コミュニティ自身のラジオ局があり、独自の声となった。

けれども、しばらくすると反対意見が出てきた。その意見は人あたりが良く、企業が所有するラジオ局数を制限したときと同じ視点に立っていた。あらゆる声の重要性が語られ、それから、所有数の制限は企業やその経営者に対する差別だという主張が行なわれた。それらの企業がラジオ局を一〇局所有したいといったらどうするのか。一〇〇局だったらどうだろうか。企業にはそれを所有する権利があるのではないか。一九四三年、ラジオ・ネットワークが政府を訴えた。言論を制限することで合衆国憲法修正第一条の権利が侵害されていると主張したのだ。法廷は政府の規制を支持したが、迫りくる改革の種はまかれた。

強力な政治的圧力と法的圧力のもとで、ラジオを保護するはずのルールは、ルールがないほうが民主的で公平という主張にもとづいて、着実に弱められた。

変化は徐々に起きた。上限が二局から五局へと緩められた。その後、五局から七局になった。けれども、上限が引きあげられるたび、次の拡大が避けられない結果になった。企業が大きくなればなるほど、さらに大きな影響力が手に入ったからだ。

一九八二年に、ラジオの監督責任を持つ機関の長が、自分はラジオ局の所有者にほぼ完全にしたがっていると公言した。「民間放送はビジネスであって……国民の受託者ではない」とこの男は述べた。いまや政府は「可能なかぎり、放送局を持つ企業の判断にしたがって」いた。[2] 利益を求めてラジオ局が競争するオープンな市場は、公共の利益という枠にはめられたラジオ局より、多様性のあるすぐれたラジオを作るというのがその主張だ。

一九八四年、所有数の上限は七局から四〇局になった。そして一九九六年には、実質制限がな

ビルボードのホット・カントリー・ミュージックのチャートで
1位になった年間曲数

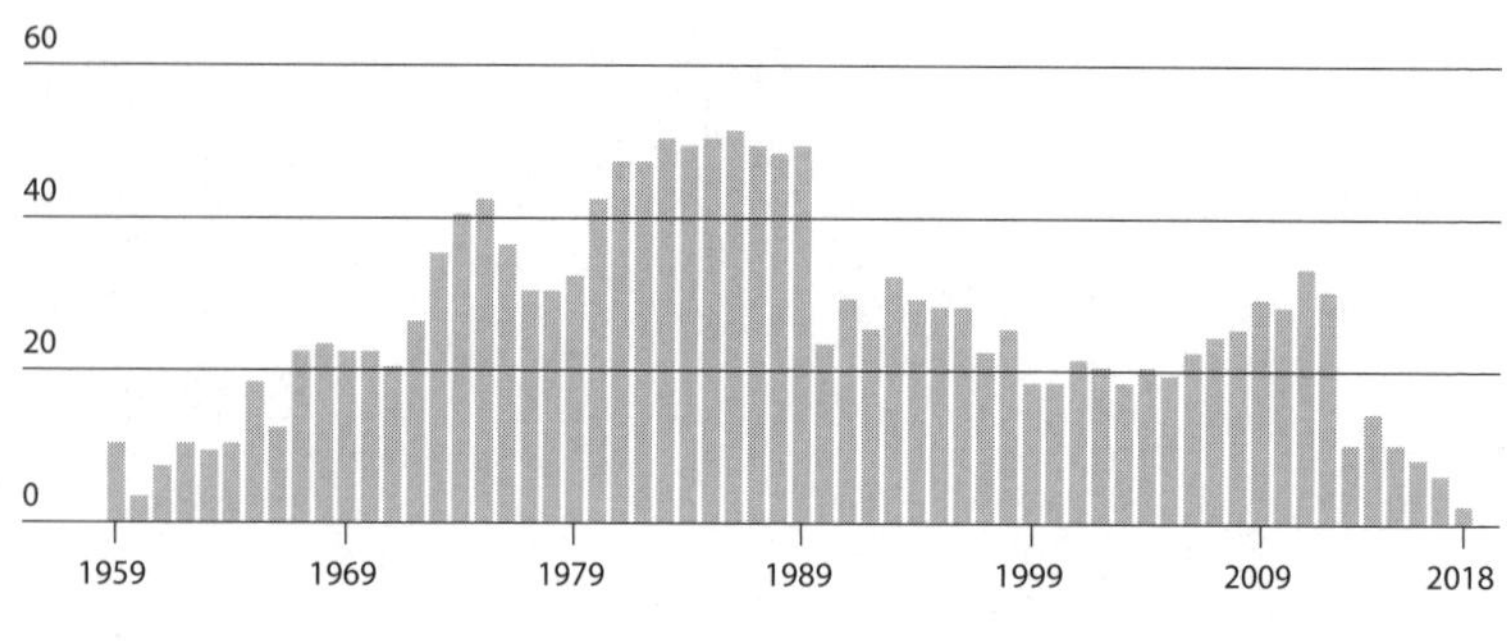

出典：BILLBOARD

くなった。一年もしないうちに、アメリカの一万一〇〇〇のラジオ局のうち四〇〇〇局が買収された。二〇〇二年には、米国最大のラジオ局運営会社であるクリア・チャンネル・コミュニケーションズが、アメリカで一二〇〇局を超えるラジオ局を支配していた。これは、そのほんの一〇年ほどまえに法的に制限されていた数の三〇倍以上だ。[3]

　いまやたった二社が、アメリカの全ラジオ局の半数を所有している。政府が二局に制限するのがとくに重要と考えていたのと同じラジオ局というリソースが、ふたつの企業に占有されているのだ。

　ラジオが複合企業（コングロマリット）の支配下におさまると、人員削減が始まった。そこに僕も含まれていた。ニューヨークで僕が初めてもの書きの仕事をした小さな会社は、僕がそこで働きはじめてから約一年後に、クリア・チャンネルに買収された。その二年後、クリア・チャンネルに僕は解雇された。解雇されたのは僕だけじゃなかった。ラジオのＤＪでさえもクビになった。

　本社の報道部に、一〇〇〇局ものラジオ局を同時に放送できるほど人材がそろっているのに、地方のＤＪや番組制作者に給料を払うわけもない。経営者が同じラジオ局は、番組で流す曲を九七パーセントも共有しはじめた。[4] コストは下がった。利益は増えた。そして、プレイリストに変化がなくなった。

一年のうちにベストテンで一位になる曲の数が減りはじめた。一九八〇年代は毎週のように新たに一位になる曲があったのに、現在は変化がなくなった（右ページのグラフ）。

これが、「ボディ・ライク・ア・バック・ロード」が音楽史に残る最大のヒットになった理由のひとつだ。何千ものラジオ局が昼夜を問わず同じプレイリストを流しつづけている。効率を最大化するひとつのオーケストラ。

続篇につぐ続篇

単調さが増しているのはラジオだけじゃない。映画だってそうだ。

二〇一三年、二〇一四年、二〇一五年の各年でアメリカで興行売上が高かった人気映画のうち、オリジナル脚本で製作された映画はたった一本だった。ほかの二九本は、続篇、前日譚（ぜんじつたん）、または小説などを脚色した改作（アダプテーション）だった。二〇一七年と二〇一八年は、もっとも収益をあげている一〇本がすべて、すでに存在する作品の続篇か改作だった。

次ページのグラフで示しているのは、一九五〇年以降の各年の興行成績が上位一〇位以内だった前日譚、続篇、リメイク、リブート〔新しい解釈やコンセプトで製作しなおした作品〕の数だ[5]〔グラフと本文の数字が異なるが、出典元によって非オリジナル作に含める範囲がちがうためであろう〕。

興行成績が上位10位以内だった前日譚、続篇、リメイク、リブート数

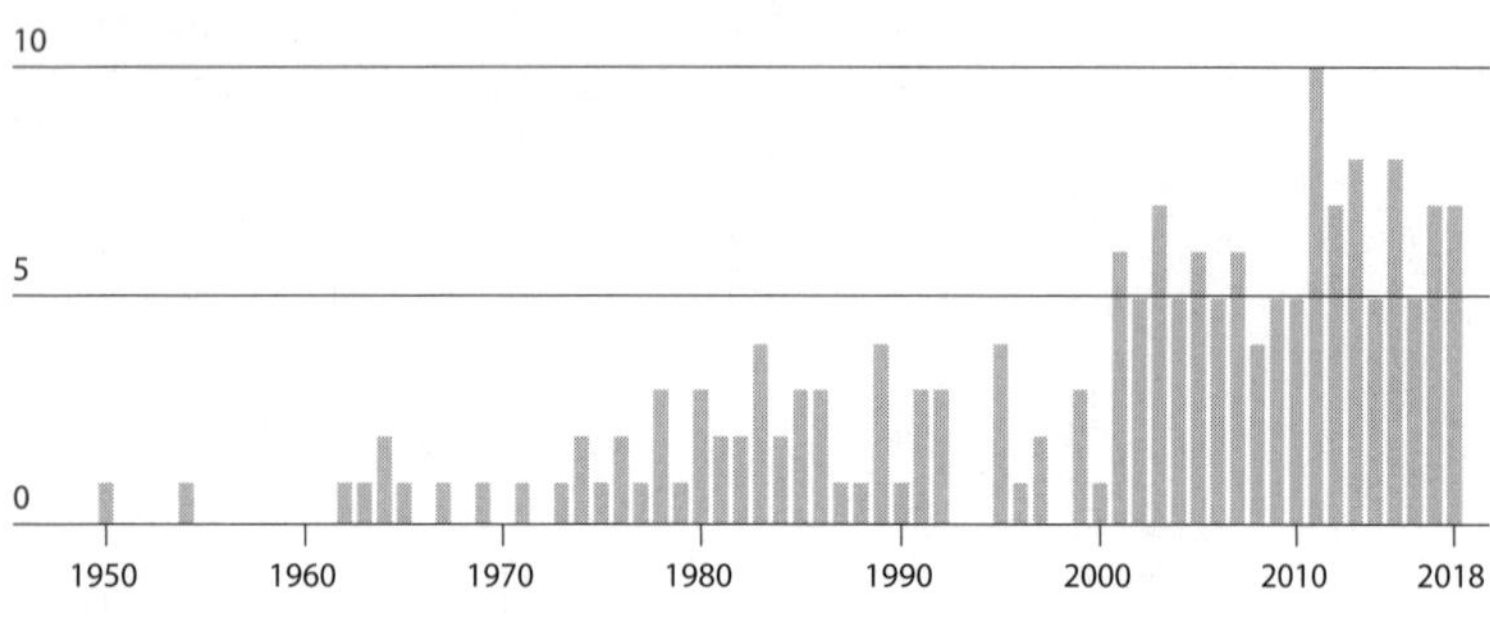

出典：BOX OFFICE MOJO/IMDB/BUSINESS INSIDER/THE NUMBERS/WIKIPEDIA

グラフの左側は、ハリウッドが新しい物語を伝えていた時代だ。右側は、ハリウッドが誰かがすでに語った物語を語りなおすのがどれほどたやすいかに気づいた時代だ。過去一五年のハリウッド映画の六一パーセントはリメイクか続篇か改作だ。[6]

この戦略の変化は、所有権の変化と一致している。一九八〇年代、企業のハリウッドスタジオの所有が大流行した。石油会社、日本の電子機器企業、オーストラリアの巨大新聞社、カナダのアルコール飲料の複合企業、そしてコカ・コーラさえもが映画スタジオのかなりの株を購入した。[7]

それらの多国籍の複合企業は、新たに見いだした映画への愛からこれらの買収を進めていたわけではない。これらの企業は金儲けのためにスタジオを買収したのだ。一九七〇年代に映画の大ヒット時代が幕開けしたあと、大企業から小切手が転がりこんできた。意思決定者が代わると、映画も変わった。

彼らのビジネスモデルにしたがうと、続篇は財政的により大きなリターンを生んだ。リメイクや続篇の製作は、「絶対確実でリスクを減らせる」と業界のある専門家はA

BCに語った――「それが、映画の続篇が作られるようになった理由です」[8]。

映画は、それらの企業が売っているほかの製品と同じようになってきた。ダイエットバージョン、特別バージョン、（ときおり）女性バージョン、（ときおり）高齢者バージョン、（やや少ないが）アフリカン・アメリカン・バージョンなど。映画を観にいくと、スーパーのシリアルの棚を眺めているような気になってくる。選択肢は山ほどあるけれど、どれも似たようなもの。

映画をめぐる文化も変わった。ヴァラエティ社が一九八〇年代に初めて、映画の興行収入を毎週報告しはじめた。映画は批評よりも、封切り後初の週末の興行収入額で判断されるようになった。危機に瀕した映画界では、これまで以上にコストがかかるようになればなるほど、撮影所がますます保守的になり、アイデアに多様性がなくなっていった[9]。

映画が下り坂になっているという意見に、異論はほぼないだろう。けれども、テレビはどうだろうか。ネットフリックスやHBOやAMCなどが作っているさまざまな番組はオリジナルだったり、多様性があったりする。それらがこの問題の反証になるのではないだろうか。

昔ながらのテレビ局の番組は、映画と似たようなビジネス・ロジックに沿って、それらと同じ影響に心底悩まされている。ホームコメディ、警察、医師、弁護士もののドラマで独創性が話題になったものはほとんどない。

いっぽうで有料テレビは、映画や従来の無料テレビ局より高いレベルにある。それらの企業では、ひじょうに独創性があり、先進的な考えを取りいれたクリエイティブな作品が作られている。

実質的にそれらの番組はほぼすべて、信頼性を確立したい比較的新しい企業が制作している。それらの企業は、金銭的な利益を最大化するのではなく、評判を最大化しているのだ。そのゴールは強い印象を与えること――「テレビじゃなくて、HBOだ」という具合に。

映画と比べて、それらのテレビ番組をどうやって判断するか考えてみよう。その種のテレビ番組の興行収入は映画と同等ではない。視聴率でさえ、つねに共有されているわけじゃない。番組の成功や失敗は、ほぼ完全に批評家や視聴者の反応によって決まる。視聴者と制作者は、共通のゴール周辺で一列に並べられる。財政的な懸念は、合理的な範囲内で、作品の質やプラットフォームの評判に及ぼす影響のあとに来る。だからこそ批評家は、注目されていないテレビ番組を掘り出し物と呼び、注目されていないハリウッド映画は駄作と評する。それらは目的がちがうのだ。

とはいえ、有料テレビ番組の現在のダイナミクスが永遠に続くと思いこんではいけない。さまざまな市場がこのように、多くの企業が多様なエコシステムを生みだすという形で始まる。けれども、少数の企業が支配力を強めるにつれて、ダイナミクスは変化する。評判の必要性が小さくなると、利益への要求が高まる。新しい世界が古い世界にそっくりになるのに、あまり時間はかからない。

利潤最大化によって、ラジオが退屈なものになり、映画がいまやIMAX映像や3Dバージョンの続篇ばかりになったというだけなら、ほとんど滑稽とさえいえるかもしれない。ところが、利潤最大化の影響は、音楽や映画にとどまらない変化を起こしている。僕らの地元さえも変えつつあるのだから。

ジェントリフィケーション（富裕化）

ニューヨークのローワー・イーストサイドの二番街とファーストストリートの角には、ＴＤ銀行がある。その窓には次のような広告が貼られている――「完璧な土曜日は、日曜に銀行に行けるからこそ」。

店内には仕切りで区切られた窓口が並んでいる。そこで銀行員は客に対応する。けれども、やってくる客はそれほど多くない。ここまで来る必要がないのだ。そこから徒歩一五分圏内にほかに四店舗もＴＤ銀行があるから。

これは、ＴＤ銀行に口座がある場合の話だ。ほかの銀行を含めたら、二〇以上の支店が近くにある。

ここ数十年のあいだに、マンハッタンにある銀行の支店数は、いちじるしく増加した。二〇一四年、ニューヨーク市には銀行が一七六三店舗あった。これは一〇年まえより四六一店舗多い[10]。まるでＡＴＭなど発明されていないみたいではないか。

■ ■ ■ ■

一九八五年に同じ街角、つまり二番街とファーストストリートの交差点に立っていたとする。二〇一九年にＴＤ銀行が建つ同じ場所に、当時はマーズ・バーという安酒場があった。

マーズ・バーを開いたのは、クイーンズ地区出身のハンク・ペンザという男だ。ハンクは自分のバーについて強い方針があった。レポーターに語ったところによると、「株式仲買人や投資の仲介業者や弁護士」などはお呼びではない[11]。そういう人物がうっかりマーズ・バーに入ってこようものなら、ファック・ユーのコーラスと拳という手荒な挨拶を受けることになった。

マーズ・バーは近所の人気店になった。コンクリートブロックに落書きが描かれた内装は外観とマッチしていた。この近所にあったクラブCBGBは、ロワー・イーストサイドでパンク・ロック・トライアングルの一角を構成していた。近辺には、前衛的な小劇場が一軒、数々のアートギャラリー、そして音楽を演奏する場がいくつもあった。

治安が決して良くない地域だったため、家賃は安かった。資産価値は低かったが、自主性やコミュニティや創造性などの価値は高かった。フルタイムの仕事をしていなくても、そこに住むことができた。そのせいで、アーティストやミュージシャンなどが引き寄せられた。

ところがふいに、利潤最大化という新しい勢力がやってきた。その町は以前と同じではなくなった一九一〇年代と一九六〇年代を比べると、ニューヨーク市のアパートメントの家賃の平均額は月四〇〇ドルから二〇〇ドルへと上昇した。一九七〇年代と二〇一〇年代とでは、月三三五ドルから三五〇〇ドルへの急上昇だった。[12]

家賃が上がったのは、資産価値が上昇したせいだった。資産価値が上がったのは、銀行の貸出額が増えたせいで人びとが不動産を購入できるようになったからだ。

市場が膨れあがり、ニューヨークの建物の居住者はそこで暮らすために高い家賃を払わねばならなくなった。店舗を借りていた中小企業のオーナーもそれは同じだった。レストラン、ドライクリーニング店、ピザ屋、ドラッグ・ストア、そしてマーズ・バーのような業者は店を維持するのが苦しくなった。それらの個人経営の商店の多くが、賃貸契約を更新するとき、三桁パーセントの賃貸料の値上げに直面した。あるコインランドリーの賃料は月七〇〇〇ドルから二万一〇〇〇ドルに上昇した[13]。とてもじゃないが、やっていけなかった。

ニューヨーク市で長年営まれてきた店が閉じられ、金銭的な利益を最大化しようとする新たな借り主がこの街を占領しはじめた。これらの借り主が増えるにつれ、新たなタイプの店が街の風景に登場した――チェーン店だ。

現在、国内チェーン店や世界的なチェーン店がニューヨークの街にあふれている。それでも、この街にこの種の店が出現したのは、わりと最近の現象だ。

タイムズ・スクエアは一九九〇年代なかばに再区分され、様変わりした。スターバックスがニューヨークに開店したのと同じ年の一九九四年に、ドラマ「フレンズ」の放送が開始された。最初のKマートがオープンしたのは一九九六年だった。それまで、ニューヨーク市で開店している全国展開のチェーン店はほとんどなかった。多発する犯罪への恐怖と高い税金。そしてニューヨーカーがチェーン店を拒絶していることから、多くのチェーン店は営業を試みようともしていなかった。それでも、一九九〇年代から二〇〇〇年代前半にかけて、ニューヨークで早期に営業を開始したチェーン店が軌道に乗ってくると、さらに多くのチェーン店が、この街で店を構えはじめた。

ニューヨーカーのなかには、それらのチェーン店の増加にあらがう者もいた。彼らはチェーン店がニューヨークの街の精神をおびやかすと主張した。新たな近隣のチェーン店によって、小さな個人商店は瀕死の状態だと指摘した。この議論はかなり広がり、一九九八年のトム・ハンクスとメグ・ライアンのロマンチックコメディ映画「ユー・ガット・メール」のプロットになった。

といっても現在は、もともと議論していたどちら側の人びともほとんど、ニューヨークで暮らせていない。いまや、この街で暮らしていけるのは、それらのチェーン店の役員や銀行家、弁護士や株主だ。二〇年のあいだに役割が完全に入れ替わった。批判は的を射ていた。

二〇一七年のニューヨークには、地下鉄の駅（四七二駅）とほぼ同じくらいの数の「サブウェイ」（四三三店）があった。現在はファストフード店、携帯電話店、巨大ドラッグ・ストア、その他のチェーン店がこの街の大きな割合を占めている。マンハッタンだけで何百とある銀行の支店はいうまでもなく。[14]

それらの店の多くはチェーン店だけれども、かつては同じ場所に個人商店があった。しかも個人商店は一店舗だけではなかった。現在のチェーン店の店舗はかつての個人の店よりもずっと大きいからだ。たとえば、新しい銀行の一店舗は、昔ながらの小さな店舗三つを合わせて作られることが多い。小さな商店は文字どおり消滅し、もっと大きな店舗の一角になる。

二〇〇六年、パンク・ロックのクラブCBGBがあった場所は、ボクサー・ブリーフを発明した男が始めたハイエンドのファッション小売店になった。[15] 二〇一一年、マーズ・バーと近隣の店はTD銀行と高級な高層ビルになった。二〇一七年、ローワー・イーストサイドは、かつてはパンク・ロックやカウンターカルチャーの最先端の場所として悪名をはせていたが、ニューヨークのなかでも、チェーン店がとくに集中するエリアになった。[16]

二〇〇八年、センター・フォー・アーバン・フューチャーという非営利団体が、ニューヨークのチェーン店の増加を追跡しはじめた。そこから一〇年間で、毎年のレポートからニューヨークじゅうでチェーン店が増加していることが示された。二〇一八年に、電子商取引の影響によって、その数が初めて減少した（一パーセントの低下）。とはいえ、チェーン店がこんにちのニューヨークにしっかり根を下ろしているのは、まちがいない。これがリスクを招く。

「ニューヨークを独特な街にしている特徴をリアルに定義しているもののひとつが、独立したビジネス形態です」とセンター・フォー・アーバン・フューチャーのディレクター、ジョナサン・ボウルズは語った。「この街の将来にとって重要なのは、ニューヨークがほかのどこかの街みたいにならないことです。ニューヨークが、ほかのどこかのショッピングモールと変わらない街になってしまったら、観光客はやってくるでしょうか」

ニューヨーク市やローワー・イーストサイドをかつて、あるいはいまも形づくっている独自の価値——自主性と自由、創造性、人びとが築いたコミュニティ——は、金銭的な価値観のために脇へ押しやられてしまった。

僕らはチェーン店の前をただ通りすぎ、その店について何も考えない。もう街の一部になっているからだ。けれども、それらの店は単なる店以上の存在だ。それらは、僕らの価値観がどれほど変わってしまったかの証拠なのだ。

ショッピングモール

街の富裕化がこの章の柱ではあるけれども、郊外にある僕の故郷や小さな町のコミュニティで起こったこと、そしていまだに起こっていることのほうが、おそらくもっと悲惨だろう。

僕が言っているのは、ショッピングセンターやショッピングモールのことだ。

ショッピングモールの増加は、さまざまな出来事が重なって起こるべくして起こった結果だといわれている。ミドルクラスが増大するにつれて、各州をつなぐインターステートハイウェイが建造され、白人が郊外へ移動し、降って湧いたようにショッピングモールが爆発的に増え、郊外の人口が増えた。

もちろん、これらの要因も重大な役割を果たしているが、同じくらい重要な促進剤となったと思われるのに、ほとんど知られていない要因がもうひとつある。それは「加速償却」と呼ばれている一九五四年の税法改正だ[17]。

一九〇九年に始まった米国の税法によって建造物の所有者は、その資産が徐々に消耗していくコスト（減価償却という）を税金から差し引くことができた。いくらを減価償却するかについてはルールがなかった。その決定は企業に委ねられた。

この、払いたい額を払う方針は長く続かなかった。歴史家のトーマス・ハンチェットが述べているとおり、一九三一年になるころには、「アメリカの減価償却で差し引かれた控除額が、課税対象となる会社全体の純収入の総額を超えていた」のだ（この歴史家の文はいま一度注目する価値がある）。

アメリカのビジネスは自主管理制度を継続できなくなったため、米連邦議会は政府が管理するための法案を可決した。課税逃れを減らすために、各年にいくら控除できるかを規定する新たな方程式を議会が制定した。

その新しい規則は長くは続かなかった。数年後、不動産業界のリーダーたちが連邦議会に、その控除方法は見直す必要があると伝えた。宅地開発業者が言うには、不動産の価値は年月がたつにつれて下がっていくので、この業界の成長を促すなら、初期にもっと多くのお金を控除する必要がある。いまなら、不動産が年月を経ると価値が下がるという考えは、的外れな気がするかもしれないが、当時の不動産の価格は現在のような傾向ではなかった。まさにこの規則の変更が現在の傾向を生む一助になった〔日本とちがって現在の米国の不動産は年がたつにつれ高くなるのが一般的〕。

新しい法律が税を扱う弁護士の手に収まると、商業的な不動産は危険な投資から、失敗しようがない節税対策になった。連邦準備制度理事会の経済学者は、一九五五年に発表した論文で、この税制変更は「税の永遠の延期」になると述べた[18]。

つまり、次のような仕組みが働く。ショッピングモールを建設するためにお金を投資する。税の支払いを回避するために加速償却を使用して、利益ではなく損失として処理する。減価償却が終わったらその資産を転売する。お金を新たな不動産開発に投入する。この法の抜け穴を繰り返す。何度も何度も繰り返す。

この税の抜け道はひどく簡単だったので、人びとがそれを利用するためだけに新しいショッピングモールが建設された。「損失のなかの利益」という記事が一九六一年の《ウォール・ストリート・ジャーナル》の第一面に掲載されている[19]。記事では「不動産ベンチャーのうまみが魅力的すぎて、拡大しつつある公共セグメントは、ホテルや企業のビル、アパートメント、モーテル、ショッピングモール、そして未開拓の土地にお金をつぎ込んでいる」とある。当時のパンフレットには、不動産への投資は「節税のためのひと工夫」と堂々と書かれている。

減価償却による控除は、新しい不動産開発にのみ適用され、既存の建造物の補修や改修には適用できなかった。これはつまり、法の抜け穴を活用するなら、ショッピングモールや小さなショッピングセンターなど新しい施設を建てるに限るということを意味する。では、安価な未開拓の土地はどこにあるだろうか――都市周辺の郊外だ。

アメリカの重心がシフトしはじめた。一九七〇年当時、米国には一万三〇〇〇のショッピングモールがあった。ほぼすべてのショッピングモールが、税法が変わったあとに建てられ、ほぼすべてが郊外に建てられた。

これがアメリカの郊外への拡散の理由だ。節税対策だったのだ。

連鎖反応

郊外のショッピングモールの増加は進歩として扱われた。新しい種類のアメリカ人の繁栄が花開いた。コミュニティは有名ブランドが並ぶ大型施設を歓迎した。

けれども、心地のいい物語にはひとつ問題があった。それらのショッピングモールに囲まれた都市や街のダウンタウンに活気がなくなりはじめたのだ。一九五四年から一九七七年にかけて、アメリカの街の中心にあった小売店の割合が七七パーセント減った。[20] 多くのダウンタウンはもう二度と息を吹き返さなかった。

そして、ウォルマート、ターゲット、その他の大規模な店舗が現れた。大規模店はそのスケールのおかげで、地域の小規模な小売店より低価格で豊富な品揃えを提供できた。消費者というのは目ざといものだ。複数の研究によって、新しいウォルマートの店舗が叩きだした売上の八四パーセントは既存の地元商店の売上を奪ったものだったことが示されている。[21]別の研究は、ウォルマートが新たに開店した三〇〇〇店舗によって、ほかの一万二〇〇〇の商店が閉店に追いこまれたことを示していた。[22]この統合整理のような状況には、複合的な影響があった。地元の小売店が売上をあげているとき、その売上の六〇パーセント以上は地元のコミュニティに再分配されていた。ところが、チェーン店が同じだけの売上を得たとき、地元に還元されるのは四〇パーセントで、その他は町の外へ出てしまうのだ。[23]

僕はなにも、チェーン店が邪悪だと言っているわけじゃない。僕の故郷、バージニア州南西部などの地域では、人びとが欲しいものや必要なものの大半をウォルマートで手にいれていた。それでも、ウォルマートが登場して以降、さらにアマゾンが登場して以降、小規模な商店がますます少なくなっているのも事実だ。

大規模小売店はときおり、「カテゴリー・キラー」と呼ばれる。これは、その大型小売店の独占状態によって、小さなライバル店が廃業に追いこまれることを意味している。この言葉は、驚きをこめた誇張した表現として使われていたけれども、あとになって、誰もが想像していた以上に真実に近いことがわかった。

スタートアップにストップがかかる

チェーン店の増加は、繁華街の衰退と重なっただけじゃない。アメリカの起業家精神の衰退とも重なった。

スタートアップの数

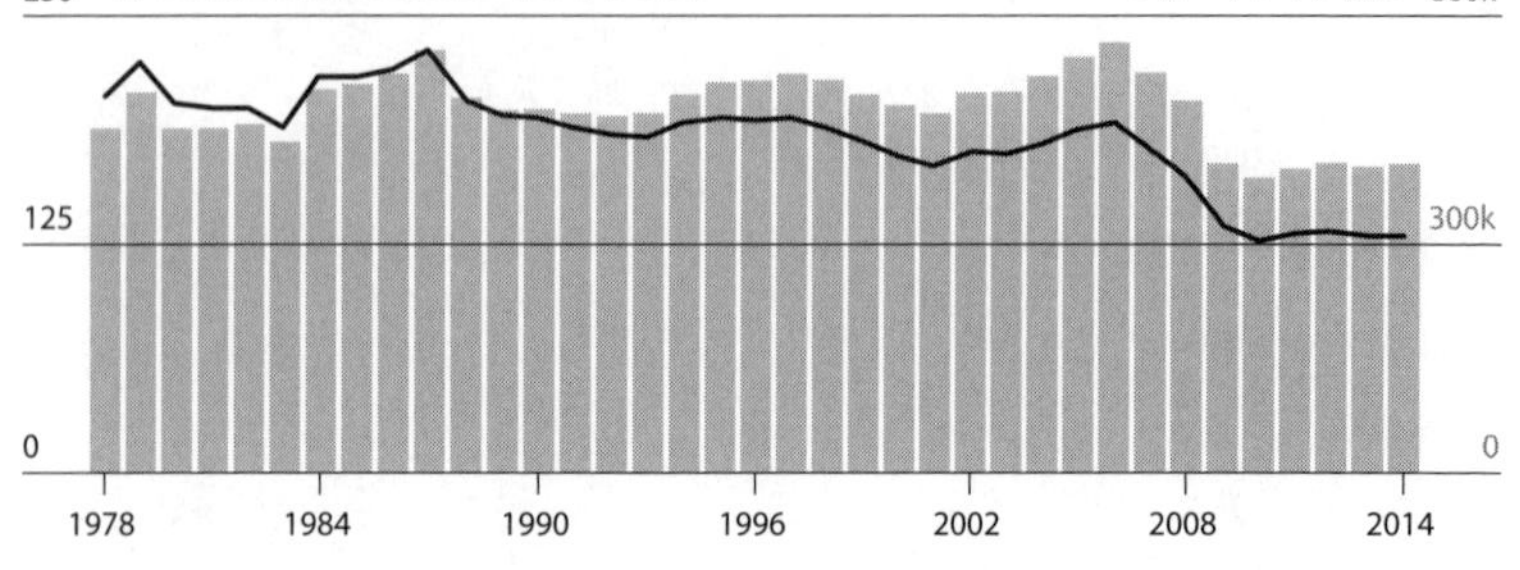

出典：EWING MARION KAUFFMAN FOUNDATION, BUREAU OF LABOR STATISTICS

現在は、スタートアップの時代といわれている。さまざまな自宅ガレージで誰かが起業し、アプリを開発したり、レストランを計画したり、新しい3Dプリンター技術を生みだしたりしている。破壊（ディスラプト）するかされるかだ！　という具合に。

でも、これは事実じゃない。これは誇大広告だ。

現在のアメリカの起業率は、人口あたりで見ると、一九七〇年代の半分になっている。文字どおり半分なのだ（上のグラフ）。これは、同じ時期に起こった喫煙率の低下と似ている。一九七〇年代は、現在よりどれほど多くの人が喫煙していたか考えてみよう。同じくらいの割合の人びとがかつては起業家だったのだ。[24]

起業家になりたいという野望がなくなったわけじゃない。アメリカ人の三分の二は起業を夢見ている。[25] けれども、実際に起業して独立する人は少なくなっている。それはなぜだろうか。強力な競争相手が脅威となって、同じ分野の起業に二の足を踏む人が多いからだ。

ハンバーガー店を始めようと思っているときに、近所のショッピングモールにすでに七店舗もチェーン店があったらどうだろうか。街はずれにホーム・デポとウォルマートがあるというのに、家族経営のホームセンターをどうやって始められるだろうか。よく使われているアプリケーションの上位一〇位のうち六つが、グーグルやフェイスブックによって作られているのに、新しいアプリを制作しようと思えるだろうか。

いまの経済は、あまりに巨大で、あまりに強力で、あまりに競争力の強いチェーン店や市場のリーダーにほぼ占められている。チェーン店が増大するにつれ、かつては簡単に成果が得られたビジネスは、日に日に容易には達成できない精巧な仕組みに発展していった。

一九四〇年代当時のマクドナルド兄弟に対抗して、新しいハンバーガー店が生まれるのとはちがう。寮の部屋でマーク・ザッカーバーグが作ったフェイスブックに対抗しようとする新たなソーシャルアプリとはちがう。いま、新しくハンバーガー店やSNSサービスを始めようと思ったら、世界有数の強力な企業と張りあわねばならない。新しい企業は起業当初から、市場の先導者が最初に始めたときに提供していたものよりも、ずっとすぐれたサービスの提供に取り組まねばならない。さらに、それらの企業が現在提供しているものより良いものとは言わないまでも、同じくらい良いものを提供しなければならない。しかも同じくらい安価で。人気のビジネスを築くためのハードルが、どんどん高くなっている。[26]

大企業を相手に競争するむずかしさは、起業熱を冷めさせる効果を生んだ。スタートアップ企業がなにより称賛される領域の技術系でさえ、起業率が低下している。[27]

この領域でもやはり競争相手の大きさが要因のひとつになっている。二〇一八年、ウェブ上のトラフィックの七〇パーセントと、デジタル広告の九〇パーセントは、グーグルとフェイスブックに支配されていた。実質的に携帯電話のソフトウェアはすべて、アップルとグーグルが牛耳っている。それらの企業はその規模を生かして、ウェブ全体をこれまでにないほど支配している。

個人生活でも仕事のうえでもかなり大きな比重で、それらのプラットフォームに頼っている人びとの割合は、大きくなるばかりだ。それと同じくらいの割合でかなり多くの人びとが、必需品や仕事を含めて、アマゾンやウォルマート、ターゲット、ダラー・ゼネラルにますます依存するようになっている。同時に、自営でビジネスを始めようとする人びとの数は減りつづけている。

作家のG・K・チェスタトンもこう述べている――「行きすぎた資本主義は、資本主義者が増えすぎるのではなく、減りすぎることを意味する」。

大規模店舗の荒廃

大きいことには明らかな利点がある。

大きければ大きいほど、立地店舗が多くなる。大きければ大きいほど、知名度が上がる。大きければ大きいほど、価格が安くなる。大きければ大きいほど、利益が増えてより多くの自社ブランドに再投資できる。大きければ大きいほど、一日のうちのぴったりの時間にぴったりの車線側に店を構えることができる。

これらはすべて、顧客と起業家にとってはいいことだ。けれども、大規模店舗のためには犠牲も払わねばならない。それが空っぽの繁華街だ。どこでも同じチェーン店だ。起業家の減少だ。

そしていまや、ショッピングモールが廃墟（はいきょ）と化している。

一九九〇年代から二〇〇〇年代の前半にかけて、全国展開している多くの小売店やショッピングモールが、個人商店を危機的な状況に押しやっていた。ところがいまは、それらの店舗やショッピングモールが息も絶え絶えだ。二〇二二年には、アメリカのショッピングモールの二五パーセント以上が閉鎖されるという予測もある[28]。

ユーチューブに、「死せるモール・シリーズ」という閉店したショッピングモールを撮影しているドキュメント映像がある。「荒廃したショッピングモールに出かけると、衝撃と畏敬の念が同時に湧きあがってきます」と制作者が映像にかぶせて語っている。「これが多くの若者の心をとらえるのです。タイタニック号が沈没するのを目のあたりにしているみたいに[29]」

ショッピングモールが衰退しつつある。焦土化戦略で栄えたモールが、今度はオンライン小売業者によって焼き払われたからだ。オンラインの小売業者は、もっと安くもっと便利に製品やサービスを提供できる。チェーン店は自分たちが得意とする方面で、インターネット上の店舗に叩きのめされた。

長い目で見れば、この戦いはどのように決着がつくのだろうか。インターネットは何百万もの新しいスモールビジネスを生むのだろうか。それとも、これまでよりさらに、統合が進むのだろうか。インターネットが、ひとつの町やモールになるのだろうか。インターネットは、はかりしれない将来性を示しているようにみえるし、オンライン上の企業も成長しつづけているいっぽうで、ネットの中立性など公平な競争の場を維持しようという試みは頓挫している。

さて、サム・ハントの歴史的な連続一位記録の更新が止まった二カ月後に、カントリー・ミュージック・チャートの一位の座を射止めた曲をご存知だろうか。それは「メント・トゥ・ビー」

という曲で、「ボディ・ライク・ア・バック・ロード」より長く、五〇週連続で一位をキープした。そうやって同じ物語が繰り返されるのだ。何度も、何度も、何度も、何度も、何度も……。

第4章　マレットエコノミー

デサイクル

二〇一八年、アメリカはおどろくべき問題に気づいた。ゴミのリサイクル・システムがうまく機能しなくなったのだ。

一九八〇年代には、リサイクルという習慣がアメリカ全域に浸透しはじめた。ほとんどの人がしていなかったリサイクルを、ほとんどの人がするようになった。二〇一三年には、アメリカのゴミの三四パーセントがリサイクルされるようになった[1]。このような成長は、その有用性の認識、リサイクル実施を求める法律、廃棄物処理会社の採算性によって促された。

けれども、そこにたどりつく方法に問題があることがわかった。

米国でリサイクルが開始されたとき、リサイクルの方式は「マルチ・ストリーム方式」だった。これは業界用語で、リサイクルが可能なさまざまな種類のゴミ用に複数のゴミ箱を用意する方式だ。紙用、金属用、プラスティック用などのゴミ箱にゴミを分別する。世界の大半の国が用いているリサイクル方式だ。

いっぽうアメリカでは一九九〇年代から二〇〇〇年代前半にかけて、多くの市や町で「シングル・ストリーム方式」と呼ばれるリサイクル方法が採用された。これは、リサイクル可能なゴミをすべてまとめてひとつのゴミ箱に入れる方式だった。シングル・ストリーム方式では、リサイクル可能な不用品をみな、同じ容器に捨てることができる。捨てられたさまざまな種類のゴミは、リサイクル工場の巨大な機械によって分別される。

この背後にあるロジックは明らかだ。ゴミをひとつの容器にまとめられれば、もっと便利になり、リサイクル率があがるだろう（本当にこれでリサイクル率が上がるかどうかについては、専門家によって意見が分かれている）。市とごみ運搬業者はこの方式に賛同した。シングル・ストリーム方式のリサイクルのほうがコストが安くて（トラックも、ドライバーも、労働者も少なくてすむ）、儲けが大きい（高価なトラック、高価なゴミ箱、高価な分別装置）。

こんにち、アメリカのリサイクル・コミュニティの大半はシングル・ストリーム方式を採用している。ところが、シングル・ストリーム方式の長期コストは、短期の利益よりもはるかに高かった。シングル・ストリーム方式のリサイクルは、始まった瞬間から、マルチ・ストリーム方式よりずっと費用が高かったのだ。さらに分別にコストがかかるというのに、分別の質がひどく悪かった。マルチ・ストリーム方式では、最終的に埋め立てられるのは回収物のほんの一〜二パーセントだ。いっぽうシングル・ストリーム方式では、回収物の一五〜二七パーセントが埋立地行きになる。あまりに汚れていたりして、リサイクルできないからだ[2]。

これは問題だった。ある業界のレポートではこのように指摘されていた——「回収物はリサイクルされていない。別の製品に生まれ変わっていないかぎり、その製品はリサイクルされたとはいえない」[3]。

現代のリサイクル活動が始まっていらい、中国はアメリカのリサイクル可能な回収物の大半を買っていた。数百万トンものリサイクル可能な回収物が太平洋を渡って運搬され、世界のサプライチェーンにふたたび組みこまれた。アメリカの町や廃棄物処理施設はカーゴ積載単位でリサイクル回収品を中国に売って利益を得ていた。みんながウィン・ウィンの関係だった。

けれども最近、アメリカのシングル・ストリーム方式のリサイクル回収品の無秩序さのせいで、この関係が終わりつつあるようだ。

二〇一八年、中国はリサイクル購入基準を引きあげた。新しいルールにしたがえば、埋立地に向かうゴミは回収物のたった〇・五パーセントで済むようになる。その前年に廃棄されたのは、米国が中国に送ったリサイクル回収品の約二〇パーセントだった[4]。二〇一九年、中国は米国からの購入を停止した。この件で即座に出た影響として、ある報告によると、アメリカの自治体ではほかにどうすればいいかわからず、リサイクル回収品が燃やされていたらしい[5]。

リサイクル回収率を最大にするために編みだした戦略が、むしろ目標達成の足を引っ張った。失敗したのは、さまざまな努力を怠ったからだ。廃棄物運搬業者は、あまりに多くの近道を取りすぎた。コミュニティは短期的な要因にもとづいて長期的な決定を行なった。そして僕らは、リサイクルに回すゴミをちゃんと洗ったり分別したりするのをやめてしまった。

僕らは、ほかの誰かがその問題を片付けてくれると思っていた。しばらくのあいだ、中国の廃棄物分別業者がその役割を担っていた。けれども、僕らの近視眼的なものの見方のせいで、その選択肢はもうなくなってしまった。廃棄物施設の経営者のひとりが、こんな言葉で状況を言いあらわしている――「いちばんの敵はわれわれ自身だ」[6]。

導かれた利潤最大化

一九七〇年、世界でもっとも有名な経済学者が利潤最大化をメインストリームに導いた。その経済学者は、ミルトン・フリードマンだ。フリードマンはシカゴ大学の人気教授で、のちにノーベル賞を受賞し、マーガレット・サッチャーやロナルド・レーガンの顧問も務めた。フリードマンは世界にもっとも影響を及ぼした経済学者で思想家でもあり、いまでも影響を与えつづけている。

一九七〇年にフリードマンは、ビジネス界からかつてないほどの注目を集めた。それは、《ニューヨーク・タイムズ》に、利潤最大化を主張する論評が掲載されたときのことだ[7]。

当時、米国はベトナム戦争の泥沼にはまりこんでいた。若者が戦争で命を落としていた。ラルフ・ネーダーの消費者保護の主張といった新しいムーブメントによって、企業が公共の利益に責任を持つよう要求された。アメリカの企業は、そのためにもっと何かできないのだろうか、と。

ミルトン・フリードマンは、《ニューヨーク・タイムズ》に、このムーブメントは思い違いもはなはだしいと書いた。企業が社会に対してなんらかの責任を負っているなどというのは、ばかげている。フリードマンはそう主張した。企業というのは現実の人間ではないのだから、現実の責任など持てない。そもそも、話題にしている責任とは、どの責任のことか。責任の定義もないというのに。

フリードマンが、ほかの経済学者に社会的な責任を定義せよと問題を突きつけていたら、歴史の流れが変わったかもしれない。けれどもフリードマンは別のルートを進んだ。

フリードマンは「社会的責任」を唱えるムーブメントを（この言葉を二三回も懐疑的に引用している）、「根本的に破壊的な教義（fundamentally subversive doctrine）」と呼んだ。誰かにその人のお金を使って何かをすべきだというのは専制的だと、フリードマンは述べた。反自由だと。「ビジネスの社会的な責任は利益だ」とその記事で反論を声高に述べた。ビジネスは、そのビジネスのオーナー——フリードマンによると株主——の要望に応えるために存在する。その要望をひじょうにシンプルに言い換えると、できるかぎり多くのお金を儲けることとなる。

アメリカのさまざまな役員室で、うとうとまどろんでいた人びとがはっと顔を上げた。

利潤最大化層

フリードマンの論評によって、ビジネスのオーナーたちがたちまち覚醒し、まったく新しい世界観を持ったわけではない。ロバート・ダンダー〔米国リメイク版テレビドラマ「ジ・オフィス」の登場人物〕は、コミュニティに根ざした製紙会社の共同創設者であるが、《ニューヨーク・タイムズ》を読んでふいに、地元の町をめぐる競争相手を潰そうと決意したわけではない。

変化はそれよりもっと大きくもっと穏やかだった。ある新しい集団が生まれたのだ。

彼らは、会計士や弁護士、コンサルタントだった。ハーバード・ビジネス・スクールやスタンフォード大学、ペンシルベニア大学ウォートン校で教育を受けたあと、ベイン・アンド・カンパニーやボストン・コンサルティング・グループ、マッキンゼーなどのコンサルティング会社で働いた。富を引きだし、コストを最小化する技術を学んだ専門家だ。そして、自分たちの懐はまったく痛めずに、助言をするだけで法外な料金を請求した。

彼らは利潤最大化層だった。

フリードマンの説の信奉者である利潤最大化層は、ビジネスと社会の新たな勢力を代表していた。そのゴールはたったひとつ――儲けを最大にすること。[8]

一九七〇年代の一連の景気下降時、成長は小さくなり、複数の企業がつまずいていくにつれ、利潤最大化層のメンバーは、取締役会から、新たな利潤最大化時代のために企業を刷新するよう求められた。これらの企業の運営方法が変化しはじめた。利益は、節税、政治的なロビー活動、サービスの質の低下を通して増大した。コストは賃金の凍結、経費予算の大幅削減、大規模な解雇によって低下した。コンサルタント会社マッキンゼーについての本ではこのように記述されている。「現代史のなかで、大規模レイオフを正当化した単独かつ最大の組織は、マッキンゼーかもしれない」[9]

利潤最大化層は企業に、小さくなった労働人口に対してルールや手順を増やしてバランスを取るように助言した。サポートサービスの人員数が減っていくにつれ、顧客がくぐらねばならない輪の数は増えていった。サービスの水準が悪化したいっぽうで、差益の拡大によって利益は増加した。

ビジネスは、企業が社会の一員として活動するというコーポレート・シチズンの視点から離れていった。以前は重視されていたコミュニティのリーダーシップへの関与や公共サービスへの貢献よりも、政治家への政治献金が優先された。政治家は税金削減や、規制などの制限の撤廃、そしてもちろん、さらなる税金削減を約束した。影響力はこのように効率がよく効果的だった。

　利潤最大化層はビジネス界にだけ入りこんでいるわけじゃない。この層に属している人びとは、政府や学校のコンサルタントも行なっている。その任務は、経費を最低限に抑え、儲けを最大にすることだ。新たな戦略を取りいれない経営者や役員は誰であれ、取り残されるか、はじきだされた。意思決定者が変わりはじめた。

　個人商店などの経営者は、店舗を増やすために店を潰そうとしてくる全国展開のチェーン店が競争相手になった。

　技術者や科学者で、金銭的な報酬より、数学や科学の原理の追究に専念している人びとは、それまでより影響力が小さくなった。

　思慮深いけれど、資金調達がうまくない政治家は、ライバル候補者の宣伝活動に押され、選挙に負けた。

　ゴールが利潤最大化に設定されると、お金に支配されるようになった。誰もが列に加わり、利潤最大化層とその監督者だけが意思決定の権限を持つようになった。

　やがて、ほかの分野で活動していた人びとが、利潤最大化層に加わりはじめた。一九七〇年、米国で経営学修士号（MBA）を取った人は二万五〇〇〇人だった。二〇一八年にＭＢＡを取った人は、二〇万人にのぼる。僕らの選択は新しい価値観を反映している。

生産性対時給の変化

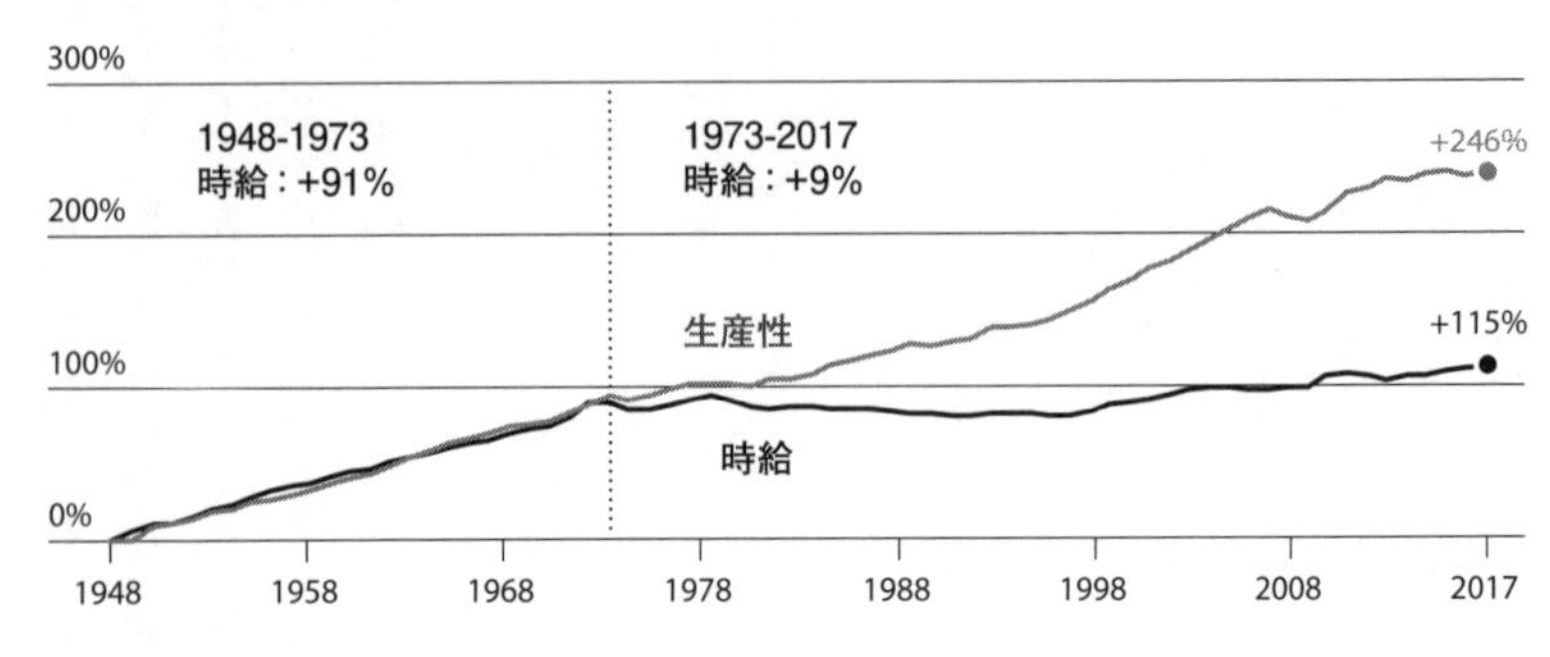

出典：BUREAU OF LABOR STATISTICS

昇給の終わり

ミルトン・フリードマンの《ニューヨーク・タイムズ》の論評によって血流に利潤最大化を注入されてから三年後、奇妙なことが起こった。賃金が上がらなくなったのだ。

　すべての人の賃金が上がらなくなったわけではない。役職のある人びとは依然として賃金の上昇が続いている。けれども、ほかのかなり多くの人びとの給料は、上がらなくなった。それいらい五〇年間、ほぼ同じ状態が続いている（上のグラフ）。

　一九四八年から一九七三年にかけて、アメリカの時給の上昇率は九一パーセントだった。一九七三年から二〇一三年にかけての上昇率はたった九・二パーセントだった。[10]

　一九七〇年代からふいに労働者の生産性が上がらなくなったわけではない。むしろ逆だ。過去半世紀にかけて、それまでにないほど大きな価値を生産してきた。人びとはただ、生産性が上がっていないかのような賃金を支払われるようになっただけだ。

　生産性に対する給与という面でいうと、アメリカの労働者にとって頂点だったのは、一九七三年だ。同じ年に、ピンク・フロイドのアルバム『狂気』(Dark Side of the Moon) が発売された。労働者が現実に見合う給料を得ていたころからずいぶん長い年月がたった。

これは、労働人口のどの部分にも当てはまるわけではない。トップの稼ぎ手は一九七九年から二〇一六年のあいだに、時給が二七パーセント上がった[11]。けれども、ミドルクラスでは、同じ時期にたった三パーセントしか上がっていない。ウォークマンが発売された当時からたった三パーセント。ほかのコストはロケット並みに急上昇しているというのに。

歴史家はよく、賃金停滞の促進剤として、労働組合の衰退とグローバル化の拡大を挙げている。労働組合が企業に対し賃金上昇を迫れなくなったとたん、賃金上昇が緩やかになった。また企業は、国外に仕事を任せて賃金を抑える方法を学んでしまうと、それも実施した。

けれどもなぜ、この風潮の影響力がこれほど強くなったのだろうか。この動きを後押ししているのは、なんだろうか。

それは利潤最大化への信頼だ。ゴールはよりよい未来を築くことじゃない。生活のレベルを上げることや公共のニーズを満たすことでもない。いますぐ金銭的な利益を最大化することだ。これが新しい隠れデフォルトになったのだ。

■　■　■　■

一九七〇年代、上がらなくなってきた賃金で、家族がどうにかやっていたちょうどそのころ、

生産性と時給の変化に対する米国の
1家庭あたりのクレジットカードの未払い残高

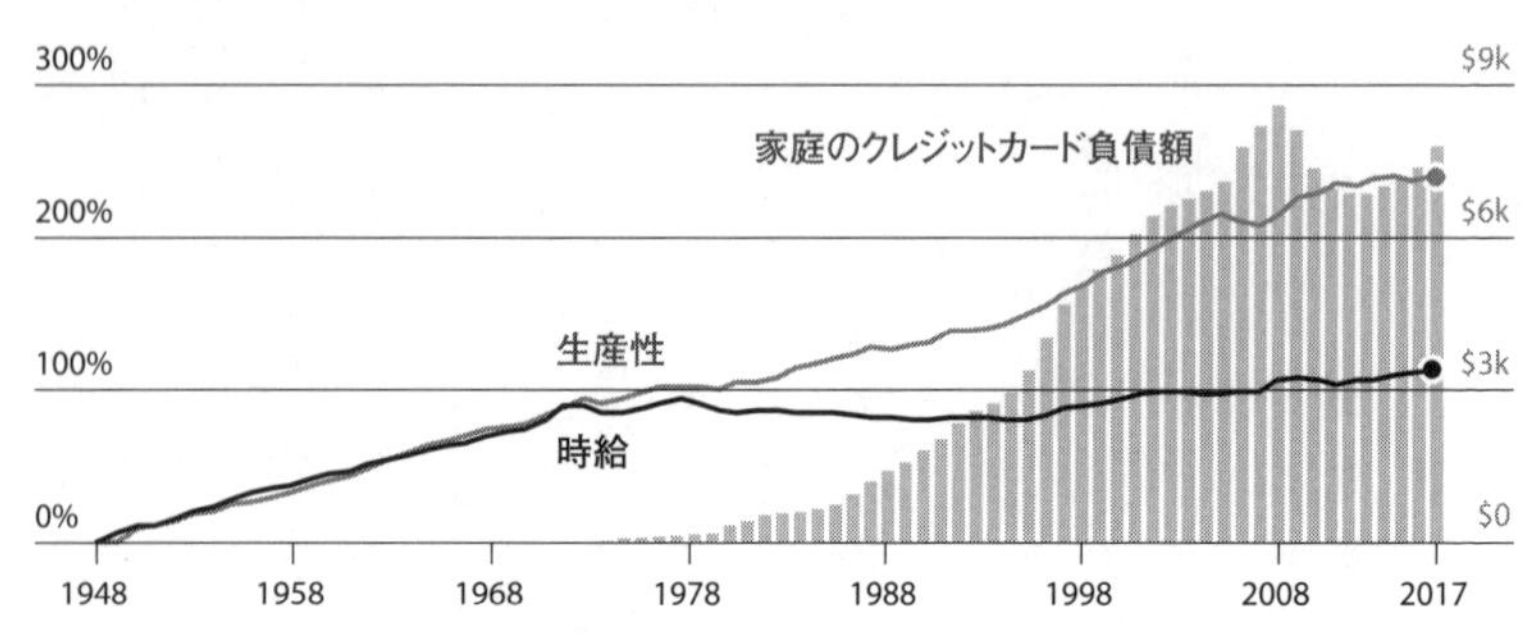

出典：BUREAU OF LABOR STATISTICS

奇跡のように新たな救世主が現れた。それはクレジットカードと呼ばれた。

最初のクレジットカードが登場したのは一九五〇年だ。けれども、普及率は低かった。一九六六年、アメリカでのクレジットカードによる負債額は実質ゼロだった。負債を介した経済生活はまだ一般的な概念ではなかった。けれども、一九七〇年代に収入の増加が止まってから、家族はクレジットカードに手を伸ばすようになった。一九八〇年になるころには、アメリカ人のクレジットカードによる負債総額はほぼ五五〇億ドルになっていた。二〇一八年には、一兆ドルになっていた。

アメリカ人労働者の収入低下のグラフにクレジットカード負債のグラフを重ねると、状況が明らかになる[12]（上のグラフ）。

給料が上昇しなくなった分、借金をしはじめたのだ。利潤最大化層の視点では、これは理にかなっている。彼らのゴールは経済的な成長だ。利子つきでお金を貸すという新たな収入の道ができたのに、給料を上げたりするだろうか。そうやって賃金の上昇が止まった。そのか

わりに僕らは、クレジットカードを使うようになった。

マレットエコノミー

利潤最大化層がしていることについて、視覚的に説明しようとしたとき、奇妙なイメージが頭に浮かんだ。マレットヘアだ。マレットヘアを覚えているだろうか。それは、上の写真のような髪型をさす。

マレットヘアは「前はビジネスマン風で、後ろはパーティ風」といわれていた髪型で、一九八〇年代のヘア・テクノロジーの頂点だった。

利潤最大化層の戦略はマレットヘアみたいなもの。ただ分野が経済なだけだ。人口の大半にあたる前方は、コストカット／ビジネスで、上位一〇パーセントにあたる後ろは大儲け／パーティ。ひとつの集団の収入と影響力がカットされるいっぽうで、もういっぽうの集団は繁栄する。これがマレットエコノミーだ。

マレットエコノミーにはふたつのステップがある。

第一のステップは、企業による賃金凍結、リストラ、サービスの低下を通じたコスト削減。これがマレットヘアのビジネス風な前部分にあたる。金融価値最大化層は、こうするように企業に助言している。

第二のステップは、経営陣と株主への「節約した」現金の再配分。これによって、経営陣は確実に取締役会と株主と、市場の歓心を買う（たまたま事実と一致した表現のひとつ）ことができる。マレットヘアでいうと、後ろのパーティ風スタイルにあたる。

シンプルに聞こえるかもしれないけれど、このふたつのステップの組み合わせは、経済的なミラクルを起こしてきた。以前なら、雇用されている労働者に支払われていた数百万ドルが、配当金や自社株買いで経営陣や株主に再分配される。意外でも何でもないが、投資家は現金を手にいれたいので、このようなことをしている企業の株価が上がる傾向にある。[13]

現在、企業にとってごく一般的な利益の分配方法に、自社株買いという手段がある。自社株買いは企業が現金を使って、自社株を株主から買い戻すことだ。企業が自社株を購入するとき、企業の金が株主に渡り、株主の株が企業に移される。こうすることで、市場に出回る株の数が減り、その株式会社の株価が上がることがある。

自社株買いは一般的な方法だけれど、現在は悪者扱いされることが多い。だけど、自社株買い自体は悪いことじゃない。自社株買いは企業が自分たちのお金を再分配するためのツールのひとつにすぎない。

僕がCEOをしていたころ、キックスターターは自社株買いで利益を株主や従業員に分配していた。キックスターターは売却も株式公開もないので、自社株買いと配当金が経済報酬を分配する最善の選択肢になる。会社の立ち上げを助けてくれたり、現在もサポートしてくれたりする従業員や株主に、企業の業績による経済報酬を分配するには、これがいちばんだった。けれども、この方法を実施するまえに、僕らはすべての有資格従業員が株主になれるようにかなり努力した。従業員が自社株購入権を行使できるよう、そして必要な税金が支払えるよう融資さえもしたのだ。

自社株買いはそれ自体が問題なのではない。問題は、どのように、また何ゆえに自社株買いを行なうのかだ。

第一の問題：なぜ自社株買いが起きるのか

一九八〇年代前半まで、株の買い戻しはごく特定の状況をのぞいて、アメリカでは不法行為だった。過去に企業が自社の株を買って、その株価を釣りあげたことがあったため、自社株買いは株価操作の一形態としてみられていたからだ。けれども一九八二年に——ラジオ局の所有数規制が大幅に緩和されたのと同じころ——自社株買いを制御しているルールが変わり、企業は投資家から自社株を買い戻せるようになった。

三年後、《フォーチュン》は初期に自社株買いをした企業の株のパフォーマンスを一部分析した。《フォーチュン》の分析結果は明らかだった——「自社株買いを行なった企業の株主はすばらしいリターンで儲けた。それは、投資家全体が得たリターンをはるかに上回った[14]」。

この記事に引用されているウォーレン・バフェットの言葉は、ケーキを飾るアイシングみたいに彩りを添えている。

「経営陣はみな口では、株主の利益のために行動していると言う。投資家として何がしたいかっ

米企業による自社株買いの総額、1980 - 1990 年

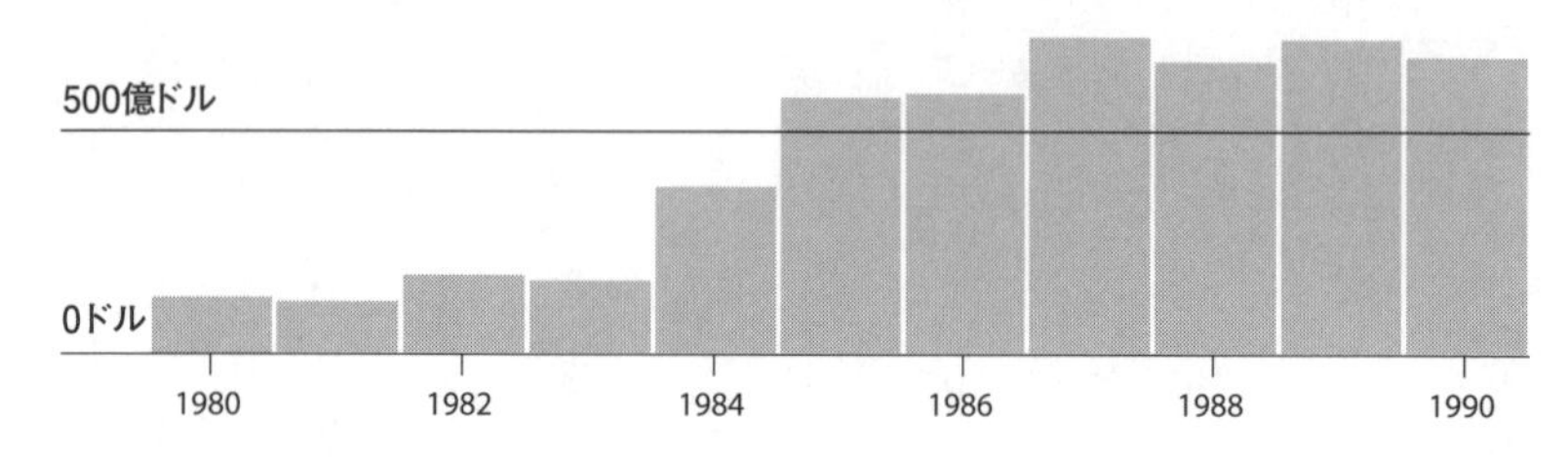

出典：ASWATH DAMODARAN, COMPUSTAT

米企業による自社株買いの総額、1980 - 2018 年

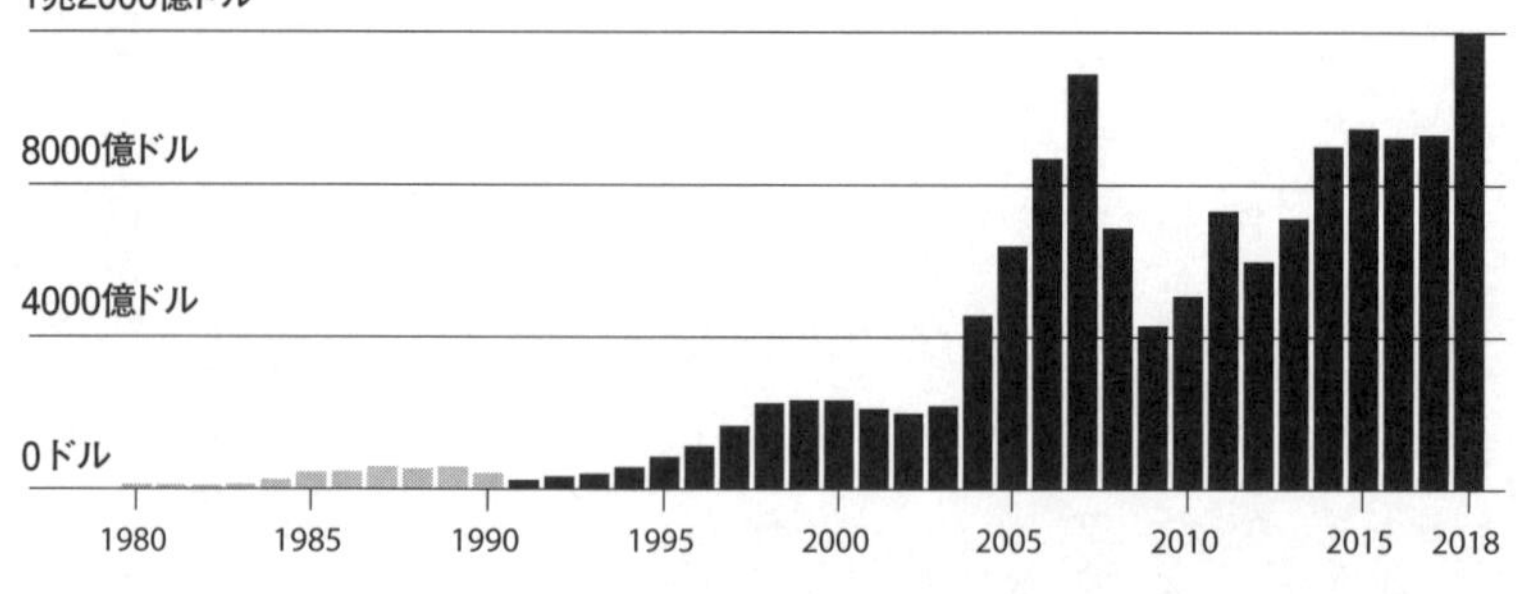

出典：ASWATH DAMODARAN, COMPUSTAT

て、役員たちをウソ発見器にかけ、それが正直な言葉かみてみたい」バフェットは続けて、ウソ発見器の代わりになるのが自社株買いだと語った。

こうして自社株買いは、このような使い方をされるようになった。

一九八二年いらい、自社株買いの実施がいちじるしく増加した。二〇一八年、企業が自社株買いに一兆ドル以上を支払った。これは史上最高だ（右ページのグラフ上、下）。

そして自社株買い現象が始まっていらい、株式市場のパフォーマンスは、企業が自社株買いや配当金を通じて投資家に現金をいくら分配しているかが直接反映されるようになった。

これは経済が忠実に利潤最大化の期待に沿っていることを示している。そのゴールは株主にとっては、リターンを最大にすることだ。近年多くのアメリカの企業では、自社株買いに比べて製品開発への投資が少なくなっている[15]（次ページのグラフ上、下）。

企業ならどこでもこれをしているわけではない。《フィナンシャル・タイムズ》は次のようにレポートしている。「二〇一五～二〇一七年のあいだに、米国の五大テックグループ（とくにアップルとマイクロソフト）は、自社株買いと配当金に二二八〇億ドルを費やしたと、ブルームバーグのデータが示している。同じ期間に、中国の五大テック企業は一〇七億ドルを費やして、自分たちの設備と影響力を拡大すべく、余った残りの現金を投資に回した[16]」

どっちの戦略が良さそうに聞こえるだろうか。

第二の問題：間引かれるのは誰か

スタンダード・アンド・プアーズ500の四半期の配当金と自社株買い（年率に換算）

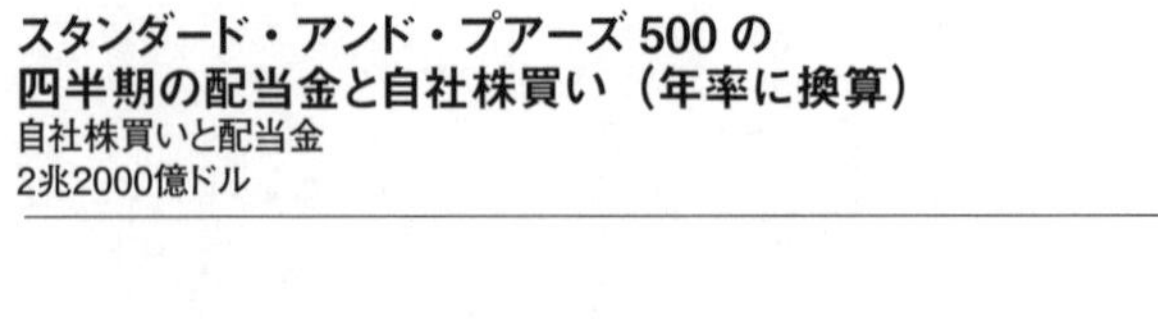

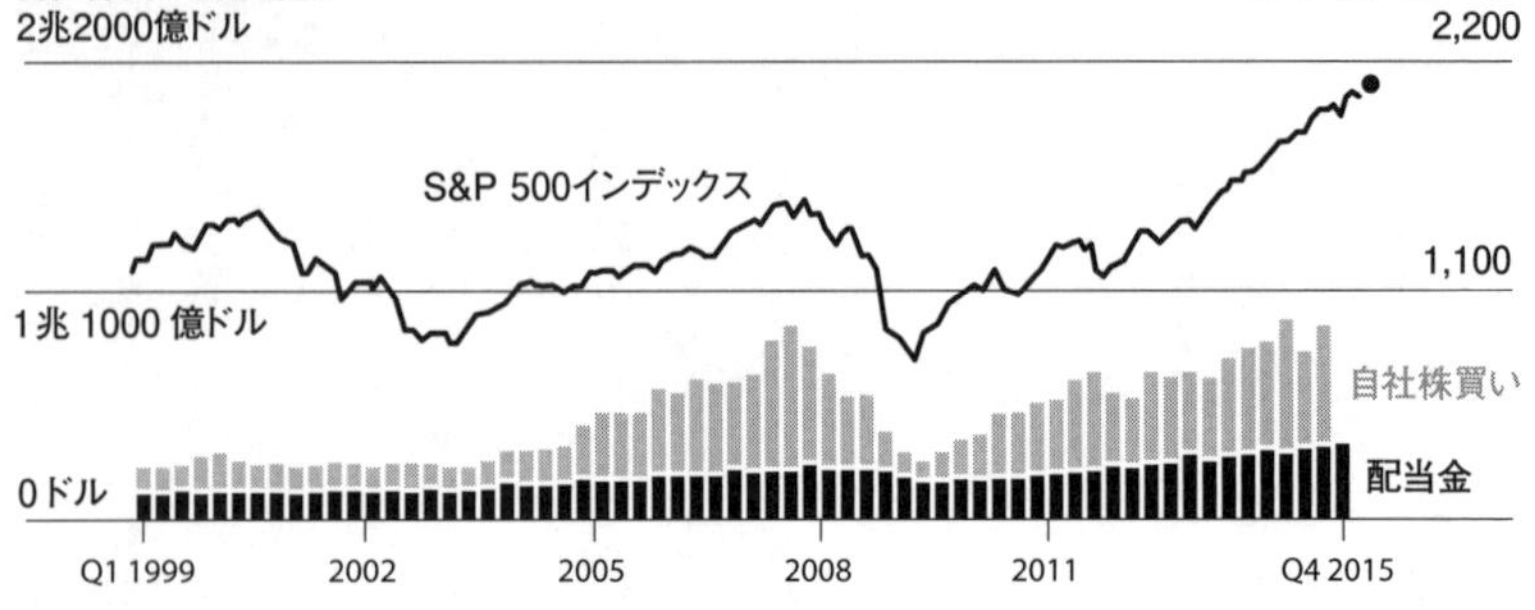

出典：EDWARD YARDENI, STANDARD & POOR'S

非金融企業の活動純剰余金に占める純自社株買い額と純資本形成額

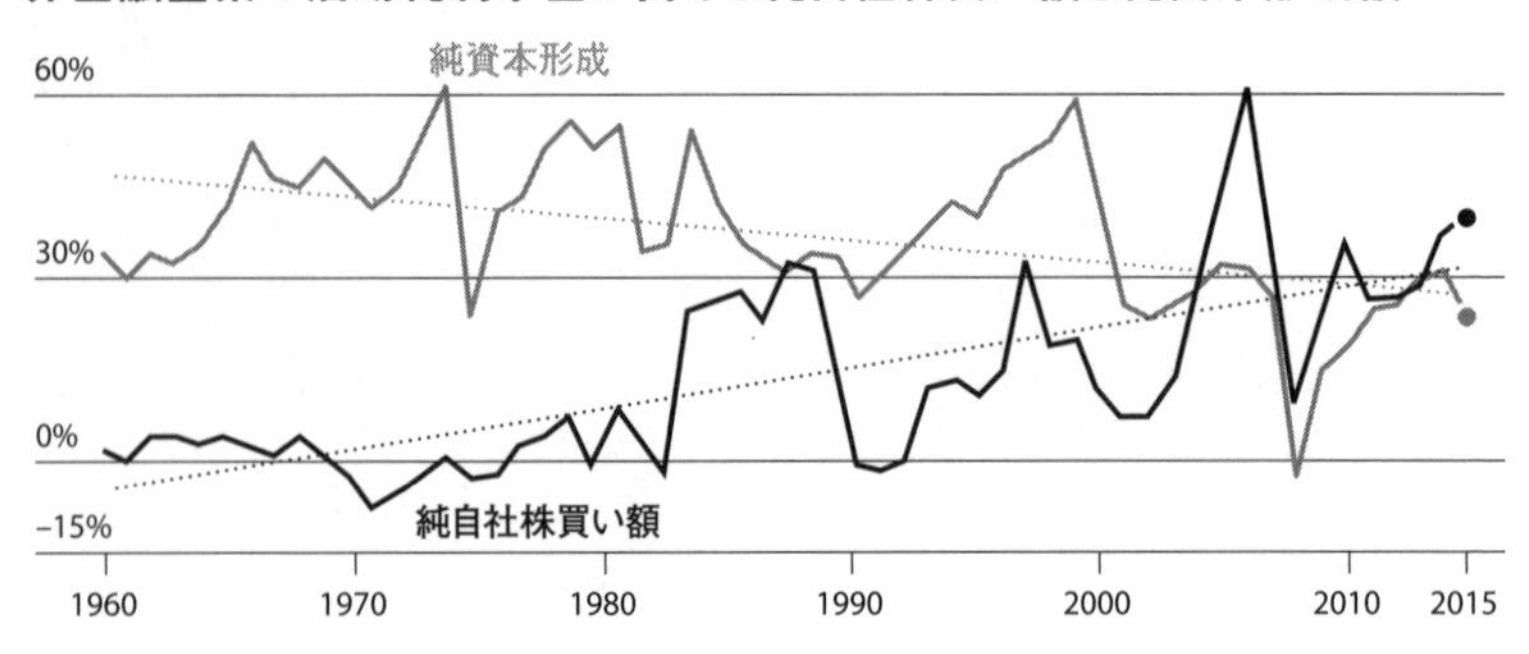

出典：DELOITTE, BUREAU OF ECONOMIC ANALYSIS

一九八〇年代前半に自社株買いのルールが変わったとき、米国は不景気のまっただなかで、労働者の九パーセントが解雇されて職を失っていた。[17] これは世界大恐慌いらいの高い率だった。職と工場がみるみるうちに消えていった。

企業は、競争力を維持するために経費節減の必要があると言った。けれどもこの緊縮策は、責任者には課されなかった。労働者に流れるはずのお金が、投資家や経営陣のほうへ流れていった。マレットエコノミーがこうして始まり、それ以降拡大しつづけている。

ヤフーは二〇〇八〜二〇一四年に六六億ドルを費やして自社株買いを行ない、同時に労働者を解雇して、見当違いな方向へ螺旋(らせん)を描いて向かっていった。[18] 消滅しかけていた小売業のシアーズは、二〇〇五年に自社株買いに六〇億ドル以上を費やしたいっぽうで、労働者は職を失った。[19] ヤフーとシアーズは、数十億ドルを費やし——そしておそらく無駄にして——自社株を買い（数十億ドルを自社の株に費やすこと自体、実存上の問題であることは、誰よりも当事者がいちばんよくわかっているだろう）株主を喜ばせた。従業員、顧客、あるいは企業自身の将来よりも株主と株価が優先されたのだ。

株主中心経済は事実上、富中心経済だということを心に留めておくのが重要だ。株の八〇パーセントを所有しているのは、アメリカでもっとも裕福な一〇パーセントの人びとだ。人口の下位八〇パーセントが所有している株はほんの八パーセント。[20] 企業は数十億ドルを費やして自社株を買い、利益を人口のなかでもっとも裕福な一〇パーセントにおもに再分配していることになる。

ここで問題なのは、株主が投資によって富を増やしたり、投資家が利益を得たりしていることではない。問題は、労働者がその企業の成功に直接かかわっているのに、その見返りの賃金が凍結されたままで、大量の解雇の対象になっているところだ。企業はこれまでより大きな利益を生みだしているのに、労働者は仕事があるだけで幸運ということになっている。株主は記録的なリターンを享受しているのに、労働者の給料は上がらないまま、職がますます不安定になっている。

僕らの経済の恩恵が労働者を迂回して、頂点の株主に流れ、そのいっぽうでコストは株主を迂回して、ほかのみんなの肩に載せられている。これがマレットエコノミーだ。

第三の問題：これが将来意味するのは何か

二〇一八年五月、ダラスの連邦準備銀行はオートメーションが会社と労働者に及ぼす影響に関する会議を主催した。

パネルディスカッションのひとつで、進行役がCEOの一団に、将来、自社の労働者に「ふたたび包括的な賃金引き上げ」を想定しているかどうかを尋ねた。ディスカッション・パネルの回答は明確だった――ノーだ。

「そういうことにはならないでしょう。我が社ではまずないです」とフロリダにあるコカ・コーラのフランチャイズ企業のCEOは言った[21]。

同じCEOが、自分の会社が雇っている社員は、オートメーションへの移行によってそのうち自分たちはクビになるとわかっていると述べた。それは、自社のビジネスの避けられない未来だと。

企業は未来についてこのように考えているのだ。オートメーションとロボットが導入されると人間はいらなくなる。これが彼らの投資している未来だ。これがとにかく合理的なビジネスなのだ。

これこそが、マレットエコノミーの本当の問題だ。オートメーションにもとづいた未来が意味することだ。

利潤最大化によって支配された世界では、企業はコストを最小限に抑えて財政的なリターンを最大限にすることが期待されている。けれども、この期待がオートメーション化による人員整理と組みあわさったとき、そして、グローバル経済の利得が世界最大級の企業とその企業の小部隊であるひじょうに裕福な株主によってのみ刈り取られ、種をまかれるとき、いったい何が起こるのだろうか。

こうして導かれる世界は、僕らが想像しているよりもっと収益が高く、さらに労働者が少ない世の中ではないだろうか。自社株買い――あるいはなんであれ、将来それと同じようなもの――がかぎりなく増え、それとともに不平等が広がる。これでは、経済学者のウィリアム・ラゾニックの言う「繁栄なき利益」の世界になるだろう。[22]

僕らの現在の軌道は、『INSANE MODE――イーロン・マスクが起こした100年に一度のゲームチェンジ』（ヘイミッシュ・マッケンジー著、松本剛史訳、ハーパーコリンズ・ジャパン、二〇一九年）にある未来へ僕らを駆り立てていくというのに、その未来にたどりついたときに受ける衝撃への準備は、まったく整っていない。

余剰資本を使って何をすべきかについては、株主に差しだすよりもいい答えがあるはずだ。ひとつの可能性のある答えは、いまより高い税となんらかのバージョンのユニバーサル・ベーシックインカム（最低所得保障）との組み合わせだ[23]。これにはメリットとデメリットがあまりに多くあるため、ここで詳しく述べるのはやめておく。具体的な計画はどうあれ、路線を変えないかぎり、ド派手なマレットへア並みの忌まわしい未来にたどりつくことになる。

マレット大学

マレットエコノミーの最大の犠牲者のなかには、まだその経済の一部にさえなっていない者もいる。それは、カレッジの学生と、まもなくカレッジの学生になる人、カレッジを卒業し記録的な負債額を背負って労働人口に仲間入りしたばかりの人びとだ[24]。

なぜ彼らは、マレットエコノミーの犠牲者なのか。賃金上昇が停滞しているのとおなじ時期に、高等教育の費用は天井を突きぬけて上がっていった。二〇一八年の大学の授業料は、一九七一年の授業料より平均額で一九倍高い。一九七一年に一八三二ドルだったのが（現在のドルの価値で示す）、こんにちでは三万四七四〇ドルだ。

この差額を埋め合わせるために学生は、別の種類のクレジットカードに助けを求めた。それが学生ローンだ。二〇一八年現在、米国の学生の負債総額は一兆四〇〇〇億ドル以上と突出していて、過去一〇年間で一五〇パーセント上昇した。

けれども、それらの負債を抱えた人びとの多くが、生活を維持するのが困難になっている。借り手の三分の一近くが債務不履行または返済一時猶予状態にある。負債の返済とその他のすべての生活費を賄うのに充分なお金を稼げていないのだ。大学と必需品のための費用は上がったのに、賃金は上がらないから。

借金をして起業したスタートアップ企業や不動産デベロッパー、その他の事業者とはちがって、学生は負債から逃れるための破産申告が法的に禁じられている。むしろ、連邦議会議員のなかには、学生の借金を回収するために将来の賃金を強制的に差し押さえる制度を提案する者さえいた。利潤最大化層はこの状況を免れている。授業料を支払う金があるからだ。借金を積みあげたりしない。最大の代償を払っているのは、利潤最大化層の外側にいる人びとだ。その人びとの給料は下がりつづけ、なのに給料を稼ぐための権利のコストは上がりつづけている。

あなたがその学生のひとりだとしたら、これはゆゆしき問題だ。けれどもあなたが、学生の将来の雇用主なら、案ずることはない。借金まみれの学生は、リスクをかける起業家や現状への挑戦者になるより、働きバチになる可能性が高い。学生ローンの支払いは将来の賃金に頼るほかないのだから。

政治がからんだ経済

物事が変わらなければ、世界は同じままだろう。

人生にはきわめてすばらしいと思える部分もあれば、おそろしく憂鬱な部分もある。その領域は人によってちがう。

これは社会も同じだ。一部の人びとはいまと違う未来のために突き進もうとするけれども、ほかの人びとは現在と同じような未来になるように努める。それらの見解のあいだの戦いは、多くの領域で繰り広げられていて、政治はなかでももっとも重要な領域だ。

政治は社会の基準とルールを決めるためのあけすけな競争の場だ。僕らはどの道を進むべきだろうか。どちらのアイデアが適切だろうか。選挙と政治的な議論は、これらの選択肢を選ぶ方法だ。

とはいえ、お金のせいで、この競争はなかなか公平な戦いにならない。

政治とお金がたどる道は、リサイクルの方法で起こったことと似ている。かつて僕らが生きていた世の中は、政治とお金のあいだにもっと距離があった。それらはマルチ・ストリームと同じく分かれていた。けれども現在、お金と政治はシングル・ストリームだ。そしてリサイクルのときのように、政治はあまりに汚れてしまい、実際の目的を果たさなくなった。

二〇一五年に三人の政治学者が発表した研究論文によると、おどろくべきことに選挙の結果は、ほぼ完全にお金に左右されているという。[25]

「われわれもおどろいた結果」として、研究者は「大きく間隔のあいた三つの年代――連邦議会が現在とはまったく異なる機能を示していた一九八〇年と、一九九六年、二〇一二年――において、二大政党の得票の割合を調べたところ、候補者の得票数と選挙活動費用は、かなり連動していた――グラフの線が、一本に重なるほどだった」。

一九八〇年から二〇一四年に、あらゆる連邦議会議員選挙に関する追加の研究を行なった結果、候補者が費やした金額とその候補者が得た票の割合とのあいだには正比例の関係があることが明らかになった。

「ライバル政党に比べて、費やしたお金が一パーセント増えるごとに、得票率は一・二七七パーセント上昇すると期待できる」と、研究者は述べている。

費やすお金がライバルよりも一ドル高くなるごとに、候補者の得票率がその分だけ増えていく。この分析では、一九八〇年から二〇一四年のあいだ、一回をのぞいてすべての米国連邦議会議員選挙で、このモデルが当てはまったことが示されている。

この研究を行なった研究者らは、選挙資金がどこからやってくるのか調べるために、政治的な資金提供についてさまざまな資金提供源を照合した。その結果、大半のお金の出処は、超大企業、その経営陣、およびもっとも裕福なアメリカ人のトップ一パーセントだった。利潤最大化層と富裕層のなかでもとびきり裕福な人びとが、アメリカの政治ではもっとも支配的な勢力なのだ。

さきほどのグラフを覚えているだろうか（40ページ参照）。連邦議会に不満を持っている率が高いにもかかわらず、連邦議会議員の再選率がいかに高いかを示すグラフだ。そうなる理由がこれだ。ライバルよりお金を使うことで、利潤最大化層は自分たちに味方する政治家に政権を握らせ、利潤最大化を進める勢力を政府内に保持する。

選挙資金への協力と引き換えに、政治家は政府内で民間会社の代表として働き、解体用の鉄球みたいなふるまいをする。労働組合を弱体化し、環境汚染を抑えるための法を緩和し、税の抜け穴を広げ、産業の規制を撤廃し、小切手を切る人びとが要求するままに政府を骨抜きにする。それらの政治家が議員職を辞めるときには、好条件のロビイストの仕事が待っている。

利潤最大化は、その政治的な影響力がなければ効力はなかっただろう。マレットエコノミーは、ビジネスの手法ではなく政治的な手段を使ってなしとげられた規制の変更によって実現した。自社株買いは禁止されていたが、一九八二年に利潤最大化に味方する規制者がそれを許したのだ。[26]

一九八〇年代から一九九〇年代に、銀行に対する数多くの規制――銀行が複数の州に支店を持つことを禁じる法など[27]――が撤廃された（この変化がきっかけになって、ニューヨーク市に銀行支店が続々とできた）。一九九九年にある法案が署名され、法制化された。それは、大恐慌いらい長らく施行されてきた銀行の規模と運営に関する規制を撤廃する法だった。この規制緩和の風潮が一因となり、複数の規制緩和策が可決された一〇年のあいだに、（エンロン事件や二〇〇八年のサブプライム住宅ローン危機など）さまざまな金融危機が起こった[28]。

これらの変化は、利潤最大化層の政治献金や政治への影響力によって可能になった。それらのあらゆる変化の背後にある動機は、利潤最大化だ。もっともお金が稼げる道が合理的な選択肢だった。それが重要視すべきことだった。

起業家精神に富んだ国家

現在の共通した認識では、政府と民間企業はトムとジェリーみたいな関係、つまり敵同士だ。けれども、これがいつも当てはまるとは限らない。

『企業家としての国家――イノベーション力で官は民に劣るという神話』（大村昭人訳、薬事日報社、二〇一五年）という本で、経済学者のマリアナ・マッツカートは、政府と民間企業がいかに深く関係してきたかを示し、その関係がいかに有用だったかを証明している。

一例として、マッツカートはアイフォーンのあらゆる機能――タッチスクリーンから3G移動通信システム、GPS、インターネットそれ自体まで――の背後にあるテクノロジーが米国政府によって直接資金提供されていたことを明らかにしている。アップルはそれらのテクノロジーを鮮やかに商業化した。けれども、アイフォーンの背後にあるテクノロジーを生みだしたのは、米国政府の投資によって資金援助されたアカデミックな研究者たちだった。

そのテクノロジーの誕生は数十年まえにさかのぼる。第二次世界大戦後、米国は国防高等研究計画局（ＤＡＲＰＡ）を通して、科学やテクノロジー、医薬品やほかの分野の研究に多額の投資を始めた。このエージェンシーは、軍や国に利益をもたらすテクノロジーの特定と資金提供を専門にしていた。

ＤＡＲＰＡは何年にもわたって、コンピューターのプログラム言語からジェット技術、ＧＰＳまで、あらゆるものを投資領域に含めて目を配っていた。そして、コンピューターサイエンスの新しいプログラムに資金を提供した。このプログラムは、工学系の学校を導いて、有望な学生にコンピューターサイエンス分野の訓練をさせるものだった。

インターネットはＤＡＲＰＡプロジェクトのひとつとして始まった。ＡＲＰＡＮＥＴというごく初期のコンピューターネットワークは、一九六七年に作られ、弾道ミサイル防衛予算から一〇〇万ドルの資金提供を得た。時を経て、ＡＲＰＡＮＥＴは現在僕らが使っているインターネットへと進化した。つまり、その資金の大半は先見の明のある機関から費やされた公共のお金だった。そうしていま、僕らは誰でも、政府がいかにお金を無駄遣いしていることかとつぶやけるのだ。

先駆的な技術系企業の一部――インテルやアップルなど――は、並外れて条件の良い政府の補助金や融資などの支援を受け、コンピューター領域の火付け役となった。

現在の常識からすると、このようなことはありえないように思える。アップルは、数十億ドルの税金を回避するために国外に資産を置いている。この同じ会社が、米国政府からスタートアップの資金を得たのだろうか。そんな話は映画には出てこなかったけど？　世間はこう考えている。政府はスティーブ・ジョブズのような人びとが生みだした進歩と革新を妨げようとするので、人びとはそれと戦っているのだと。

現在はそういう筋書きになっているけれど、ちょっとまえまで、民間と公共の利益は、未来へ向けた野心的なビジョンのもとで一致していた。政府は民間企業が商業的に開発した先見的な研究に資金援助を行なっていた。アメリカ人は労働者として、また自分たちが手助けした発見の受益者としてこの動きに加わっていた。法人税と個人に課せられた税金は次世代のイノベーションに投資された。この流れによって、人類史のなかでもとりわけ重大な技術が花開き、僕らは現在、その恩恵の数々を享受している。

ところが、まさにこの戦略が、利潤最大化層によって破壊されようとしている。莫大な金を費やして政治献金を行なってまで、これを破壊しようとしているのだ。減税と政府の支出を削減するための大掛かりなロビー活動で、長期研究への投資が減らされている。莫大なリターンが生まれているにもかかわらず、米国政府が費やしている研究開発への投資は、政府予算に対する比率としては、重大な投資がいくつも行なわれていたころに比べると小さくなった。[29]

この種の支出こそ、利潤最大化層や企業ロビイストや、その息のかかった政治家たちが排除しようとしてきたものだ。

それはなぜなのか。政府の直接の出資が過去に大きく功を奏したというのに、なぜ、アメリカ最大規模の企業やもっとも裕福な人びとはいま、資金援助を止めようとしているのだろうか。とくに、多くの人びとや企業——テック系企業や製薬会社など、過去に同じプログラムで自分たちの研究に資金提供の恩恵を受けた人や組織が。

一部の企業や人にとって、それは単純にお金至上主義のせいだ。企業は分け前を少しでも大きくするための戦いを、決してやめようとしない。他方で、税金をできるだけ低くして、市場をできるだけオープンにしておきたいがために、政府の権限をできるだけ小さくしたい企業もある。

とはいえ、ほかにも理由があるのではないか。これらの企業は、この種の研究にどれほどの影響力があるか、自らの経験として知っている。すでに市場で優位な立場にある企業にとって、将来の科学的なブレイクスルーは、自分たちが直面しかねない数少ない脅威のひとつなのだ。画期的な薬や技術によって、競争の場が変わることがある。何も変わらないままか、革命的な発見をするのが自分たちであるかぎりは、何も心配することはない。

何十年もの政府の出資から得た財政的な恩恵がいまや認識されつつあるときに、それらの企業はできるかぎりの権利を主張している。政府は次世代のイノベーションのために種をまく必要があるというのに、それらの企業はみな、税金のかからない場所にお金を隠し、減税のためのロビー活動をして政府からリソースを奪っている。

こういうのを、「登った梯子(はしご)を引きあげる」という。

マッツカートは、政府の出資は浪費ではなく投資とみなすべきだと、説得力のある主張を行なっている。ビジネスと同じように、それらの出資に対するリターンを検討してみれば、公共の資金提供についてまったくちがった視点がみえてくるし、みえてきたものに満足がいくだろう。そりゃ、政府の出資したもののなかには明らかな失敗もある。イギリスのコンコルドやアメリカのソリンドラはよく例として挙げられ、政府は民間セクターと距離を置くべきだと言われる。それでもそれらの損失は、成功した例に比べれば、取るに足りないものだし、当たり前の話だが、民間の投資家なら、投資先がうまく成長しなくても、失敗したとはみなされない。ところが政府の出資は、最低でも現状維持という不可能な水準を課されている。

袋小路

一九七二年、アメリカ最大級の企業のCEOたちが、「ビジネス・ラウンドテーブル」という団体を結成した。この団体の使命は、ビジネス寄りの方針を政府に働きかけることだった。背後にはアメリカ最大手企業の暗黙の承認があったため、この団体の推奨はおおいに重みがあった。だから、一九八〇年代から一九九〇年代にこの団体が、企業の責任をいかに定義するかについて、重大な転換を行なったとき、大きな影響を及ぼした。アメリカ国家科学賞を受賞した数学者ラルフ・ゴモリーは次のように語っている。[30]

「一九八一年に、ビジネス・ラウンドテーブルは『企業の責任に関する声明』で、企業はつねに、株主、コミュニティ、従業員、および一般社会などさまざまな集団に自社の行為がいかに影響を及ぼすかを考慮しなければならないと書いていた。ところが、一九九七年の『コーポレート・ガバナンスに関する声明』で論じられているのは、どのようにすれば株主に最大限に尽くせるか、のみである」

従業員やコミュニティや一般社会は、もはや優先事項ではなくなった。株主だけが優先されたのだ。

利潤最大化の過剰な重視は、ミルトン・フリードマンの利益の追求こそが正しい道という主張とともに始まり、ウォール街だけでなくほかの分野の人びとが、この主張を標準としていくにつれて広がった。前述の経済学者マリアナ・マッツカートも次のように書いている——「金融セクターの投資に対するリターンは、『現実』の固定投資額に対するリターンとして最小限に設定されるので、金融の活動で利益が生じればリターンは増える。金融投資家のリターンを打ち返せない非金融企業は、自社の生産物の流通活動を『金融化』することによって同じフィールドに立たざるをえない」[31]。ようするに、以前は利潤最大化を行なっていなかった企業でさえも、投資家たちがこの種のリターンを期待しはじめると、それにしたがうしかないのだ。

こんなふうにして、利潤最大化と株主中心の世界観はまたたくまに僕らの新しいデフォルトになった。

利潤最大化が重視されるようになってから半世紀のうちに、利益とGDPが急上昇した。けれども、この成長の恩恵を分けあっているのは一部の人たちだけだし、将来も同じ戦略を投入するなら、厄介な問題が起きる可能性がある。利潤最大化のプレイブックを、世の中のルールそのものとみなしてしまうと、とくに。問題が起こるまでには四つのフェーズがある。

フェーズ1：競争の終わり

競争の終わりは、業界の主要企業の合併から始まる。中小企業や地元企業は売却したり、廃業したりせざるをえなくなる。潰れた企業が占めていた市場の領域や地理的な縄張りは、生き残った企業の間で分割され、切りわけられる。こうして大企業はさらに大企業になる。全国チェーンが市場を占有していく。最終的に、直接の競争がほぼ消える。

ときおり、合併を始めるまえに、ラジオの場合のように競争を維持するために、法律の撤廃が必要な場合がある。すると、政治献金によって適切な政治家が「買収」される。そしてその政治家によって、規制緩和がイノベーションと成長を促すという主張が行なわれ、この規制緩和という変化が国民に押し付けられる。でも実際のところ、この変化によって促される大きな経済成長の恩恵を享受するのは、国民のごく一部にすぎない。

フェーズ2：大量リストラ

競争の心配がなくなった企業は、大量のリストラと予算削減を開始する。

大規模な解雇を表現するために、効率化、余剰の除去、シナジー効果など、さまざまな言葉が生みだされた。数多くのフレーズは、リストラや予算削減という意思決定が戦略的におおいにすぐれているとほのめかす。

けれども現実は、ちっとも画期的な話ではない。予算が削られれば削られるほど、職がなくなればなくなるほど、経営陣が投資家や自分たち自身に再分配できるお金が多くなるだけのこと。彼らはこれに関しては最高にいい仕事をしてきた。一九七七年以降、賃金の中央値は一〇パーセントしか増加していないいっぽうで、役員報酬は一〇〇〇パーセント急増した。[32]

フェーズ3：搾り取りと分配

労働者や競争相手が消えると、業界一をめざしていた志は、その業界から金を搾り取るという志に変わる。サービスの質は落ち、利幅が上がる。ぴったりの例が、アメリカのケーブルテレビ会社やインターネットプロバイダーとラジオ局のプレイリストの縮小だ。そうやって新たに節約した資金は、自社株買いと配当金を通じて株主に分配される。そのいっぽうでサービスは低下しつづける。これこそマレットエコノミーだ。

フェーズ4：崩壊

価値の搾り取りが最大になると、企業が保っていた信頼が消えていくのは時間の問題だ。ヤフーやシアーズが、自らのビジネスが崩壊しつつあるときに、株主に数十億ドルの支払いをしていたことを考えてみるといい。

この状況は利潤最大化層にとっても問題に思えるかもしれない。すべてが崩壊してしまったら、元も子もないのではないだろうか。

正直なところ、それは問題ではないのだ。このサイクルへの投資は、とっくの昔に清算されている。そのお金はすでに別のものに投資されている。崩壊のフェーズまでに、第三世代、第四世代、第五世代のお金がかかわり、できるかぎり搾り取り、従業員とそのコミュニティを置き去りにして、自らを肥やしている。頂点にいる人びとはまだ給料を得ていて、お金が流れつづけている。

利潤最大化というのは、削減すべき経費と搾り取るべき価値をどこまでも追求することだ。ビジネスが上向きのときでさえ、企業の唯一の指し手は、人員削減と株主へのお金の再分配だ。ほかに何も展望がない。あるのはただそれだけ。利潤最大化は計画ではない。それは罠だ。

第5章　罠

食料品店のレジの列に並んでいたとき、その雑誌が目にとまった。表紙には赤や黄色がちりばめられ、不穏なフレーズが並んでいる。

「パラノイアであれ」

「自分自身をぶっこわせ」

「戦場へ向かえ」

これは《ガンズ・アンド・アモ》か、それとも《ナショナル・エンクワイアラー》か。《アドバスターズ》か。

《ハーバード・ビジネス・レビュー》だ[1]（次ページ写真）。

当時、僕はキックスターターのCEOだった。それまで一〇年近く、同社の共同創設者であり、リーダーのひとりだった。その後CEOに就任したとき、キックスターターは一〇〇人以上の従業員を抱えるまでに成長していた。そのころになると、以前はわくわくする冒険みたいだった仕事が、日ごとに深刻さを増していく気がしていた。

世間からみれば、僕らは大成功していた。二〇一三年には、世界有数の技術系の情報サイト「テッククランチ」で、キックスターターは、ツイッターやウーバー、スナップチャット、クラウドフレアなどと並んで「ベスト・オーバーオール・スタートアップ」賞にノミネートされた。そして、チームのサイズでいえばほかよりずっと小さい候補企業だったけれど、みごと受賞した。

けれども僕自身は心のなかで、不安と戦っていた。どでかいプレッシャーに襲われていた。クリエイティブな人びとが自分たちのアイデアの資金を集めるのに、僕らのツールを頼りにしていた。従業員やその家族たちは暮らしの糧としてこの会社を頼りにしていた。守るべき評判もあった。気を配るべき投資家たちと競争相手がいた。毎年、僕らのシステムを通して、何億ドルという金がやりとりされていた。毎日のように、何かをやらかす機会があった。

のしかかるような重みはずっと消えなかった。家にいても、週末でも、家族と一緒でも、夢のなかでさえも。気にかけるべきことを気にかけそびれてやしないかと、気がかりだった。オフスイッチがなかった。

僕がもっとも恐れていたことはいつも同じだった。すぐれたCEOなら、すべきとわかっていることを僕がしそびれたせいで、予想もしない出来事が起こって会社が潰れること。つまり、自分は力不足ではないかという懸念が、バックグラウンドアプリのように僕のRAM領域でつねにうごめいていた。

だから、食料品店の列に並んでいるとき、《ハーバード・ビジネス・レビュー》の表紙が心に刺さったのだ。

パラノイアであれ。自分自身をぶっこわせ。戦場へ向かえ。

もしかするとそれが僕の問題なのかもしれない、とそのとき思った。パラノイア度が低いのかもしれない。

僕はその雑誌をカートにいれた。

人生の目標

一九六六年以降、カリフォルニア大学ロサンゼルス校（UCLA）の高等教育研究所の研究者が、アメリカの大学生の考え方についてこの国最大の研究を行なってきた。[2]

毎年、学内研究プログラム（CIRP）として行なわれるこの新入生調査では、アメリカ全体の大学の新入生にバックグラウンド、習慣、価値観などについて同じ質問を問いかけている。これまで一五〇〇万人の新入生がそれらの質問に答えた。

質問のなかに、学生に人生の目標としていくつかの項目を格付けするよう求めるものがある。学生は一覧になった十数項目それぞれに、「欠かせない」、「とても重要」、「いくらか重要」、

「重要でない」のなかから当てはまるものを選び、格付けを行なう。

一九六七年に入学した新入生に実施されたこの調査で、人生の目標のうち、多くの新入生が「欠かせない」または「とても重要」と格付けしたのは、以下の項目だ。

1　意義のある人生哲学を確立する（新入生の八五％が欠かせない、またはとても重要と回答）
2　自分が活躍する分野の権威になる（七〇％）
3　困っている人の役に立つ（六三％）
4　現在の政治情勢についていく（五四％）
5　自分自身のビジネスで成功する（四四％）

そしてこれより下にあるのが、

7　経済的にひじょうに裕福になる（四一％）

だった。

一九七〇年の新入生の回答は以下のとおり。

1　意義のある人生哲学を確立する（七九％）
2　困っている人の役に立つ（七四％）
3　家族を養う（七二％）
4　自分とは違うタイプの友人を作る（六五％）
5　自分が活躍する分野の権威になる（六〇％）

そして、ずっと下にあるのが、
13 経済的にひじょうに裕福になる（二八％）
だった。

それが、一九七〇年代なかばになると、学生の回答が変化していった。一九七〇年代と一九八〇年代に一貫して上昇したあと、一九八九年に初めて「経済的にひじょうに裕福になる」は、「欠かせない」または「とても重要」な人生目標としてもっとも回答が多い項目になった。この集団、つまり一九九三年に大学を卒業した学生の世代は、一九七〇年あたり——ミルトン・フリードマンの論評が《ニューヨーク・タイムズ》に掲載されたのと同じ年——に生まれ、利潤最大化が標準の戦略になった世界で育った。この世代の野心と、そのあとに続くさまざまな年代の新入生たちの野心がこれを反映した。「経済的にひじょうに裕福になる」は、それ以降ほぼ毎年、人生目標のトップだった（次ページのグラフ）。

二〇一六年の新入生の回答は以下のとおり。
1 経済的にひじょうに裕福になる（八二％）
2 困っている人の役に立つ（七七％）
3 家族を養う（七一％）
4 ほかの国や文化の理解を深める（五九％）
5 自分が活躍する分野の権威になる（五八％）

人生の目標として各項目を「とても重要」または「欠かせない」と考えている新入生の割合

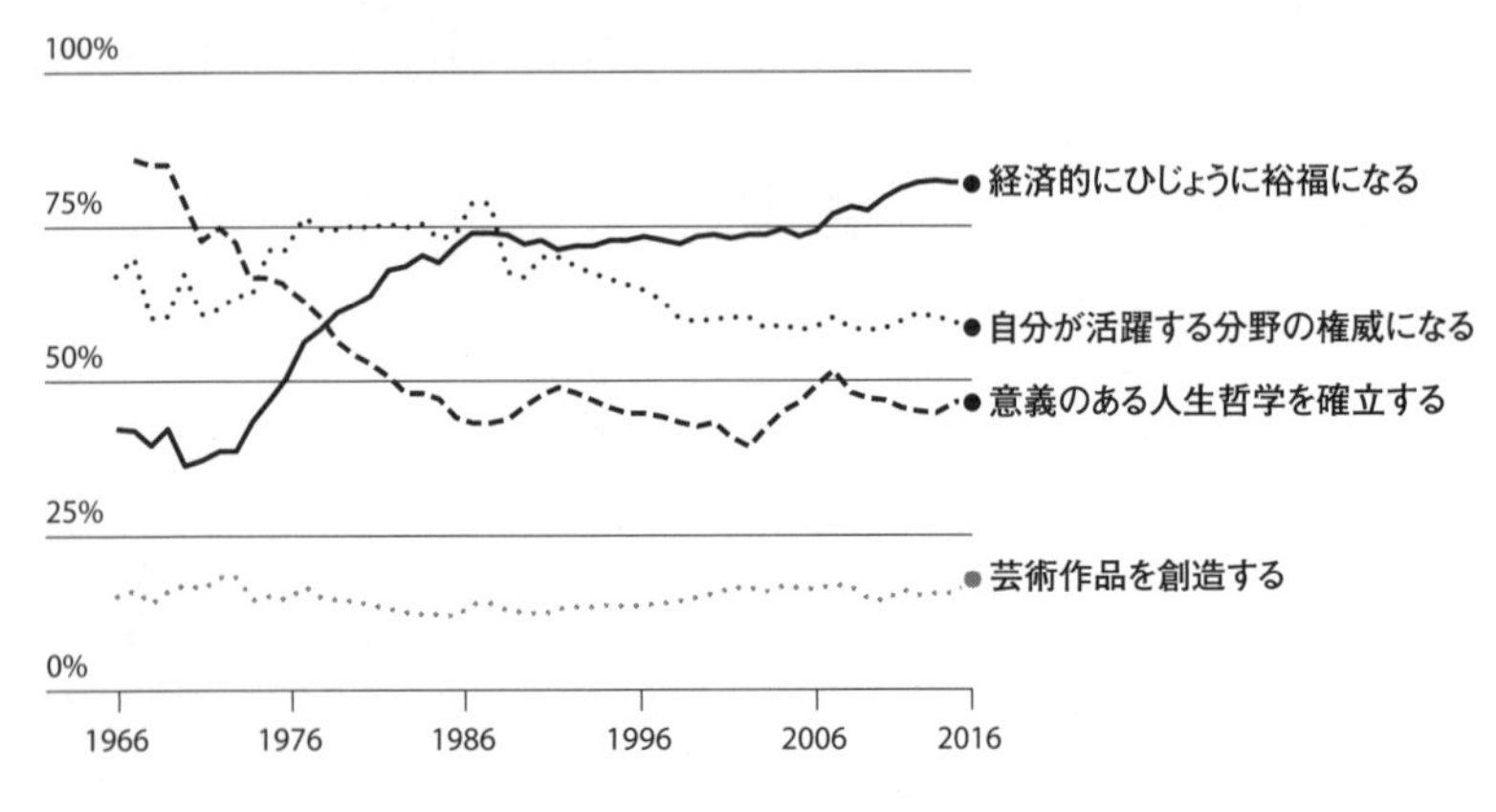

出典：UCLA HIGHER EDUCATION RESEARCH INSTITUTE

6　社会的な価値観に影響を及ぼす（四八％）

それより下にあるのが、次の項目だ。

8　意義のある人生哲学を確立する（四六％）

一九七〇年以降、金持ちになるという目標が欠かせないと回答した新入生は、二八パーセントから八二パーセントへと上昇した。これは選択肢のなかでもスコアがもっとも大きく変化した項目だ。同時に「意義のある人生哲学を確立する」という目標は、ほぼ半数まで落ちこんだ。

一九六〇年代には、五人中四人の新入生が人生に目的を持つことが欠かせない目標と考えていた。二〇一六年には、五人中四人の新入生が、人生の目的をすでに持っていた。それは、金持ちになることだ。

アメリカでもえりすぐりの人材の意識は、根本的に変化した。「一九六五年には、ハーバード・ビジネス・スクールのＭＢＡ取得者のうち、金融セクターに入ったのはたった一一パーセントだった。一九八五年には、その数値は四一パーセントにのぼり、それ以降も上昇している」と経済学者のマリアナ・マッツカートは書いている。[3] 年々、卒業の代を追うごとに、利潤最大化に対する信念は大きくなっていった。

ロールモデル

資本主義を理論づけたアダム・スミスは「金持ちや権力者を称賛し、ほとんど崇拝せんばかりになり、そのくせ、貧しく地位の低い人びとを蔑み、あるいは少なくとも無視するという意識」が、「社会的地位や序列の違いを確立したり維持したりするのに必要だ」と語っている。[4]

言いかえれば、文化的ロールモデルがその価値観を形づくっている。その文化のなかで称えられる人びとと称えられない人びとのどちらの価値観も。

ビジネスとイノベーションの世界のロールモデルは明快だ。それは、成功した裕福な人びとだ。夢を実現し、敵（そう、まさに敵だ）を失墜させ、そうやって数億ドルもの金を稼ぐ人。あなたが土曜日に家の雑用をしているあいだ、彼らは中国語を学び、従業員にやる気を起こさせて週末の休日も働かせる。そのチームは頭上の画面にあるCEOの顔に笑顔を向け、声をそろえて返事をする。

ばからしく聞こえるだろうが、これらのイメージが成功の定義に影響を及ぼす。もっと裕福になりさえすれば。もっと成功してさえいれば。もし、彼らみたいでありさえすれば、そして自分みたいでなければ。

けれども、あなたがどう見えるか、同僚よりどれだけすぐれているか、あるいは、どれだけ金を持っているかにかかわりなく、外部からの評価にもとづいて自分を信頼したところで、いいことはない。

僕らは、このような外部のゴールを最終目標として想像する。いったんその目標にたどりつけば、何もかも大丈夫。大きな昇進を果たした瞬間、ホームコメディは一時停止画像になり、出演者のクレジットが流れる。おめでとう！ 人生に勝利したね。もう何も心配はいらない！

いやいや、そんなふうにことは進まない。そのかわりに、あなたが約束の地だと思っていた場所にたどりついたとき、誰かの叫び声が聞こえる――「いや、そこじゃない。あっちだ」。それであなたはまた一からやりなおして、どこか別の場所へたどりつこうとする。自分で企業を経営しているときでさえ、気がつくと食料品店で、恐怖心をあおられてビジネス雑誌を手にしていたりするのだ。

人生の目標と大学生について行なわれたもうひとつの研究が、その理由を示している。ロチェスター大学でモチベーションについて研究している専門家は、前述のＣＩＲＰの調査と同じように、学生に人生の目標について尋ねた。けれどもこのとき研究者は、一、二年後に学生を追跡し、それらの学生が目標を達成したか、それについてどう感じるかを調べた。[5]

研究者は、人生の目標が「外因性」であるとき――つまり富や外見、知名度など他人から見える――ゴールに到達したことで得られる満足感は、学びや改善、他者を助けるなど「内因性」の目標に向けられている人びとより小さいことを突きとめた。研究者が名付けた「利益を上げるというゴール」への到達は、「目的のあるゴール」にたどりつくより満足感が少なかった。

利益を上げるというゴールを達成した人びとにとっては、成功してもそれ以上に幸せにはなれなかった。むしろ不安や抑うつが増えた。お金が増えても満足できないとき、僕らは財政的な目標をさらに高くして、それで問題が解決すると考える。でも、そうじゃない。

満足したいという欲求は、満ち足りているという満足感を超える。手にいれればそれだけもっと、欲しくなる。僕らの期待が利益重視のゴールに向かうと、もっと魅力的になりたい、もっと有名になりたい、もっと儲けたいという飽くなき渇望が湧きあがる。どれも、強力なモチベーションになるけれども、それらが与える安らぎは一瞬だ。けれども、専門分野の腕を磨きたいとか、ある対象をもっと知りたいとか、より良い人間関係を築きたいなど、僕らの期待が目的重視のゴールに向かうと、そのモチベーションは、実りの多い、持続的な成果を生みだす。天職を見つけたり、その道を極めたり、コミュニティの絆を強めたり。

外的な成功がモチベーションになっていると、ゴールラインのない競走に参加することになる。そこに勝利はない。ただ競いつづけるだけだ。

成功が怖い

Ｗｅｂ２・０時代——約一〇年続き、二〇一六年の米大統領選で終焉した——は、すばやい成長と大きな評価額が、成功を定義する一般的な概念だった。

二〇一四年の《ニューヨーク・タイムズ》の記事に、人事管理ソフトウェアのスタートアップ企業ゼネフィッツ社のプロフィールがあった。この記事の最初の一文には「近年のシリコンバレー史上最速で成長した企業のひとつ」という説明がある。[6] さらに、このプロフィールには、この企業のスピーディな成長や、シリコンバレーの大物投資家たちが関わっていることや、最近四五億ドルという「ユニコーン」級の評価額がついたことが記載されていた。ゼネフィッツ社は最新の時代精神を揺さぶる成功を収めているのだ。

けれども、この記事ではゼネフィッツ社の創設者でCEOのパーカー・コンラッドが語った不安感についてのおどろくべき言葉が、息詰まるような調子で引用されていた。この記事では、記者と投資家がこの企業の成長を称賛しているのだけれど、コンラッドはその成功をこんなふうに説明している。

「うまくいっていると考えているときでさえ、いつも、いまにもカートから車輪が外れてしまうんじゃないかという気がしているんです」

さらに、こうも言っている。「ほかの企業が一年かけて見つける問題を、私たちは八週間で見つけてしまうというような……とほうもなく恐ろしいのです。このせいで何年も寿命が縮まった気がします」

記事はこう続く——「ミスター・コンラッドは、はっと気づくと、不注意な失敗をしでかすという恐怖から逃れようと拳を握りしめ、身体をこわばらせていることが何度もあったという」。

成功とは、ある業界をディスラプトすることであり、朝食も食べないうちにユニコーンになっていることだ。そのような成功を収めた人が《ニューヨーク・タイムズ》で、公に助けを求めていたという事実は無視された。目の前にある現実より、長年差しだされてきたイメージのほうを僕らは信じがちだ。これは、この記事の見出しに完璧に要約されている。「業界を揺さぶるゼネフィッツ社のリーダーが、ストレスで参ったりするものだろうか？」

なぜコンラッドはストレスを感じていたのか。それは、ゼネフィッツ社があっというまにサービスを拡大し、その成長にもとづいてベンチャー資本金として約五億ドルを精力的に集めたはいいが、その後は、予見可能な未来のために、その成長率を維持、またはより高めなければならなかったからだ。一年後、コンラッドはその成長を維持するために州の規則を破って、クビになった。《ニューヨーク・タイムズ》は、この企業の取締役会がもっと早い成長を執拗に求めていたと報じた[7]。

極端な例かもしれないけれど、ゼネフィッツ社の例は珍しい話じゃない。投資家などの過剰な期待に応えるために、無理をしてくたくたになったり、目標にたどりつくために怪しげな近道を取ってしまう。ＨＢＯのテレビドラマシリーズ「シリコンバレー」の多くの話の筋は、このような事実を元にして作られている。

「これまでにないほど最速で成長した企業」グルーポンの共同創設者で元ＣＥＯのアンドリュー・メイソンは次のように述べている。

グルーポンにはもともと、真に顧客寄りの視点でサイトを運営するという、ひじょうに厳格な方針があった。ところが、会社が成長するにつれて、社内の誰かが「一日に二件取引してみようか？」とか「一日に二通メールを送信してはどうだろうか」と言いだす。すると私は考える。これはまずいぞ、と。企業から一日に二回もメールを受けとりたい人などいるだろうか。すると、こんなふうに言われる。「なるほど、あなたにはとんでもない話かもしれない。でも、私たちはデータにもとづいて動いている企業です。だからデータをみて判断したらどうでしょうか。試してみましょうよ」というわけで、試してみる。すると、登録をやめる人が若干高い率で現れるけれども、購買がそれを補って余りあるぐらいに増える。こうしてあなたは、なんだかおかしいと思うけれども、それが合理的な決断に思えてくるという状況に陥る。[8]

ゲーム理論に関するランド研究所の本は、「自分とは相いれないゴールを求める巧みな敵を前にして、プレーヤーが安全にできるだけ多くの利を得るために」何が合理的かを定義している。現実の世界では、その場であなたができるだけ多くの利を得るという判断は、長期的なコストがかかる結果になることが多い。また、成長への期待感がいったん設定されてしまうと、「プレーヤーができるだけ多くの利」を得られる場合に、それを抑える「安全に」という言葉は付け足しの選択肢でしかなくなる。

早い段階で企業は、もっとも抵抗が少ない道——莫大な利益やなにがなんでも成長するとか、すぐ行動して結果はまったく考えない——を進み、その挙げ句、自分の選択によって身動きが取れなくなる。企業が利潤最大化という考え方を招きいれてしまったが最後、それに振り回されるのは時間の問題だ。

自分自身をぶっこわせ

「パラノイアであれ」

「自分自身をぶっこわせ」

「戦場へ向かえ」

僕はコーヒー・テーブルの上の開いていない《ハーバード・ビジネス・レビュー》をちらっと見た。なぜ、これを買ったのだろうか。

ようやくページをめくる。どれほど衝撃的な話に頭を殴りつけられるのだろうか。パラノイア誘導型の特集は、蓋をあけてみれば、マッキンゼーのパートナーらふたりによる、利益率についての論文だった。

僕は、映画「クリスマス・ストーリー」に出てくる、子どもが暗号を解いたら、答えは「麦芽飲料を飲め（DRINK YOUR OVALTINE）」という単なる宣伝だったという場面みたいな心境になった。あれほど期待したのに、これかよ。

僕は雑誌を放り投げた。けれどもこのときから、ビジネスの世界でこういう攻撃的なトーンを見つけたら、かならずメモを取るようになった。

すると雑誌の表紙のそういう文言が目に留まるようになった。「このＣＥＯは血に飢えている」とか、「この企業が世界を支配」とか。

ニュースの見出しには、こんな文言があった――「技術をめぐる支配戦争」、「ストリーミングメディアの武器」、「二〇一二年の技術大戦争」、「ＡＩ大戦争」、「シリコンバレーの犠牲者を確認」。

ニュース記事によると、ウーバーの元CEOトラビス・カラニックのテキストや電子メールには、「戦いのまっただなか」とか「焦土作戦」とか、「一ポンドの肉」〔「ベニスの商人」のエピソードが語源。致命的な代償などを意味する〕という言葉が並んでいた。[9] また、フェイスブックが選挙妨害をしたという批判を浴びせられたあと、マーク・ザッカーバーグはフェイスブックが「戦時」下にあると社内の幹部らに語ったと言われている。[10]

ビジネスの場でも日常的にこんな言葉が登場する――「敵を滅ぼせ」、「従業員を狩れ（ハント）」、「市場を占領しよう」、「敵地に突撃せよ」

この種の言葉はもともと、強い組織を築いたり、すぐれた決定をくだしたり、現状を改善することとはなんの関係もない。むしろ、まったく正反対で、暴力や征服や戦争の言葉だった。「ウォール・ストリート」ゲームや「コミュニティ」ゲームの項で学んだとおり、言葉というのは重要だ。言葉によって、どんなふうにゲームをするのかが左右されるのだから。競争せよ、協力するな。とにかく勝て。利潤最大化か、さもなければ死を。指示は明快だけれど、答えのない問いがひとつ残っている。僕らがこんなふうにゲームをしたとして、勝つのはいったい誰なのだろうか。

■　■　■　■

僕の不安をかきたてるこれらの出版物のいくつかに僕自身、過去に成功者として掲載されたことがある。だから読者のなかには、僕が、これらの理念が生みだすたとえに免疫があるんじゃないかと思う人がいるかもしれない。残念ながら、僕はそうじゃなかった。

たしかに、僕はかなりの成功を収めたかもしれない。でも、もともとはバージニア州クローヴァー・ホロー出身の無名の人間だ。ほかの人びとはスマートな勝ち組。僕はただ運が良かっただけ。

たとえば、ずっと働きつづけ、商品を売りつづけて、恐れや後悔もなく生きている、すこぶるつきの優秀なCEOについての記事を読むと、つい自分と比べてしまう。もちろん僕だって四六時中働いていた。それに、いつも会社を代表してきた。でも、自分自身のことを鮮烈な競争に打ち勝ってきた人間とは思えない。自分がこれまでそんな人物になれたことがあるかもわからない。

そういうイメージに自分を近づけようとしているとき、僕はいつも、ひどくむずかしい質問を自分に問いかけていた。**この仕事をしながら、自分のままでもいられるのだろうか。**僕にはわからなかった。

ほかの人に僕の迷いを悟られたくなかった。だからよけいに人が集まっている場所では、そのギャップが激しくなった。

あるイベントで会ったCEO：「調子はどう？」

別のCEO：「申し分ないね。本当にこれまでにないくらい最高さ。しかも、ますますのぼり調子なんだ」

もうひとりのCEO：「おいおい冗談だろ。こっちもまったく同じだよ」

三人が僕のほうを向く：「調子はどうだい？」

僕：「絶好調さ。本当にこれまででいちばんだね。これほど調子がいいことがあるのかってくらいさ」

誰もが歩く広報部なんだ。僕の頭の中を知られたらきっと、やっぱりこいつは詐欺師だ、思っていたとおりだった、と確信させてしまうのではないかと怖かった。

僕はそういうイベントは早めに切りあげて帰宅し、もっと仕事に打ちこんだ。ナイトテーブルに、リーダーシップや戦略に関する本を半ダースほど積みあげて、毎晩寝落ちするまで、せっせと読んでいた。ときには夢のなかでも、新たな心配事を見つけて頭を悩ませることがあった。僕自身の迷いに対する答えは、どこかにあるはずだと探していた。きっと懸命に働けば、答えが見つかるだろうと。

パンのためだけではなく

僕が心のなかでバトルを繰り広げていたあいだでさえ、キックスターターは安泰だった。設立の一日目からキックスターターはパーパス志向の企業で、利益志向の企業ではなかった。僕らは、ほかの企業がしているゲームには興味がなかった。むしろあえて、そのレースから抜けだした。

キックスターターは、ゼネフィッツやグルーポンとは対極の存在だ。それらの企業は膨大な額のベンチャー・キャピタルを得て、大成功への期待を高めていたけれど、僕らはその状況を、急激すぎる成長への道とみなしていた。短期の投資収益と引き換えになっているのは、長期的な妥協だ。

僕らの緩やかで安定した戦略は、同業者がしていることとは似ても似つかなかった。ほかの企業が高い利益をあげたり、迅速に成長したりしているだろう期間に、僕らは他社が成功についていかに考えているかは無視して、自分たち独自の理想やゴールに向かおうと努力した。たとえばパブリック・ベネフィット・コーポレーションとして長く成功しつづけることがそうだ。

それでも僕は、自分たちの進んでいる道がこれでいいのか、疑問を抱くことも何度かあった。CEOを引き受けて一カ月もしないうちに、同じ業界のほかの二社が、僕らに対抗するために、有名なベンチャーキャピタリストから合わせて六〇〇〇万ドルの資金提供を受けたと発表した。腹を決めねばならないときだった。僕らも同じようにすべきだろうか。それでも僕らは独自の道にこだわり、その瞬間は過ぎさった。

CEOとして日々を過ごしていたとき、ある本に出会い、僕は新たな自信を得た。それは、日本人のビジネスマン、松下幸之助が長い経験を生かして著した随筆集 *Not for Bread Alone: a Business Ethos, a Management Ethic*（日本語名：わが実践的経営理念）だった。

松下幸之助はとほうもない人生を歩んだ。一九一八年、日本にはまだ少なかった電子機器の会社を立ちあげ、四〇年以上もその会社を経営した。その企業は現在もパナソニックという社名で存続している。この随筆集には、松下幸之助が長いキャリアから得た哲学と教訓がちりばめられている。この本はその息の長さだけでなく、繁栄という概念がより広い意味でとらえられている点でも注目に値する。

ここに挙げるのは、松下幸之助が一九三二年に、従業員に向けて話した言葉だ。

「製造業者のミッションは、貧困を乗りこえ、貧困の惨めさから社会全体を救いだし、豊かさをもたらすことです。ビジネスや製品は、関係のある企業の店や工場だけでなく、社会全体を潤すことをめざすべきです。そして社会は、その豊かさを生むために、ビジネスや業界の勢いとバイタリティを必要としています。このような状況下でのみ、事業も工場も真の意味で繁栄していくのです[11]」

この同じときに松下幸之助は、企業の二五〇年さきのゴールを宣言した。それは「この世から貧困をなくす」ことだった。

松下幸之助は本気だった。一九三六年、従業員に週一回の休日を与えると決めた。当時の日本の労働者は一カ月に二日しか休みがなかった。その後一九四七年になってやっと日本は労働基準法で週一回の休日が公式に定められた。

一九六〇年、松下幸之助はさらに一歩進んで、日本で初の週五日制の労働を提案すると発表した――「海外の企業としのぎを削りたいと願うなら、劇的に生産性を上げる必要があります。休日が毎週二日あれば、心身をリフレッシュさせる時間が充分にできる。これが生産性の劇的アップを達成する手助けとなり、生活を豊かにする大きな機会にもなるでしょう」。より多く生産しより良いものを作るために、直感に反して、人びとの労働時間を減らすと提案したのだ。松下電器が週休二日制度を導入したのは、一九六〇年代だったけれど、大半の日本企業がそれに続いたのは一九八〇年になってからだし、日本政府の職員が週休二日制で働きはじめたのは一九九二年のことだった[12]。

松下幸之助は誇り高い資本主義者で、次のように書いている――「高すぎもせず低すぎもしない、ほどよい利益を上げることによってのみ、企業は成長できるし、より多くの人びとによりすぐれたサービスを提供できる。さらに、企業はその利益の大きな割合を税という形で支払うことによって社会に貢献する。そういう意味でも、市民としてほどよい利益を上げるというのはビジネスマンの義務なのです」。

松下幸之助は企業を導くための五つの精神を挙げている。

1　産業を通じた奉仕の精神（産業報国の精神）
2　公明正大の精神
3　和親一致の精神（調和と協力の精神）
4　力闘向上の精神（進歩のために努力する精神）
5　礼節謙譲の精神

八〇年近くたったいまでも、パナソニックのオフィスの多くで毎朝仕事を始めるときに、これらの精神が声に出して読まれている。

松下幸之助の世界の見方といまどきの「自分自身をぶっこわせ」的なものの見方とのあいだのコントラストは、これまでにないほど大きい。この高齢の日本人男性の言葉は、僕にはひどく斬新に聞こえた。初めて、リーダーシップのロールモデルを見つけたのだ。ずいぶん長いあいだ悩んでいた自分の生来の素質を信じてもいいのだという自信の土台になった。

この知恵によって、僕は自分の感情をもっとうまくコントロールできるようになった——もちろん、いまだに疑心暗鬼になることだってある。また、自分のなかにある、価値に重きを置く部分とビジネスに重きを置く部分のバランスをうまく取れるようになった。松下幸之助ならこの状況をどうみるだろうと想像したり、問題になっているのはどの価値かをみきわめるために、俯瞰するようになった。たいていの場合、そうやって考えているうちに何かしら見えるものがあった。

自信を深めた僕は、ほかのCEOたちに自分の不安を打ちあけた。おどろいたことに、ほかの多くのCEOたちもそれぞれ同じような経験を通りぬけてきていた。そのときまで僕は、自分以外の人はみなうまくやっているのに、自分だけがうまくできないと思っていたのだ。胸のつかえがどれほど取れたことか。ぼくは自分の恐れを冗談の種にさえできるようになった。恐怖の存在を認めたと同時に、それをやり過ごせるようになったのだ。

出口

いまめざしているゴールが何であれ、誰だって不安を解消したいと願うものだ。そして、それが解消されたらまた別の不安を抱くようになる。「もうひと仕事したら、引退する」と言いつづけている年寄りの銀行強盗みたいなものだ。ひと仕事を終えたら、別の仕事がやってくる。そして別の仕事をしたら、また別の仕事が生まれる。ゴールテープは移動しつづける。それは罠みたいなものだ。

では、どうやってこの堂々めぐりを終わらせればいいのだろうか。どうすればいいかを教えてくれる聖書の詩句がある。エペソ人への手紙6章12節がそれだ――「私たちの戦いは、血肉に対するものではなく、支配に対する、権威に対する、やみの世の権力者に対する戦いだ」。

もう一度繰り返す。

「私たちの戦いは、血肉に対するものではなく、支配に対する、権威に対する、やみの世の権力者に対する戦いだ」

別の言葉で言いかえると、罪を憎んで人を憎まず、ということになる。

利潤最大化の時代に生きる僕らは、できるかぎり多くの金を稼ごうと、血肉をかけた戦いに参加させられている。それがあらゆることの核心だ。けれども、いままでみてきたとおり、そういうゲームは勝ちつづけられるものではなく、いっとき勝利を味わえるだけだ。見返りがあるかもしれないが、それを考慮にいれても、支払う代償が大きい。

競争で我を忘れるまえに、自分たちがしているゲームが適切かどうかを気にするべきだ。戦いそれ自体ではなく、血と肉のある相手にばかり目を向けているかぎり、支配者や権威者は居座りつづける。けっきょくのところ、そのゲームを始めたのは支配者たちなのだから。

■ ■ ■ ■

利潤最大化は鍵のかかる場所にしっかり保管されているように思える。宇宙時代の材質で補強された鉄製の檻にいれられ、破られることのない暗号化キーを与えられて。そうやって守られてきたし、今後もずっと守られていくだろう。

けれども、利潤最大化が目新しい概念だったときもある。

《ニューヨーク・タイムズ》が一九七〇年にミルトン・フリードマンの論評を記事にしたのは、フリードマンがひとつの主張を持つ、リスペクトされた経済学者だったからだ。フリードマンがその論評を書いたのは、自分のアイデアには利点があると人びとに納得してもらうためだった。まさにいま、僕がそうしているように――フリードマンより、ずっと慎ましやかだけれども。

フリードマンがアイデアを売りこむのは、みんなが思っているほど簡単ではなかった。ベトナム戦争の時代で、冷戦の真っ最中に、企業に利益追求以上の社会的な責任はないと主張するのは、なかなか大胆だ。けれども、効果的な主張で広く人目に触れ、この考えは受けいれられるようになった。そしていまや利潤最大化という概念は、ハイタッチみたいな存在になった――大学生にとって、ハイタッチのない人生など想像できない。

とはいえ、いまのところこの概念が永遠に標準とされつづけるように思えるかもしれないが、歴史的にみて、終わらないものなどない。どんな目的地も、たどりついたら目的地でなくなる。これは終わりじゃない。ただの始まりだ。

第二部

第6章　本当に価値があるのは何か

もし、人生をやりなおせるとしたら、自分にもっとチャンスを与えられるだろう。そうしたからといって、強欲でも利己的でもない。実際的なだけだ。経済的な安心感は、生活の質の改善につながる。

いまから挙げるのは、二〇一九年に世界でもっとも裕福な人物ベスト一〇に選ばれた面々だ。[1]

1　ジェフ・ベゾス（アマゾン）
2　ビル・ゲイツ（マイクロソフト）
3　ウォーレン・バフェット（バークシャー・ハサウェイ）
4　ベルナール・アルノー（モエ・ヘネシー・ルイ・ヴィトン）
5　カルロス・スリム・エルー（アメリカ・モビル）
6　アマンシオ・オルテガ（ザラ）
7　ラリー・エリソン（オラクル）

8　マーク・ザッカーバーグ（フェイスブック〔現在はメタ〕）
9　マイケル・ブルームバーグ（ブルームバーグ）
10　ラリー・ペイジ（アルファベット／グーグル）

これらの人びとは世界でいちばん幸せな一〇人だろうか。おそらくそうではない。けれども、いちばん不幸せな一〇人でもないだろう。

リッチではないせいで払う犠牲は重大だ。とくにいまの世の中では。アメリカは、娯楽は安いが必要不可欠なものが高い国といわれてきた。医療費、交通機関の料金、住居費やその他の必需品の物価が上がりつづけている事実が、これを裏付けている。月々の必需品を賄うのに苦労している人の割合は、アメリカ人の五人に二人（四三パーセント）だ。[2] マレットエコノミーのおかげで、経済的に安定した生活を送れているアメリカ人はほとんどいない。

経済的なニーズを満たしていなくても生活の土台を築けるなんて思うのは、超がつくほどお気楽な人だけだ。経済的な安定は大事だ。経済的な安定の恩恵は、お金の面だけではない。研究によると、経済的な安定は、教育を受ける率、健康でいる率、長期志向になる率が高くなるのに欠かせない最低限の基準であることが示された。[3]

利潤最大化に反対しているからといって、お金がいらないと言っているわけじゃない。利潤最大化で問題なのは、一部の人がどんどん儲けているいっぽうで、多くの人びとが財政的に不安定になっていくところだ。

利潤最大化には賛成していないけれど、お金は無用ではない。お金は大事だ。ただ、人も大事だ。人びとに奉仕するなら、お金はかなり肯定的な力になりうる。けれどもお金に奉仕する生活を送るなら——自ら選んだにせよ、ほかに選択肢がなかったにせよ——自分の可能性をひどく狭めてしまう。

お金の重要性

一九四三年、当時三五歳だった社会学者アブラハム・マズローが、《サイコロジカル・レビュー》で“A Theory of Human Motivation”（人間のモチベーションに関する理論）という論文を発表した。

この論文のなかでマズローが主張していたのは、人は生活のなかで一連の欲求を満たそうと行動していて、それぞれの欲求は段階的に次の欲求へとつながるという説だ。マズローの人を動かす五段階の欲求は次のとおり。

1　生理的欲求（食物、水、住まい）
2　安全の欲求（健康、身体的な安全、経済的な安定）
3　愛の欲求（家族愛、友情、帰属の欲求）〔社会的欲求ともいう〕
4　承認欲求（何かを達成したり、有意義に生きたり、認められたいという思い）
5　自己実現欲求（「可能な限りどんな自分にもなれる」）

理想は、この段階に沿って人生を進めていくことだ。生存に必要な欲求を満たしたあとは、安全に注意を向ける。そして、生存と安全への欲求が満たされたら、愛情や他人からの承認を求めるようになる。というふうに段階が上がっていく。

けれども、欲求のどれかが満たされないと、そのさきへ進むことができない。次の段階が目に入らなくなってしまう。マズローはこの状態を次のように説明している。

「あらゆる欲求が満たされていないとき、生物は、生理的な欲求に支配されてしまい、ほかの欲求は存在しないも同然になるか、遠くに押しやられてしまう。飢えた生物と単純に表現することでその生物全体を特徴づけるといってもいいだろう。意識が飢餓感にすっかり占められてしまっているからだ。〔中略〕詩を書きたいとか、車を買いたいとか、アメリカ史への興味とか、新しい靴が欲しいなどの衝動は、生理的な欲求が満たされない極端な状況では、忘れ去られるか、二の次になる」

こんなふうに最初のふたつの欲求、生存と安全の欲求は機能する。安全や安定に不安がある人は、愛情や承認欲求にまでなかなか気が回らないし、ときにはそれが不可能な場合もある。病気になったり、経済的に重大な問題を抱えていたりすると（アメリカでは、不幸にもこのふたつは、いっぺんに起こることがよくある）、病気を治し、借金を解消することが人生の最優先事項になる。

そしていったん欲求が満たされると、その欲求は背後に遠のいていく。マズローによると、満たされた欲求はいわば「一時的に満たされたボトル」として存在する。かつての飢えは忘れ去られるが、また飢えることもありうる。

この概念は一般的に「マズローの欲求五段階説」と呼ばれている。この理論は人間の行動を理解するためのフレームワークとして、いまでもさまざまな場面で引用されている。五つの欲求を示す階層を視覚的に表現するために、一般的にはピラミッド型の図が用いられている（マズローが作成したのではない）。各欲求が層になって積み重なっている。けれども、マズローが指摘しているとおり、順番は人びとが考えているほど「厳格ではない」。

マズローのもともとの論文では、欲求のひとつとしてお金のことはいっさい語られていない。一九四〇年代はこんにちとは時代がまったくちがう。[4]現代は、経済的な安定への欲求は身体的な安全への欲求と同じくらい基本的な欲求だ。ようするに、お金はひじょうに重要な存在なのだ。ところがマズローの階層では、お金はそれほど重要度が高くない。承認欲求のためにお金を使う人もいるけれども、お金それ自体にそれ以上の価値はない。とはいえ、より高い価値を追い求めるには欠かせない大事な要素だ。

ノーベル賞を受賞した行動経済学者のダニエル・カーネマンによる二〇一〇年の研究は、この考えに光を当てていて、とても興味深い。幸福感と収入のあいだには、「統計学的に有意で、定量的に重大な」相関関係があったとカーネマンは述べている。[5]研究の結果からは、収入が高くなるほど、幸せな気分になることが示された。

けれどもこれは、あるポイントまでしか当てはまらなかった。報酬が七万五〇〇〇ドル以下の場合は、この傾向が当てはまったが、それ以上の報酬を得ている人の場合、幸福感に及ぼすお金の影響はずっと小さくなった。報酬がそれ以上高くなっても、幸福感が同じように高まらないのだ。つまり、ランダムに選んだ年間七万五〇〇〇ドル以上稼いでいる一〇人と、世界でもっとも裕福な上位一〇人の幸せの度合いはなんと、同じくらいでありうるということを、この研究の結果は示している。むしろ、年間七万五〇〇〇ドル稼いでいる人のほうが幸せを感じているかもしれない、ということもありうるのだ。

七万五〇〇〇ドルの壁なんて奇妙に思えるかもしれない。けれどもマズローの視点でみてみれば、理由は明らかだ。

お金をたくさん稼ぐにしたがって、経済的な安定への欲求は満たされていく。安定すればするほど、幸福感は高まる。けれども、経済的な安全への欲求を充分に満たす具体的なポイントがあるかもしれないことを、この研究は明らかにした。カーネマンの研究によると、アメリカではそのポイントが年間七万五〇〇〇ドルあたりということになる。

でもなぜ、幸福感は収入とともに高まりつづけないのだろうか。

それは、何かを手にいれればいれるほど、あなたにとってその何かの重要性が小さくなっていくからだ。経済的な安定という欲求が充分満たされてくると、「経済的な安定がさらに高まる」ことに、大きな違いがなくなる。経済学者はこの現象を「収穫逓減(ていげん)」と呼ぶ。喉の渇きが癒(いや)されたあとにさらに水を飲んでも、もう渇きが癒された気がしないのと似ている。

同じ層にあるほかのふたつの安全への欲求について考えてみよう。つまり、健康と身体的な害からの安全だ。社会は、市民のこれらの欲求を平等に満たす。法律や警察機構を通じて、身体的な安全を提供し、(米国以外のすべての先進国にある)国営化した健康保険を通じて市民の健康を維持する。お金とはちがって、このふたつは平等に国民に提供される。

けれども、身体的な安全が現在の富のように不平等に分配されたとしたら、ジェフ・ベゾスはひとりで八四五人もの警察官を抱えているのに、一億六三〇〇万人のアメリカ国民は一五六五人の警察官を共有することになる。これは一〇万四〇〇〇人の国民に警察官一人という計算になる。[6]その割合でいくと、ニューヨーク市全体で青いＮＹＰＤの制服を着ている警官は、たった八二人になってしまう。

これはあきらかに不合理だ。ジェフ・ベゾスの八三七人目の警察官はベゾスの安全を、それまでの警官以上に守りようがない。八三六人目の警官にコーヒーを淹れてやるくらいしかすることがない。これらの警官は警察を必要としている近隣地域にいるほうが、はるかに意味をなす。同じく、ベゾスにとって一三五〇億番目の一ドルは、経済的な安定を得ていない誰かにとっての一ドルほど大きな意味を持たない。

僕はなにも、ベゾスの一三五〇億番目の一ドルが倫理的でないとか、不労所得だとか言いたいわけじゃない。このお金は魔法や幸運で、ベゾスの財産として降って湧いてきたと言っているわけでもない。お金を多く持てば持つほど、その人にとってお金の重要性が薄れると言っているのだ。利潤最大化の世界では、これ自体がある種の罠になる。

■　■　■

本書を執筆中に、ニューヨーク州北部のあるイベントで、数百人のＣＥＯに話をする機会があった。僕はキックスターターの物語に加えて、利潤最大化が僕らに害を及ぼしてきた例を示した。聴衆の表情から、何人かはこのメッセージに心から共感しているのがわかった。けれども、ほかの多くの人には響いていないのもわかった。そのあと、一時間かけて共感している人とも、していない人とも話をした。

とくに記憶に残ったのは、ある中規模建築会社のＣＥＯとの会話だ。近づいてきた男は、サンバイザーを被り、口の端に葉巻をくわえ、目を輝かせていた。いったい何が起こるのか、想像もつかなかった。

「おかしなもので」と男は言った。「財産ができるまでは、がちがちの資本主義者だったんです。でもいざ儲かるようになると、自分が何者なのかわからなくなりました」

ＣＥＯの話はこういうことだった。お金は思っていたほど重要なものではなかったと気づいたのだという。それでも世界に影響を及ぼしたいという気持ちはある。いったいどうすればいいのかわからなくなったと。

マズローならこの建築会社のＣＥＯに何を言うべきかわかっていただろう。この人物は次の段階の崖っぷちに立っていた。次のレベル——愛情や承認、自己実現、そしてそのさき——へ来いと呼ばれていたのだ。

このステップで、多くの人が苦戦する。学校に行けば、財政的に裕福になる方法は学べる。けれどもそのあとどうなるかを尋ねる者はいない。

これこそが、多くの社会が抜けだせないでいる問題だ。利潤最大化に注目するあまり、僕らはマズローの階層の二層目を、ピラミッドの頂点みたいに扱っている。けれども、階層のいちばん上にある自己実現欲求を満たすには、ステップを登りつづけねばならない。そうしないで、どんなゴールにたどりつけるというのだろうか。

モチベーションを上げるためのモチベーションは何か

お金を最大限に増やせば、ほかのもろもろも付いてくると僕らは思いがちだ。お金はほかのものと交換できるのだから、お金を増やせばほかのものもみな増えるはず。

ある条件では、これが当てはまる。目的が、経済を成長させて全国民が経済的な安定を手にいれることだったら、お金はたしかにほかのすべての成長につながるといえる。

けれども、利潤最大化で重要なのは広範な経済的安定ではない。利潤最大化は、経済的な安定に重きを置いていない。利潤最大化で重要なのは、自分自身の分け前を増やすことだ。そして、分け前を増やすことに関していえば、どこまで増やしても満ち足りることはない。

マズローの欲求の五階層がはっきり示しているとおり、富の増加を人生の中心にしてしまったら、僕らは自分自身に限界を設けたことになる。お金は世界を動かすけれども、動かすのはその一部だけだ。そこはピラミッドの頂点じゃない。利潤最大化に重きを置いているかぎり、残念ながら最大の見返りには手が届かないままだ。

合理的な自己利益の定説によって、僕らは、自分の直近の望みを最大化することが唯一の合理的な戦略だと信じこんできた。それは経験的にいえば的を射た行為に思える。けれども、そうではないことを示す証拠がたっぷりある。

『モチベーション3．0――持続する「やる気！」をいかに引き出すか』（大前研一訳、講談社、二〇一五年）という本のなかで、社会学者のダニエル・ピンクは一九六九年に行なわれたカーネギーメロン大学でのある研究について書いている。[7] この研究で、研究者らは参加者それぞれにブロックのパズルを与え、それを使ってさまざまな形を作らせる。参加者はある一定の時間内に、できるだけ多くの異なる形を作るように言われる。

参加者はパズルに熱中するけれども、じつはこれは研究の目的ではない。本当の実験は、このテストの最中に研究者がしばらく部屋から退出しているときに始まった。マジックミラー越しに研究者は、各参加者が自分たちだけになっているあいだ、一九六九年代版のスマホいじり、つまり雑誌を手に取らずに、どれほど長いあいだブロックで遊びつづけるかを追跡した。研究者が席を外したその時間じゅう、大半の参加者がブロックパズルをしつづけた。

翌日もこの実験が繰り返された。ただし、この日は参加者の一部に、形をひとつ完成させるたびに一ドル支払うと話した。ほかの参加者は支払いのことを聞かされなかった。

この日も、研究者はしばらく部屋を離れた。そしてふたたび、研究者が席を外しているあいだに、各参加者がどれくらい長くパズルをしつづけるかが記録された。前日との違いがあった。お金を支払うと言われた参加者は、支払いの話を聞かされていない参加者より長くパズルをしつづけたのだ。

最終日となる三日目も、また実験が繰り返された。ただし、前日に支払いの話を聞かされたグループは、この日はもうお金がないので支払いはないと聞かされた。三日目は初日と同じく支払いがないわけだ。二日目に支払いの話を聞かされなかったグループも、支払いがないままだった。

研究者はこの日も途中で席を外して参加者の行動を観察した。このときもまた、違いがあった。前日に支払いの話を持ちかけられた人びとのパズルをする時間がずっと短くなったのだ。支払いのあった日よりも、初日よりも短い時間だった。

支払いがあって、翌日それがなくなった参加者に同情を覚える人もいるだろう。昨日支払ってくれたのに、今日は支払いがないだって。なんてケチくさい。誰だってきっと同じ反応を示すにちがいない。けれども、おそらくもっと深いところで不公平が起こっている。

一度もお金を支払われていないグループの行動について、考えてみよう。三日目、このグループはほかの日よりも長くこのパズルに興じた。このグループの参加者はパズルを満喫し、もっと遊びたいと思った。パズルを楽しんだのだ。

研究者がお金の件を持ちだすまでは、もういっぽうのグループも同じように感じていた。それなのに、いったんお金の支払いがあったあとに、それがなくなると、パズルへの見方が変わってしまった。パズルはもはや楽しみではなくなった。大事なのはお金になってしまった。

支払いを受けた参加者は、支払いを受けなかった参加者より少しだけ多くお金を得た。それはなんらかの得になった。けれども何かを失ってもいた。それは、ほかのグループが体験した楽しみだ。

ピンクは、同じような結果を示す研究を一〇〇件以上引用している。多くの場合、お金はやる気を失わせる作用がある。あるゲームの成績から、献血率や、自分の町に原子力発電所を建てさせるかどうかまで、さまざまな状況があった。それらの状況それぞれで、お金がからまない場合のほうが人びとは有能で寛容なことがあきらかになった。いったんお金がからむと、人びとはうまくパフォーマンスを発揮できなくなった。お金を失うまいと、守りに入るのだ。

お金は生活や社会の基盤として、僕らができることに縛り（しば）をかける。最高の自分を引きだせるような刺激にはならない。欲求のピラミッドの頂点にたどりつけなくなる。

より高い社会的な価値に向けて働きかけると思われる三つの原動力を、ピンクは以下のように名付けた。

1　自主性（オートノミー）――自分たちがすることについては自分たちで決めたいという欲求
2　熟達（マスタリー）――何かをうまくできるようになるプロセス
3　目的（パーパス）――自分たちがすることの背景にある意味

ピンクいわく、この種の目標を追い求めているとき、僕らは最高の自分を引きだしている。これらの原動力はマズローの階層のいちばん上の層からそれほど遠くもない。マズローやピンクが示しているものの意義は広範囲に及ぶ。ふたりはお金至上主義という社会の風潮もはっきり否認している。

どちらの学者も、お金にはふさわしい場所とふさわしくない場所があることを示している。そして、金銭的な価値とは異なる重要な価値があるという証拠を差しだしている。金銭以外の価値にもとづいた選択が合理的で、有益であると主張している。お金より高い価値を追い求めるならば、僕らの潜在能力は高まるだろう。[8] ふたりはそう提唱しているのだ。

現在の価値追跡方法

過去一〇〇年のあいだ、国内総生産（GDP）という測定基準で、僕らは価値を測定してきた。GDPは、ある国のビジネスや、消費者、政府が四半期ごとにどれほどお金を費やしているのかを追跡するための測定法だ（これはGDPがどのように算出されるかを簡単に述べているにすぎない。興味があるなら、実際の算出式はググってみてほしい）。

GDPが上昇しているときは、ビジネス、消費者、政府が近年よりもお金を多く費やしていることを示す。経済学の用語ではこれを、成長経済という。GDPが低下しているときは、費やされているお金が過去より少ないことを意味する。これが少なくとも六カ月続いた状態を、不況という。

世の中にGDPの概念を普及させたのは、サイモン・クズネッツという経済学者だ。クズネッツは世界恐慌後にGDPを提案した。これは、経済に何が起こっているかを俯瞰する物差しだ。一〇年もしないうちにGDPは世界の標準的な指標になった。現在、地球上の事実上あらゆる経済が、これと同じ方法で測定されている。

クズネッツがこの指標を提唱したとき、この指標の限界もいくつか挙げていた。一九三四年に米連邦議会に原案を示したとき、クズネッツは次のように注意を促した。

「収入を測定しても、収入の裏側――ようするに、収入を得るための、労力の激しさや不快さを推定することはできません。したがって、さきほど定義した国家の総収入の測定方法では、国の幸福度は推定できません[9]」

給料を稼ぐために個人の安全や価値観を犠牲にしている人もいるのだから（「収入を得るための、労力の激しさや不快さ」）、収入と幸福は同じものと結論することはできないと、クズネッツは言っているのだ。

また、会計簿の支出の側にも似たような問題がある。GDPはいくらお金を費やしたかを追跡はするが、いかにして、あるいはなぜ費やしたかはわからない。GDPは家族旅行で一〇〇〇ドル費やそうが、離婚調停で一〇〇〇ドル費やそうが、同じようにみなす。どちらもGDPは一〇〇〇ドルになる。これが金額は追跡するが、理由は追跡しないという意味だ。[10]

GDPにしたがえば、理想の国民はSUVを運転し、がんを患い（抗がん剤治療はGDPをかなり押しあげる）、離婚して、毎晩外食する人だ。僕らがおもに使っている価値の測定指標では、これが理想になる。僕らみんながこんな生活を送っていれば、GDPは爆上がりする。

もちろん、これはちょっと妙な話だと誰だって思うだろう。測定システムが良好と示すことと、自分たちが経験として良いと感じることとのあいだにこのような不一致があるとき、問題が起こる。この問題の核心にあるのは、ふたつのひじょうによく似た言葉の関係だ。

バリューとバリューズ

「バリュー（value）」と「バリューズ（values）」は基本的に価値という意味で、見た目もほぼ同じだけれども、別の概念としてみなす傾向にある。

誰かにあなたが考えるバリューズとは？　と尋ねたら、その人にとって大事な理想が最適な言葉で表現されるだろう。その人が信じていることやその人らしくさせるものがそれだ。

いっぽう誰かに、何かのバリューを尋ねたら、その人はしばらく考えてから、その価値の適切な感覚を答えるだろう。「けっこう高かった」とか「それほどでもない」とか。数字とか、別の何かとの比較で表現する人もいるかもしれない。

僕らが思うバリューとは、ものの値打ちのことで、バリューズは誰かにとって値打ちのあるものや考えになる。

バリューは「金銭的な価値」を意味する。バリューは経済学的な言葉だ。

いっぽうバリューズは観念など「社会的な価値」や「価値基準」、「価値観」を意味する。バリューズは人文科学的な言葉だ。

バリューは測定の一形態で、バリューズは分類の一形態だ。いっぽうは定量的で、もういっぽうは定性的。いずれも何かの美点や重要性に関連している。

僕らは経済的なバリューの尺度に囲まれている。たとえば価格、株価、ＧＤＰなどの経済的な測定値がそれだ。

僕らは観念的なバリューズにも取り囲まれているけれど、こちらはやや目にしづらい。

バリューズというのは古代からある強力なオペレーティングシステムだ。けれども、それがどのように機能するのか本当のところはわかっていない。自分たちの社会的な価値基準がどういうものかを明らかにすることさえ簡単ではない。それでも、この価値の影響を感じることはできる。

バリューズは僕らを自分が望む人格にする。この価値の基準があるから、僕らは自分にとっていちばん大事に思うことを自分の基盤にする。この価値は、肩に乗った守護天使がこうすべきとささやく言葉だ。僕らが正しい選択をくだすときの根拠だ。

やや超自然的に聞こえるこれらの説明からもわかるように、バリューズは簡単には特定できない。測定さえ困難だ。

これは、経済的なバリューという視点ではあまり問題にならない。バリューズの精神的な問答や哲学的な独白とはちがって、価格という形態でのバリューは、誰でも理解できる。お金は地球規模で重要なひとつの言語で、恐ろしく便利だ。

利潤最大化の効力が強まるにつれて、社会の焦点はバリューズ（何が正しくて何がまちがっているか、何が意味のあることか）から、バリュー（の最大化、最適化）へと変わっていった。僕らの選択は観念を重視したものでなく、お金を重視したものになった。

こうなった理由は理解できる。バリューはバリューズよりわかりやすい。バリューは異なる状況や背景でも比較しやすい。バリューを測定する技術的なツールは豊富にあり、バリューズを測るツールはほとんどない。測定可能なものは測定不可能なものにまさる。

それでも、価値の概念が経済的なものだけになれば、人びとの望む生き方と、指標上の望ましい生き方とのあいだに不一致が生まれる。これは危険なズレだ。

ここで思い出してほしいのが、僕らのおもな価値の指標（ＧＤＰ）は、お金がどれほど費やされたかだけで価値があるとカウントするということだ。このロジックにしたがえば、グーグルとツイッター〔現在はＸ〕が世界にもたらした価値は、それらが売っている広告だけということになる。知識の伝播は価値がないが、データの収集とターゲットを絞った広告は価値がある。僕らにとっては、これらのサービスの致命的な欠陥と思えることが、現在の価値の概念では、そのサービスの本質とみなされる。

GDPは、たとえば女性であれ男性であれ誰かが他人の家を掃除することには価値があるとみなすが、家庭で女性または男性が行なう家事は価値のないものとみなす[11]（女性だけでみたとき、GDPに含まれていない家事の額は推定一二兆ドルにのぼる）。

GDPはウィキペディアをおそらくマイナスの価値とみなしている。ウィキペディアがなければ、人びとはいまだに百科事典を買っていただろうから。それに、ボランティアのウィキペディアのエディターはみな、ウィキがなければ、もっと価値のあること――たとえばお金を稼ぐために働くとか――に自分の時間を費やせるだろう。

ここのポイントはGDPの批判ではない。どんな指標でも、その指標が備えたもともとの限界を無理に超えようとしたら、おかしなことになるに決まっている。

僕が言いたいのは、現実の価値がすでに、尺度の限界の外にあるということだ。これを解決するには、尺度の向こう側にあるものを無視しちゃいけない。現在理解されているものの外側にある価値について、もっと学ぶべきだ。経済的な価値はたしかに重要な価値にはちがいないけれども、それが唯一の価値ではないと、僕らはすでに知っている。

僕らがいま行きついた場所は意外な場所なんかじゃない。僕らは、巨額を投じてバリューを最適化してきた。僕らは「大事なものを測定（メジャー・ホワット・マターズ）」してきた。[12]だから測定していない、または測定できないものは、大事なもののはずがない。そうだろう？　そしていまのところ、バリューズの一貫した測定方法は見つかっていない。

バリューとバリューズに対する現在のこの考え方のままでは、僕らはマズローの欲求の低い層から抜けだせない。目標の位置が低ければ、高いところにあるバリューズは目に入らない。これを見つけるには、別の見方が必要だ。

第7章　ベントーイズム

世界を広げる

現代の世界を席巻している自己利益という概念を図で表すとき、僕はシンプルなグラフを思い浮かべる。X軸は時間だ。Y軸は、飛躍的に上昇するなんらかの価値——お金、権力、販売個数などとする。

ビジネスや技術業界ではこれを「ホッケースティック・カーブ」という。なんの測定であれ、急激に増加していて、曲線が右に向けて上向きになっているグラフだ。これは、いかなる決定だったにせよ、この上ない最良の結果を示している（下の図）。

けれどもこの「成功する」という概念は、そこにあるもの

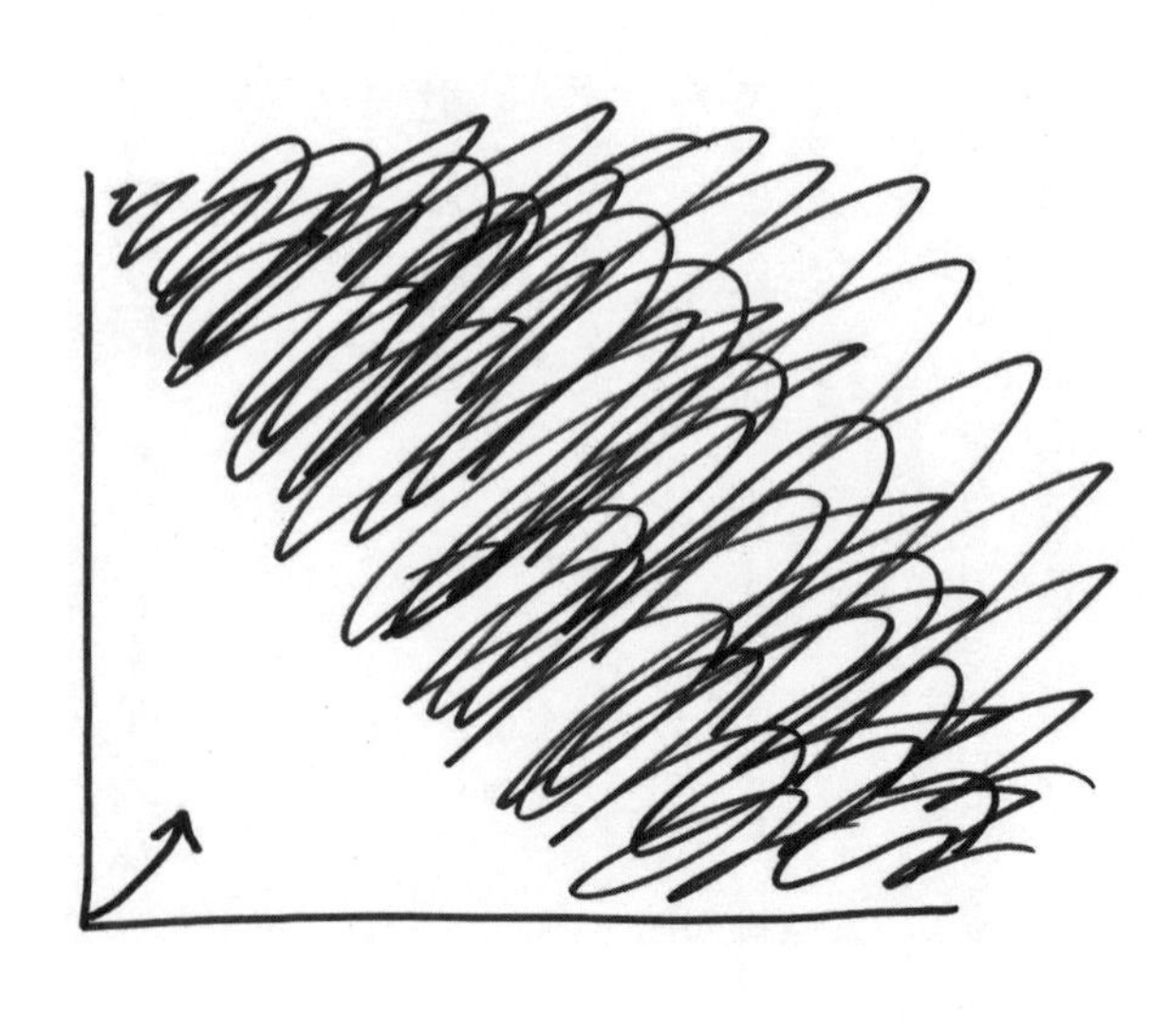

の一部でしかない。自己利益の最大化にばかり力を入れていると、もっと大きな世界を見逃してしまう。一歩下がってみれば、もっと大きな絵が現れる（上の図）。

自己の利益はいまこの場だけのものじゃない。僕らは真空の世界にいるのではないからだ。人びとのいるコミュニティのなかで暮らしているので、僕らの決定はその人びとに影響を及ぼすし、その人びとの決定は僕らに影響を及ぼす。僕らの決定は自分自身の将来にも影響を及ぼす。

それをグラフにしてみよう。時間を示すX軸は現在から未来までずっと伸びていく。自分の利益を示すY軸はあなた（「自分」）からあなたの家族、友人、コミュニティ（「自分たち」）へと伸びていく（左ページ上の図）。

自己利益という視点をこのように広げていくと、いま自分が望んでいることは、まだそこにある。けれども、ほかの合理的な視点も見えてくる。自分たち自身の未来も考えるべきだとわかってくる。僕ら

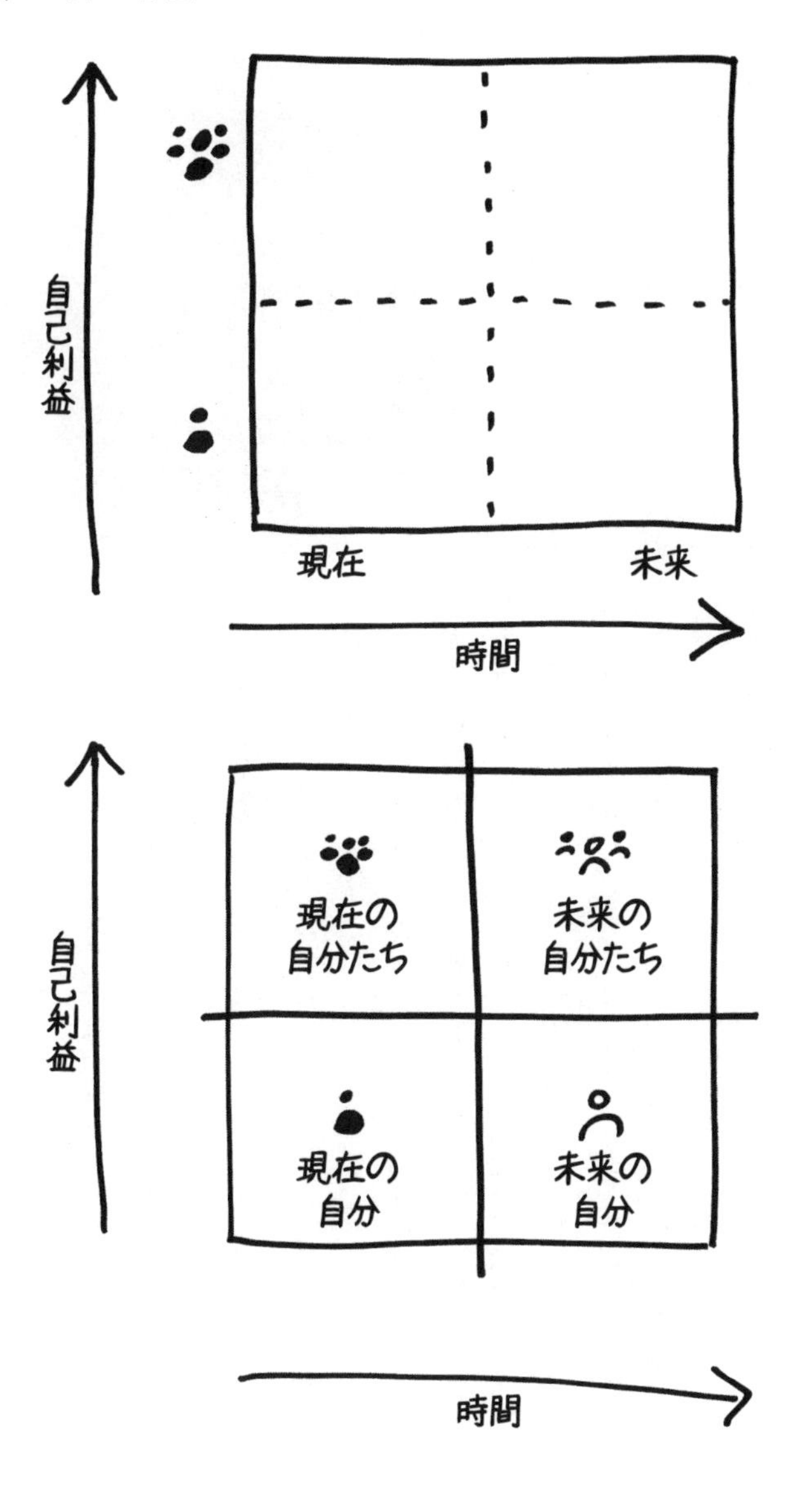
自己利益
現在
未来
時間
現在の
自分たち
未来の
自分たち
自己利益
現在の
自分
未来の
自分
時間

が気に掛けている人びとのいまも見えてくる。僕らの子どもたちとそのほかのすべての子どもたちの未来も（前ページ下の図）。

それらのスペースそれぞれが僕らに影響を及ぼすし、僕らからの影響も受ける。その視点はどれも、合理的な自己利益という視点だ。

このような見方を僕はベントーイズムと呼んでいる。「ベントー」とは、弁当のこと。そう、日本の箱詰めの食事をさす。

「弁当」には日本語の「便利」にも通じる意味がある。弁当箱にはさまざまな料理を詰めることができる。どれもほどよい分量で入っている（上の写真）。弁当は、日本の「腹八分目」という哲学を尊ぶ。これは満腹ではなくお腹の八割がたを満たすくらいに食事をとどめておくことを意味する。弁当箱は便利なだけでなく、健康を保つという隠れデフォルトを生む。

ベントーイズムとは、僕らの社会的な価値や意思決定のための弁当箱だ（左ページの図）。僕らの合理的な自己利益とは何かを俯瞰するためのバランスの良い視点であり、こんにち、なかなか目にしづらい社会的な価値を再発見する方法でもある。

現在の自分たち
未来の自分たち
現在の自分
未来の自分

囚人のベントー

　前述した囚人のジレンマというゲームでは、ふたりのプレーヤーが別々の取調室にいれられて、友人に忠誠を尽くして刑務所に行くか、相手の罪を密告して自分は自由になるかを選ばねばならない。このゲームはそのデザインのせいで、相棒を密告するのが合理的なふるまいとされる。

　ここで、ランド研究所の事務職の人びとがこのゲームをプレーしたときのことを思い出してほしい。この人たちはお互いを裏切らなかった。協力しあって、いちばん短い刑期という最良の結果に到達したのだ。けれども、ゲーム理論にしたがうと、彼らは合理的にプレーしなかったことになる。合理的なふるまいとは、自分の利益を最大にするための行動だ。つまり、相棒に忠誠

黙っているべきか、密告すべきか？

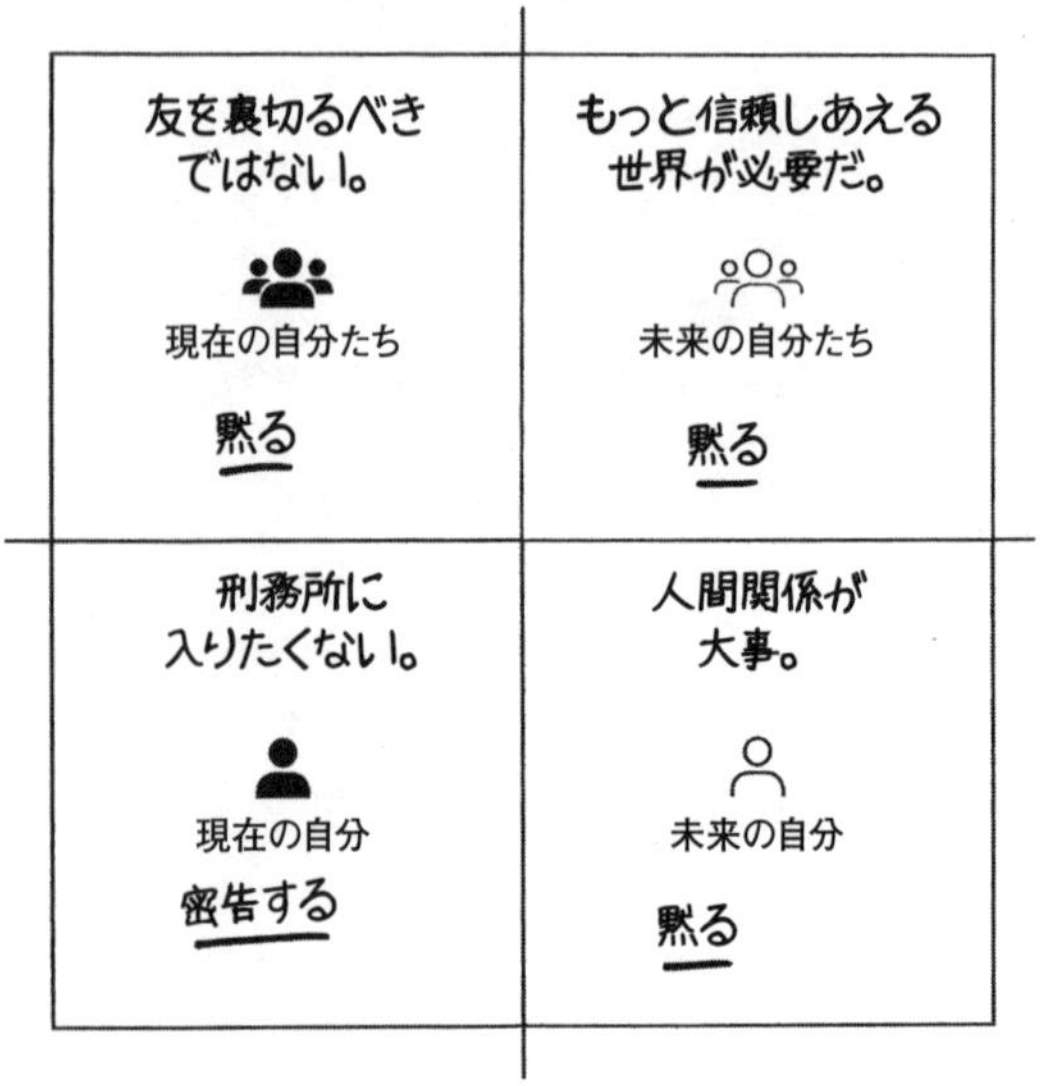

友を裏切るべきではない。 現在の自分たち 黙る	もっと信頼しあえる世界が必要だ。 未来の自分たち 黙る
刑務所に入りたくない。 現在の自分 密告する	人間関係が大事。 未来の自分 黙る

を尽くすより、相棒を裏切るほうが合理的なのだ。

　では、ベントーイズムの視点でいくと、囚人のジレンマはどうなるのだろうか。

　答えを出すために、それぞれのボックスにこの質問をぶつけてみよう。相棒に忠誠を尽くすか、相棒を裏切るか。それぞれのボックスのなかでは、どんな視点が繰り広げられるだろうか（上の図）。

　現在の自分はもっとも利己的な声が強い。自己防衛のモードだ。投獄を逃れるためなら警察になんでも話そうと待ち構えているモードだ。

　現在の自分たちでは、自分たちの周りの人びとのこと、そのニーズ、自分の選択が人びとにどんな影響を及ぼすかを検討する。この視点は本能的に団結しようとする。相棒を刑務所送りにしようとは思わない。

未来の自分は、自分がこうありたいと望む人物だ。あとで後悔するような決定をあなたにさせたくないと考える。あなたの価値基準（それがどういうものであれ）を思い出させて、その基準に沿うようあなたを励ます。

未来の自分たちは、子どもたちに残したい世界だ。こうあるべきと思える世界だ。未来の僕らは、互いを疑うよりも互いを信頼しあえる世界で暮らしたいと思うだろう。

《現在の自分》の声と《現在の自分たち》の声のあいだには議論があるだろう。けれども、意思決定は《未来の自分》の価値基準によってなされる。最終的な決定を左右するのは、その人の価値観だ。

ランド研究所の事務職の人びとは、《現在の自分》より《現在の自分たち》を選んだ。それは、自分の価値基準がそうすべきと語りかけたからだ。ゲーム理論にしたがえば、これはその人の自己利益を最大化していないので、不合理ということになる。けれどもベントーイズムにしたがえば、これは合理的な自己利益にもとづいて行動している。ただし、囚人のジレンマが採用している概念より、もっと視野の広い考え方をしている。

囚人のジレンマは自己利益を最大化するための合理性を示していると同時に、自己利益という視点にどんな限界があるかも浮き彫りにしている。《現在の自分》を超えたさきを見据えられなければ、世界は、自己利益に走る個人たちのあいだの戦いのようになる。利潤最大化という考えが幅を利かせているのは、狭い視野でものを見ているせいだ。合理的な自己利益の概念を狭めてしまうと、価値の概念も狭くなる。

価値の拡大

ベントーイズムは、申し分のないユートピアというわけじゃない。これは、僕らの周りにある現実の世界を土台に築かれている。

利潤最大化と同様に、ベントーイズムは合理的で測定可能な原則を追い求めている。ベントーイズムでは、利潤最大化のツールのいくつかを活かして、もっと広いさまざまな価値に用いようとしている。また、アダム・スミスのように、合理的な自己利益にもとづいて人びとが行動すれば、良いことが起きると考える。

ただ、ベントーイズムの観点からすると、現在の「合理的」と「自己利益」の定義の範囲は狭すぎるとも考えている。現在、合理的な価値とは金銭的な価値を意味するとされ、自己利益とは、ようするに直近の自分の欲望を満たすこととみなされる。けれども、これらの考え方には何に価値があって、何が合理的かについてあらゆる領域をじっくり見つめる視点が欠けている。

現在の考え方は、次のように展開する。

1　自己利益を求めて行動することは合理的だ。
2　金銭的な価値の最大化が、自己利益になる。
3　したがって、利潤最大化には、つねに合理的な価値がある。

ベントーイズムは次のように展開する。

1　自己利益を求めて行動することは合理的だ。
2　あなたの価値基準とコンテクストがあなたの自己利益を形づくる。
3　したがって、価値基準とコンテクストに応じた意思決定がつねに合理的だ。

アリストテレスは、価値とは「事物の特性にもとづいたその事物の適切な活動や機能にある」と説いた。[1] ベントーイズムの目標は、僕らのあらゆる行為に対し、適切な価値基準を定め、その行為の価値を評価する方法を見つけることだ。ベントーは名前の響きと同じくらいシンプルであると同時に、重要な変化でもある。これによって、利潤最大化の支配を過去のものにできる。

利潤最大化は、価値に対し一神教の信者のような見方を押しつけてくる。お金とその取り巻き（妬(ねた)みや強欲）だけが、それぞれの性質にしたがって機能する。ほかのあらゆる価値はお金の需要にしたがって機能しなければならない。科学は利益を生みだすかぎりは、価値があるとされる。創造性は興行の売上に貢献しているかぎり価値がある。寛大さは、ブランドの知名度を上げてくれる場合に価値がある。

とはいえ、価値は一神教ではない。価値は多元的だ。異なる人びとやコミュニティは当然ながら異なる理想に憧れ、それを追求する。さまざまなコンテクストには合理的にさまざまな価値が必要になる。

たとえば、A社とB社のどちらかに投資する場合、財政的なリターンが大きいほうを選ぶのが、合理的で適切な意思決定の方法だろう。勇敢なほうとか、美しいほうという選びかたでは望む結果になる可能性は低い。それらは、この状況で検討すべきいちばん重要な価値基準ではない。

いっぽう、裁判官が法的な争いで原告と被告のどちらを支持するか決めるときは、正義と法という価値基準に沿うのが合理的で適切だ。どちらの側が魅力的か、影響力が強いか、裁判にお金をつぎこんだか、などは関係ない。

いずれにしろ、それは概念にすぎない。けれども、利潤最大化は支配的な力のひとつだ。僕らの考えを正しく導いてくれるはずの価値観や哲学は、利潤最大化が大きな顔をしているおかげで、機能していない。利潤最大化は一部の領域を占めているだけのはずなのに、ほかの多くの領域も暴君のように支配している。たとえば、ローワー・イーストサイドのコミュニティは、金銭的な価値で踏み固められている。

利潤最大化はいまこの場に注意を向けるよう迫るが、ほかの価値基準はもっと広い視点で考えるよう求める。愛情は利己主義を捨てて、より良いパートナーであるように僕らを励ます。気概は、諦めそうになる僕らを引き留めて試しつづけるよう背中を押す。勇気は危険なミッションへ近づいてみようという気にさせる。これらの価値基準は、より大きな見返りのために、ただちに得られる自己利益を犠牲にせよと要求してくる。

これらの決定を、現在の合理的な自己利益というマインドで行なうと失敗する。特定の状況をのぞいて、金銭的な価値にばかり目を向けていると、最良の結果を導くほかの価値を見逃してしまう。金銭的な価値という視野は狭すぎるのだ。そのような状況では、金銭的な価値以外の価値を指針にすべきだ。

映画「パルプ・フィクション」で、ブルース・ウィリスはブッチという名前のボクサーを演じている。

ブッチは盛りを過ぎた年寄りボクサーで、引退試合をひかえている。ギャングから金をもらい、その最後の試合にわざと負けることに同意する。「第五ラウンドで、ぶったおれる」ブッチは自分に何度もそう言い聞かせる。

けれども、いざそのときが来ても、ブッチは倒れない。試合に勝ち、ギャングを裏切り、窓から逃げだす。恋人のファビアンとモーテルの部屋に身を隠し、ブッチはいよいよ逃亡の旅に出ようとする。

ところが。

ところが、逃避行の準備をしているとき、ブッチはファビアンが時計を忘れてきたことに気づく。その時計はただの時計じゃない。戦争の英雄だった父親の金時計だ。クリストファー・ウォーケン演じる男が、映画の前半で、この金時計を不快な場所に隠した話を物語っている。

ほぼ確実に、ギャングが待ち伏せしているというのに、ブッチは金時計を取りにアパートメントに戻ろうと決意する。そのあとの経験を、ブッチはあとになって「まちがいなく、生涯でいちばん不思議な日だった」と述べている。これはむしろ控えめな表現だ。ブッチは何度も死にかけ、複数の人が殺されるのだから。それもこれもみな、ブッチが金時計を取りに戻ったせいなのだ。

では、金時計を取りに戻るという決断は合理的な選択肢だったのだろうか。

これは奇妙な問いかけに思えるかもしれない。といっても、思い出してほしい。現代の隠れデフォルトは、直近の利益の最大化が唯一の合理的なふるまいとされる。それでは、ブッチのしたことはどうなのだろうか。自己利益を最大化したのだろうか。

そうは思えない。合理的な自己利益にもとづいて行動するなら、別の時計を買えばいいのではないだろうか。ところがブッチは、充分合理的な人物のようだったのに、取りに戻るという選択をする。

ブッチの選択は、映画のなかだけで起こる常軌を逸した行為と切り捨てるまえに、この選択が合理的になりうる視点があるかどうか考えてみよう。ブッチの視点でこの選択肢をみてみようじゃないか。僕らには見えていないけれどブッチには見えているなんらかの価値が、そこにあるのではないだろうか。

クエンティン・タランティーノ作の「パルプ・フィクション」のオリジナル脚本には、最終的に編集でカットされた場面がある。そこにこの疑問の答えがありそうだ。その場面で、ブッチは金時計を取りに戻る車のなかで、本当に戻るべきかをもう一度考えはじめる。車を路肩に寄せて外に出ると、独りでぶつぶつ言いはじめる。

ブッチ

こんなことすべきじゃない。これは、いかれた男がすることだ。俺はいかれてなんかいない。親父はわかってくれるさ。ここにいたら、こう言うだろう。「おいブッチ、しっかりしろ。あんなのたかが時計じゃないか。なくしたら、別のを手にいれればいい。命を賭けるほどのことじゃない。時計だけのために戻るなんて、やめとけ」

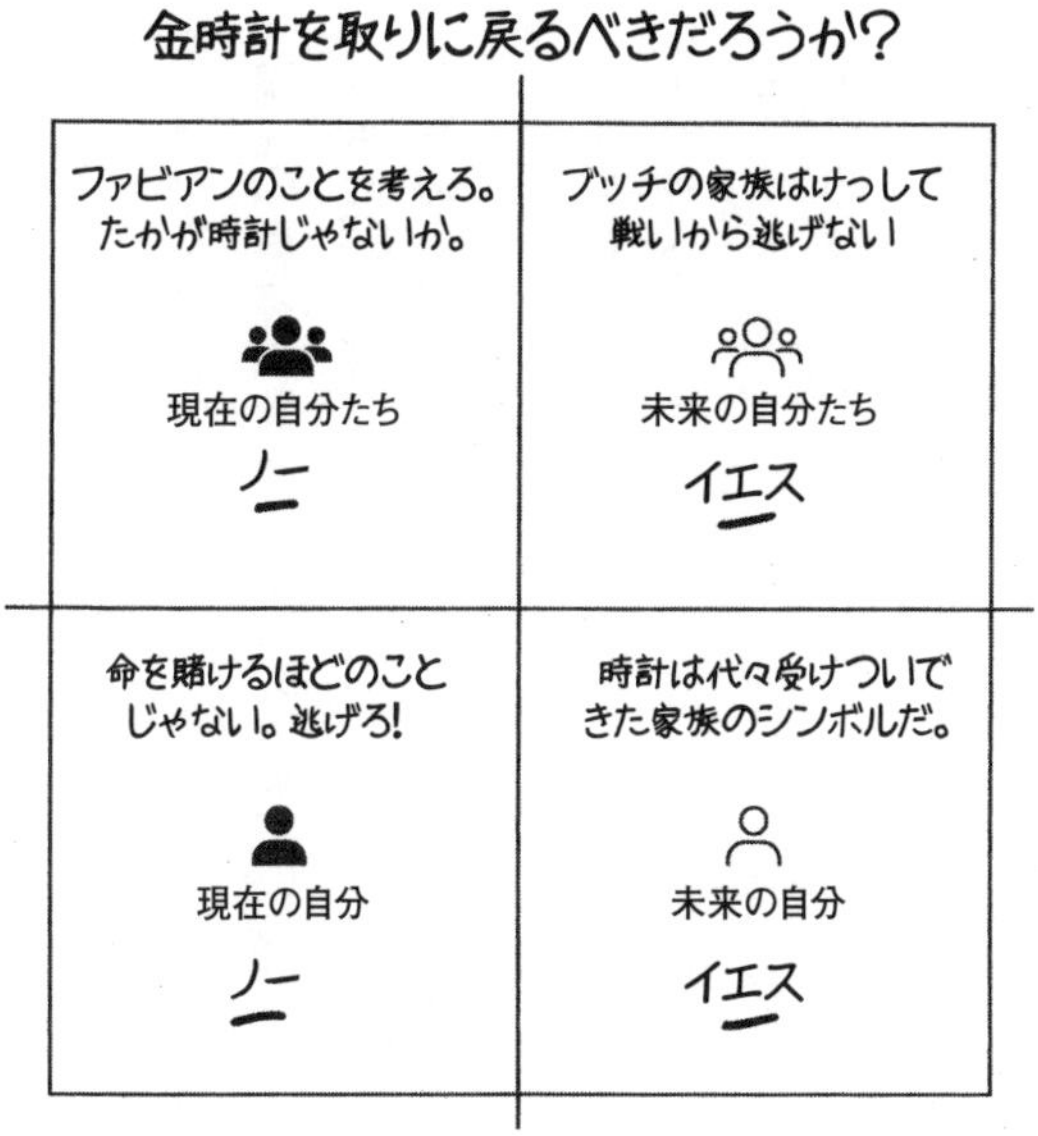

金時計を取りに戻るべきだろうか？

ファビアンのことを考えろ。たかが時計じゃないか。 現在の自分たち ノー	ブッチの家族はけっして戦いから逃げない！ 未来の自分たち イエス
命を賭けるほどのことじゃない。逃げろ！ 現在の自分 ノー	時計は代々受けついできた家族のシンボルだ。 未来の自分 イエス

ブッチはしばらく黙ったまま、行ったり来たり、歩きつづける。そして……

ブッチ

これは俺の戦いだ。わかるだろう、ブッチ。忘れてるかもしれないが、あの金時計は思い出をたどれる形見というだけじゃない。あの金時計はシンボルだ。おまえの親父や、じいさんやひいじいさんが戦争でどんな活躍をしたかを示すシンボルなんだ。マーセルス・ウォレスの金を盗ったときに、俺は戦争をおっぱじめた。これが俺の第二次世界大戦だ。ノースハリウッドのアパートメントが、俺のウェーク島だ〔第二次世界大戦時に日本軍と米軍が戦闘を繰り広げた島〕。そう考えたら、ファビアンが時計を忘れてきたのも運命じゃないか。この視点でみれば、時計を取りに戻るのは、ばかげたふるまいなんかじゃない。危険な行為かもしれないが、ばかげてはいない。この世には、取りに戻るにふさわしいものがあるんだ。[2]

ブッチのモノローグを聞いていると、意思を決定するまでのプロセスがわかる。ベントーの図を検討しているようにさえ聞こえる（前ページの図）。

現在の自分は、逃げろと言う。たかが時計じゃないか。「こんなことすべきじゃない。これは、いかれた男がすることだ。俺はいかれてなんかいない」

現在の自分たちは、ファビアンのことを考えて、逃げろと言う。「命を賭けるほどのことじゃない」

未来の自分は、ブッチに自分の価値観を思い出させて、自分に正直になれと励ます。「忘れてるかもしれないが、あの金時計は思い出をたどれる形見というだけじゃない。あの金時計はシンボルだ」

未来の自分たちはブッチに、あの時計は代々受けついできた家族のシンボルだと伝える。だから取りに戻るべきだと。「ファビアンが時計を忘れてきたのも運命じゃないか」

ベントーイズムというレンズ越しに眺めると、ブッチの決定は合理的だ。ブッチもこう言っている――「危険な行為かもしれないが、ばかげてはいない。この世には、取りに戻るにふさわしいものがある」。たとえば社会的な価値のようなものだ。合理的にベントーイズム的視点を使って選択することによって、ブッチは自分なりの価値基準を見つけ、時計を取り戻し、未来に希望を持って生きていく。

ベントーイズムという価値基準

複雑な世界で、利潤最大化は物事を単純にしてくれるツールだ。人生のすべてを一本のクギに変えてしまう金槌（かなづち）だ。そこにあるのはひとつのゴールのみ。できるだけたくさんお金を儲けること。金さえあれば、万事解決。

とはいうものの、ブッチのベントーイズムに似た思考のプロセスは、効果を発揮しているように思える。ブッチは自己診断して、相反する考えを調整している。一見したところでは、これは骨が折れるし、不便でさえあるかもしれない。別の方向から物事をみなければならないのだから。

これこそ、一五世紀の後半にねじ回しが発明されたとき、一部の人が感じたことではないだろうか。それまでは、あらゆる問題は金槌で打たれる一本のクギにあった。それがなぜふいに現れた別のもので、問題をややこしくするのか。ノアの箱舟はクギと槌で作られたのではなかったか。それで充分ではないのか。

当時の人は知らなかっただろうが、金槌しかない生活には限界があった。ねじ回しが新しい可能性を広げた。建物はさらに複雑になった。材料はより軽くなった。工学の新しい分野が生まれた。それらはすべて新しいツールのおかげだ。

ベントーイズムもひとつのツールだ。価値の処理装置だ。「私のベントーはどう言うだろうか？」というのが、形而上学的な「ネジかクギか」ということになる。手元にある問題の解決に適切なのは何か。それを検討するためのある種のセルフチェックツールだ。

各ボックスには独自の核となる価値基準と価値の評価方法があり、それらがそのボックス内の基準となる。それらはすべての価値を含んでいるわけではない。あくまで基本になる土台を示しているだけだ。

《現在の自分》が表すのは現時点のこと。現在の僕らがわかっているとおりの生活だ。《現在の自分》で支配的な価値は、安全、喜び、ダニエル・ピンクのいう自主性（オートノミー）だ。

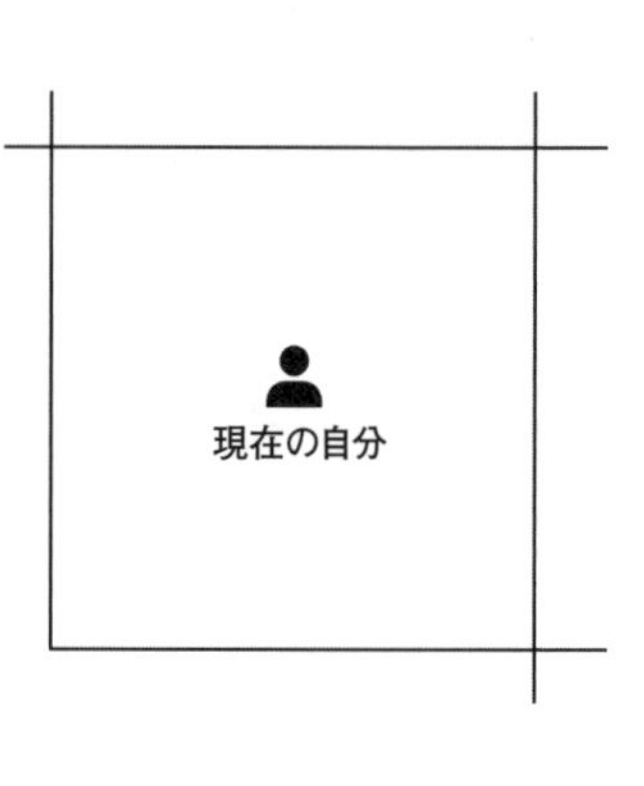

安全はアブラハム・マズローが提唱した欲求の階層の最初の段階にあたる。安全は僕ら自身のことを考えるように背中を押してくる。実際に僕らの最大の利益になるお金に対するモチベーションだ。この価値が《現在の自分》を支配する。《現在の自分》の仕事は、有害なものから自分を守り、自分の安全を維持することだからだ。

喜びはワイルドカード。喜びというのは、何かをするためのすばらしく有効な理由になる。喜びを追い求め、経験することは、人間らしくあることだ。けれども、喜びのおかげで、道を誤りやすくもなる。こんにちの活動の多くは安全か喜びの追求だ。

自主性は、何をするかしないか決める自由を有することだ。自主性には未熟な状態（助言らしく聞こえることを無視する）と、成熟した状態（自分にとって最善なことを見つけ、最善な方法でそれを行なう）がある。一部の人にとって、自主性の追求は最終的な目標になる。けれども、恐ろしく感じる人もいる。たとえば、安全を強く望む人は、安全を得るために自主性を喜んで手放すことがある。

《現在の自分たち》は、他者との人間関係や相互作用のためのスペースだ。《現在の自分たち》のスペースで優勢な価値は、コミュニティ、公平性、しきたりだ。

コミュニティとは、家族や頼りにしている人、あるいは逆に自分が頼られている人たちという状態だ。その人たちが僕らに望むものや、僕らがその人たちに望むものはなんだろうか。このボックスに当てはまる人びとはコンテクストによって変化する。たとえば、家族や友人、同僚、近隣住人、同じ信仰を持つ人たちなど。協力して何かをする人びとという場合もある。

公平性は、配慮の範囲を広げ、直接気に掛けている人だけでなく、他人の身になることだ。公平性とは、自分がこんなふうに扱ってほしいと思うように、人びとを扱うこと。公平性は正義を、まっとうにただ正義を求める。公平性が重要な理由がもうひとつある。将来、経済的な価値が市場を独占するのではなく、市場にいくつかある価値のひとつになったとき、公平性という原則は、相反する価値基準が現れたときの指針になる。

しきたりとは、共通の経験や儀式を実行することで自分たちらしさを生みだしたり、強化したりする。しきたりの力や有用性はかなり過小評価されている。しきたりは過去と――しきたりを継

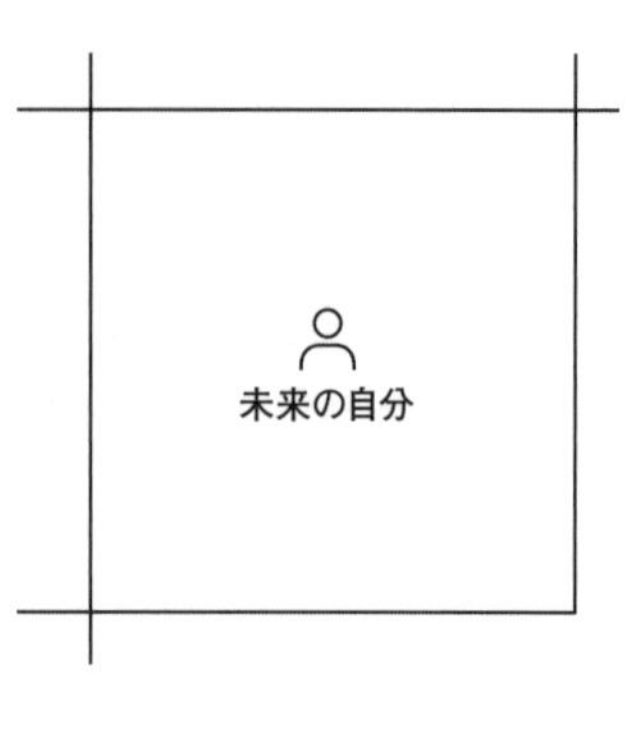

続することによって――未来とにパラレルな経験を生みだす。それによって人生が豊かになる（「赤ん坊のころ、このベッドであなたが眠っていたのよ。次に眠るのはあなたの娘よ」とか、「ファビアンが「この時計を」忘れてきたのも、運命じゃないか」とか）。

《未来の自分》は自分たちの遺産や個人的な価値についてのスペースだ。《未来の自分》を支配している価値基準は、熟達（マスタリー）と目的（パーパス）と気概だ。

熟達はより良くなるプロセスへの情熱だ。すでにどれほど良い状態だったかは問題ではない。熟達を求めるからこそ、小野二郎は鮨の夢を見るし（「二郎は鮨の夢を見る」というドキュメンタリーで取り上げられた銀座すきやばし次郎の店主）、ビートルズは毎回前作を超えるアルバムを制作した[3]。熟達を追求するなかで成長できれば、それこそもっとも純粋なゴールだろう。熟達は地球やほかの誰かのリソースをいま以上に必要とはしない。必要なのはむしろ自分自身だ。

パーパスは僕らの選択に明快さと意味を与える。パーパスは僕らの才能に磨きをかけ、価値のあるパーパスのためにその才能を利用する。パーパスは平凡で不愉快そうにみえるものを意義深いものにする。パーパスは宗教や大義、ゴールであることもある。

気概はそれ自体が一種の辛抱強さを表現している。気概は自分の価値観や信念に忠実であれと励まし、自分が望む追悼記事を書いてもらえるような人生を送るよう奨励する。

最後の《未来の自分たち》は、未来の世代が経験する世界についてのスペースだ。《未来の自分たち》で優位を占めているのは、気づきとサステナビリティと知識という価値だ。

気づきは、予測することで僕らに考えを深めるように促す——誰もがこの選択肢を選んだらどうなるかを想像してみよう。長期的な影響をすみずみまで検討してみよう、と。相応の理由があって、僕らは未来を予想しようと奮闘するけれども、世界は思いがけない方向へ変化するものだ。それでも、それらの変化の多くは、注意深く検討すれば予想できる。穏やかな生活は、災難が防げるかどうかにかかっている。

サステナビリティは僕らに、永続的な決定を行なうよう促す。こんにち、僕らは多くのサステナブルなソリューションを「もたらす余裕がない」が、気候変動のせいで、いつかは実施しなければならないと考えている。でも実は、あべこべだ。僕らは未来のために現在（いま）を犠牲にできるけれど、現在のために未来を犠牲にはできない。

未来の自分たち

知識は気づきのキャパシティ、サステナビリティ、その他あらゆる形態の価値を高める。知識を増やして活用できるようになれば、技術から科学や哲学、それらを備えた新しいライフスタイルまで、あらゆるものを活気づける力が倍増する。知識を介した発展はあらゆる社会を底上げする。それなのに、新たな知識は恐れられ、嫌悪されることが多い。なぜなら、新たな知識は支配的な秩序に異を唱えるからだ。アダムとイブがエデンの園を追放されたのも、知恵の木になった禁断の実を食べたせいだった。

影響を及ぼす価値

現在の自分たち コミュニティ 公平性 しきたり	未来の自分たち 気づき サステナビリティ 知識
現在の自分 安全 喜び 自主性	未来の自分 熟達 パーパス 気概

さてここで、ベントーの図とそれぞれのボックスに影響を及ぼす価値を示してみよう（上の図）。

ベントーイズムは《現在の自分》を超えたさきへと視野を広げ、金銭的な価値が唯一の考慮すべき合理的な価値であるという前提に疑問を投げかける。この図に書かれた価値はみな、行動のための合理的な根拠になる。これらは、なぜ何かが起こるべきなのか、または起こるべきでないのかを示す妥当な理由だ。合理的な自己利益に沿った合理的な価値があるものは、僕らが考えているより幅広い。

このような方向に沿って理解を広げていく方法に、先例がないわけじゃない。それを体験したいなら、医者に行ってみるだけでいい。

医療がどうやって健全になっていったか

一八八一年七月のある暑い土曜の朝、大統領に就任してまだ数カ月のジェームズ・ガーフィールドが、ワシントン・DCの駅へ歩いて入っていった。

ガーフィールドが列車に乗りこもうとしていたとき、群衆のなかからひとりの男が現れて、ピストルでガーフィールドの背中を撃った。「おお、なんだ?」とガーフィールドは叫んだ。男はふたたび発砲した。ガーフィールドは倒れたが、まだ意識はあった。

銃弾は二発ともガーフィールドの内臓や背骨からはずれたが、一発が体内に残った。医師らは弾を摘出しようと懸命になった。大統領はシャンパンとモルヒネを与えられ、一五人もの医師が指や器具で傷口を調べ、銃弾を探した。それでも銃弾は見つからなかった。[4]

ガーフィールドはその夜を乗りこえたが、体内の銃弾が見つからず何度も調べられたことで大きな問題が生じた。殺菌法がまったく用いられなかったからだ。

ガーフィールドは感染症にかかって苦しんだ。湿度も気温も高い気候のなかで、膿(うみ)の溜まった開いた傷口に汚れた指を突っこまれたせいだ。敗血症や肺炎にかかり、体重は約九〇キログラムから六〇キログラム近くまで減り、七九日間苦しんだのちに亡くなった。

のちに、ガーフィールドを撃った犯人の裁判で、被告はこう訴えた――「ガーフィールドを殺したのは医者だ。俺は撃っただけだ」。暗殺者は有罪判決を受け、まもなく絞首刑に処された。

現在の視点でみれば、暗殺者の訴えに真実が含まれているといえなくもない。いまの時代にガーフィールドが同じ傷を負ったのなら、数日で家に帰れただろう。けれども、実際には命を落とすことになった。
　僕らが健康のために基本的に理解している知識を、大統領の医師らが備えるようになったのは、それほど昔のことではない。一八八一年当時、細菌はまだ新しい概念だった。ヨーロッパでは、手や器具や傷を殺菌して菌を防ぐ手法が医師らに知らされ、しだいに利用されつつあった。外科医のジョゼフ・リスターが一八六五年にその手法を生みだしたのだが、米国ではまだ広く実践されていなかった。大統領を診た一〇人を超える医師のうち、ひとりはリスターの消毒法についての講義に出席してさえいた。けれども、ガーフィールドにとっては不運なことに、その医師はリスターに賛同しなかった。
　愚かな行為を行なっていたのは大統領の医師だけではない。二〇〇〇年以上ものあいだ、医師は患者の状態を良くするより悪くさせているほうが多かった。人類史の大半の期間にわたって医療行為はたいてい恐ろしいものだった。[5]
　けれども一九世紀には、医療で治療効果を得るという神話が現実になりはじめた。数々の新発見によって、以前は幻だった治癒という望みが実現しだしたのだ。

ごく簡単な医療の歴史

　医療の最初の革命が起こったのはずいぶん昔のことだ。紀元前四〇〇年あたりに、「医学の父」と呼ばれるヒポクラテスは医者として、健康と病気の状態は、神の裁きではなく自然の要因（食事や環境、生活習慣）によって起こるという考えを初めて確立した。このときまで、病気は超自然的に引き起こされるという考えが一般的だった。男も女も神の望むとおりにすることで健康に注意していた。

ヒポクラテスとその支持者らはより経験に沿った視点を求めて尽力し、人びとの考えを変えた。慎重に症例記録や症状を分類して病気を診断した。ヒポクラテスらの発見や概念の多くは現在でも重要な財産だ。

それでもこれは紀元前四〇〇年のことだ。僕らの体内で何が起こっているのか、どのように機能しているのか、あるいは病気の原因についての理解はほぼ何もかもまちがっていた。ヒポクラテスは「四体液説」を信じていた。これは、身体の健康は四つの液体、つまり血液、粘液、黄胆汁と黒胆汁（これは実際には存在しない）で制御されるという説で、病気はこれらのバランスが崩れることが原因とされた。

この説は、それから二二〇〇年のあいだ、医師のあいだで標準的な考え方とされた。あなたはいま、数字を二度見したんじゃないだろうか。いや、読みまちがいではない。二〇〇〇年以上ものあいだの話なのだ。一八〇〇年に医者にかかった人は、キリストのいた時代とほぼ同じ治療を受けていた可能性がある。生きている人間の身体のなかを調べるための道具がなかったことと、埋葬の習慣から死体を解剖する機会が限られていたことを考えると、これも致し方ないことだったと理解はできる。医師たちはいわば目隠しをされたまま空を飛んでいたようなものだ。

二二〇〇年のあいだ、大半の病気は三つの方法のうちのひとつを使って治療されていた。それは、瀉下（しゃか）（嘔吐や下痢の誘発）と焼灼（しょうしゃく）（熱い鉄を皮膚に当てる）と、もっとも一般的な瀉血（しゃけつ）だ。瀉血は、ある動脈を切って（あるいは流行に乗るなら、ヒルを使って）、できれば患者が気絶するまで、故意に出血させることだ。こうすることで、体液のバランスが整うと考えられていたのだ。

出血させることが、当時としては「鎮痛薬を飲む」くらい一般的だった。この方法が二〇〇〇年以上も続けられたのだ。

けれども、一九世紀の半ばに、変化が起こった。

触媒として際立つのは次の三つの出来事だ。ブダペストでセンメルヴェイス・イグナーツというひとりの医師が、死を招く産褥(さんじょく)熱の原因が医師の汚れた手に存在する微生物であると特定した。パリでは、ルイ・パスツールという科学者が、細菌の存在を証明し、細菌説という新しい概念を確立し、センメルヴェイスが病気の原因であると理論立てた実際の微生物を発見した。そして、イギリスのグラスゴーでは、ジョゼフ・リスターという医師が、外科的な処置のときに行なう、細菌説の原則にもとづいた消毒の手法を生みだした。リスターの発見のまえは、術後の感染症が原因で、手術を受けた患者の八〇パーセント以上が亡くなっていた。[6]

これらの発見後、医師と科学者は人体の表面下で何が起こっているのかをやっと理解できるようになった。そして、試行錯誤しながら、人びとの健康に直接かつ明確に影響を及ぼす微小な菌の適切な扱い方を、ようやく学んでいった。

とはいえ、一六年後のガーフィールド大統領の死は、これらの概念がすぐには受けいれられなかったことを示している。センメルヴェイスが産褥熱の原因を見つけたときも称賛はなかった。むしろ抵抗を受けた。もともとの医療に効果がなかったと認めるのは、過去の患者の死が医師の責任であると認めることをも意味した。これは、すんなり受けいれられる問題ではなかったのだ。

それでも、洪水のように湧きでる新たな知識は徐々に、一般的な方法になっていった。細菌や微生物の発見によって、公衆衛生にとてつもない変化が起こった。乳児の死亡率は九〇パーセント、妊婦の死亡率は九九パーセント低下した。平均余命は二〇世紀にほぼ二倍になった。[7] 一九五〇年代に一般的に使用されていた医薬品の半数は、その一〇年まえにはまったく知られていなかった。平均余命が延び、医薬品が増えたことで、現代の祖父母と孫はそれまでよりも人間関係を育めるようになった。世界が変化した。

歴史家デイヴィッド・ウートンが述べているとおり、医薬品は「幻想の科学」から現実の科学になった。[8] なぜこうなったのだろうか。そこには、大きな進歩が起こるときによく存在する三つの推進力があった。

ひとつめは**技術**だ。といっても医療技術だけの話ではない。医療の転換は印刷機の発明とともに始まった。印刷物によって、医師は容易に技術や治療の結果を比較できるようになった。印刷機の発明を追いかけるように、顕微鏡や聴診器、データ表（テスト結果を共有するために）、麻酔法、コンピューター、その他のツールを含むテクノロジーの進化が長蛇になって続き、人体のプロセスをよりよく観察して、そこに影響を及ぼす手助けをしてくれた。

次は**測定**だ。測定はごくシンプルなものでさえ変革をもたらした。センメルヴェイス・イグナーツは、ふたつの産科病棟の死亡率を算出することによって産褥熱の原因を発見した。医師のジョン・スノウは、死亡者が出ている場所を数え、その集団に影響を及ぼしているのが給水ポンプであることを突きとめ、ロンドンでの致命的なコレラのアウトブレイクを防ぐのに貢献した。死亡率の計測によって、二二〇〇年ものあいだ実践されたのちに、瀉血は有害であるという結論が導かれた。測定は当て推量を排除した。測定によって何が機能し、何が機能しないかが明らかになった。

最後は**特異性**だ。技術や測定に促され、人体はさまざまなパーツが集まったひとつのシステムとして理解されるようになった。あらゆるものが連携しているが、いずれもが同じように機能するとはかぎらない。身体のパーツにはそれぞれ独自の健康への経路がある。ひとつの治療法がどのパーツにも効くわけじゃない。現在の僕らはがんにはタイプやステージがあり、コレステロールには善玉と悪玉があり、脂質にも良いものと悪いものがあり、身体の状態には毎日微妙な違いがあることもわかっている（特異性とは、アダム・スミスが『国富論』で経済成長を解き放つために重要と主張した力と同じだ）。

技術と測定と特異性という力のおかげで、健康についての理解が深まり、医薬品は現実のものとなった。その結果、僕らはより長くより健康に生きられるようになった。

同じことがふたたび起こる可能性はある。

瀉血にどれほどの効果があるかを評価したように、利潤最大化を評価すべきだ——つまり、その時代としてはもっとも進歩的な答えだったけれど、最終的な答えではないものとして。価値という面でいえば、僕らはいまだに暗黒時代にいる。僕らはただ表面をひっかいていたにすぎない。まだ何がわかっていないのかさえ、わかっていない。

ベントーイズムは価値を検討するための初歩的な顕微鏡のようなものだ。等倍から四倍率へと進むひとつの方法だ。より広い視点でみれば、健康への理解を深めたのと同じ推進力によって、価値への理解が深まるかもしれない。その結果、価値を創造する能力がいちじるしく拡大することだってありうる。

金時計（つづき）

ランド研究所の事務職員や「パルプ・フィクション」のブッチがくだした価値の判断は、たいしてむずかしくないと思われるかもしれないが、簡単にくだせることではない。ブッチと事務職員は過去から現在までに得た教訓を当てはめ、より深遠な大義を探し、まったく異なる価値を比べなければならなかった。

これは典型的なアルゴリズムが行なえる範疇を超えている。アルゴリズムというのは、結果にこだわらない数百万ものシミュレーションを行なうことで学習し、どの選択肢が望ましい結果を生みだす可能性が高いかを突きとめる。これは力ずくの発見だ。エジソンがおびただしい数の実験を行なった結果、電球のフィラメントを作るのに適した材料の組み合わせを見つけたようなものだ。

僕ら人間は百万回もシミュレーションを繰り返したりできない。人生は一度きり。最良の決定をくだすために、見つけたツールはなんだって使うべきだ。

だからこそ、より広い価値の領域（スペクトラム）がとても重要になる。社会的な価値は僕らの先祖の総体的な知恵とさまざまな文化にもとづいた誘導装置だ。これらの価値は何が正しくて何がまちがっているかの判断基準になる。僕らは危険を覚悟でそれらを無視することもある。

ベントーイズムは合理的に、より広い価値の領域へと視野を拡大してくれる。ベントーイズムは、僕らの思考のマッスルメモリーみたいなもので、重要なのに達しづらいスペースへ近づけるようになるためのツールだ。そのスペースに達すれば、より良い選択肢とインパクトの大きい価値が得られる。

価値のスペクトラムを拡大するというのは不合理な選択ではない。それを無視しつづけるほうが、よっぽど不合理な選択だ。すでに一部の人が理解しつつあるとおり、価値という概念の拡大は単なる合理的な次の一歩ではない。それは、ほかに負けない強みになる。[9]

第8章　アデルのツアーは続く

シンガーソングライターのアデルは、世界的に人気のあるポップスターだ。グラミー賞を一五部門以上受賞しているだけでなく、アカデミー賞のオスカー像も一個手にし、アルバム『19』、『21』、『25』――それぞれアデルが制作したときの年齢――は六〇〇〇万枚以上を売りあげた。

アデルはこの偉業を達成しているあいだ、独立心旺盛なアーティストでありつづけた。ロンドンの下町で生まれ育ったアデルは、恵まれた環境にいたわけではない。母親は若くして彼女を産み、父親はアデルが二歳のときに家を出ていった。ティーンエイジャーのアデルが見いだされたのは、《マイスペース》〔SNSの先駆けとなった音楽やエンターテインメントを中心としたサービス、当初は英語圏最大のサイトだった〕に投稿されたデモを通じてだった。発掘したのは、小規模ながら影響力の強いインディー・レーベルだ。

アデルは有名アーティストとして、この経歴を誇りにしていて、二〇一五年にノルウェー人のインタビュアーにこう語っている。「もし恵まれた生活を送っていたら、どうすれば人びとに共感してもらえるレコードを作れるのか、わからなかったでしょう」[1]

たしかに人びとはアデルに共感している——記録的な数の人びとが。けれども、圧倒的な人気を博したことで、問題がひとつ生じた。コンサートのチケットを販売すると、すぐに売り切れてしまうのだ。もともとの額面どおり、およそ五〇ドル（アデルのような人気アーティストの料金としてはかなり手頃だ）で購入されたチケットが、あっというまに何百ドル、ときには何千ドルもの価格でチケットの転売サイトに登場する。

なぜこんなことが起こるのだろうか。アデルにはとくに起業家精神にあふれたファンがいるのだろうか。ひょっとするとそうかもしれないが、これはたまたま起こっている問題ではない。アデルのチケットは転売業者に買われていたのだ。転売業者は巧妙なツールを使っていい席を買い占め、金額をどんどん上乗せして転売する。

チケットの転売は、かつては蔑まれていた行為だった。けれども、お金至上主義の時代には、転売が主流になっている。利潤最大化の初級篇だ。

「一般大衆の大半が［チケットの転売を］受けいれるようになってしまいました」と、この習慣に長年反対してきた、ブルース・スプリングスティーンのマネジャーは語る。「以前は転売にまとわりついていたネガティブな響きが、ほとんど消えてしまったのです」。社会的な価値から金銭的な価値へのシフトによって、僕らの認識が変わったのだ。[2]

チケット販売会社のチケットマスター社やアーティスト本人さえもが、転売にかかわることもある。カナダ放送協会の調査によると、チケットマスター社はツールを構築して、割増料金を払えばチケットを大量に買えるように取り計らい、転売業者に協力していることが明らかになった。[3]

また《ウォール・ストリート・ジャーナル》のレポートによると、アーティストとチケットマスター社が協力してもっともいい席を取っておき、チケットマスター社自身の転売チケットサイトで、アーティスト自身やチケット販売会社が売っているとは明かさずにオークションに出品していたことも明らかになった。[4]

アデルがこれに似たようなことをしようとすれば簡単にできただろう。市場に任せておけば、分け前の一部が懐に入ってくる。人気者になるっていうのはすばらしいことだ、そうだろう？　けれども、そうはならなかった。なぜなら、誰がアデルのパフォーマンスを見られるのかを市場が決めるとなれば、アデルは裕福なファンか、裕福でないけれども必要以上にお金を費やしたファンに向けて、パフォーマンスをすることになるからだ。トム・ウェイツの代理人は《ローリング・ストーン》に次のように語った。「われわれは、一回のコンサートへ行くためだけに可処分所得〔給料の手取り分〕を使い果たしてほしくないのです」[5]

世界でもっとも需要の高いパフォーマーとして、少なからぬパワーを使い、アデルは創造的な解決策を探し求めた。さて、ほかに方法はあったのだろうか。

■　■　■　■

二〇一五年にアデルは四年ぶりにアルバムを発表し、ツアーを行なうことを明らかにした。それと同時に、ロンドンを拠点にコンサートチケットを販売しているソングキック社と協力して、チケットの一部を販売すると発表した。

ソングキック社はスタートアップ企業で、アーティストにもっとも「忠実な」ファンを特定し、それらのファンのためにだけチケット販売を行なうアルゴリズムを開発した。このアイデアを採用した理由はふたつ。もっとも忠実なファンに見返りを与えるのは正しいことであるし、これらのファンは自分で購入したチケットを転売する可能性がもっとも低いからだ。

選択的な市場として、アデルのチケットの最大四〇パーセントがソングキック社を介して流通された。この方法はうまくいった。ソングキック経由のチケットのうち、転売されたのは二パーセント未満で、これまでの方法で販売されたチケットはその一〇倍だった（それらのチケットの多くが何千ドルという値段になった）。ソングキック社のアルゴリズムが転売業者をブロックしたおかげで、ファンは公正な価格でコンサートを観にいくことができた。忠実なファンたちは、転売業者を通してではなく、直接チケットを買うことによって、全体として六五〇万ドル節約できたと推定される。[6]

これはファンにとって思わぬ幸運だった。けれども、別の視点からみると、ちょっとばかり落ち着かない気分になる。忠実度の測定アルゴリズムはなんだかディストピア小説のなかの話みたいな気がする。これは、列の最初に並んだ人がチケットを手にするという長いあいだ使われてきた方針をくつがえす。技術がまたもや慣習を破壊した。

とはいえ、技術を味方につけた転売業者たちのおかげで、古いやりかたはすでに機能しなくなっていた。負けを認めて、ファンが転売業者に身代金を支払うのを黙って見ているのではなく、アデルは別の方法を試したのだ。

このアルゴリズムが最大化しているのは金銭的な利益ではなく、公平性だ。だからといって、アデルのツアーがラブ・アンド・ピースをうたったウッドストック・フェスティバルみたいに、無料で観覧できるわけではない〔事実上ほぼ無料になっただけで、本来は有料のコンサートだった〕。チケットは有料だったし、コンサートは利益を生んだ。けれどもアデルはもっと広大な絵を見ていた。アデルが注意を向けたのは、スタジアムやアリーナが満員になることでいくら稼げるかだけではなく、スタジアムやアリーナにやってくるのは誰かということだった。

アデルの大胆な実験は、ベントー主義者が価値を評価する方法の一例だ。アデルは自分自身を豊かにすることだけに目を向けたのではなかった。自己利益をもっと広い概念でみたのだ。ひとりの人間として、アーティストとして、金儲けのためでなくファンだからチケットを買ってくれる一般の人びとと同じ、サウス・ロンドン育ちの女性として、自分の価値観に合った最適化を行なったのだ。これは《現在の自分》のツアーでなく、《現在の自分たち》のツアーだった。

ソングキックのアルゴリズムによるサポートとベントー主義者的視点で、アデルは意義のあることをした。お金がゴールではない合理的な価値観を最大化する方法を見つけたのだ。

スリーポイント・シュート

プロバスケットボールのＮＢＡでは、一九七九年にふたつの無関係な出来事が同時に起こった。最初の出来事は有名だ。ラリー・バードとマジック・ジョンソンというＮＢＡ史上もっともずばぬけたスター選手ふたりが、ＮＢＡのチームでプレーしはじめたのが一九七九年だった。チームの司令塔としてのスキルやライバル同士のすばらしい戦いぶりによって、ＮＢＡはあっというまに社会現象になるほどの人気を得た。

けれども、一九七九年のもうひとつの出来事のほうが結果的に長期的な影響を及ぼしているかもしれない。その年に、ＮＢＡはスリーポイント・シュートを初めて採用したのだ。

スリーポイント・シュートの背景にある概念はシンプルだ。遠く離れた場所からのシュートは近くから入れるシュートよりも一点高い価値がある。けれども、最初のシーズン中に、スリーポイント・シュートが試みられたのは一試合あたりたった二・八回だった。バードやマジックとちがって、スリーポイント・シュートの当初の影響はごくわずかしかなかった。

スリーポイント・シュートが歓迎されなかったのには、妥当な理由があった。シュートを決めるのがむずかしかったのだ。ツーポイントのシュートはおよそ二回に一回成功する。スリーポイント・シュートの成功率は三〇パーセント未満だった。簡単な計算だ。三点より二点のほうが点が取りやすい。ならば、スリーポイント・シュートは打つな。

それからほぼ三〇年ものあいだ、スリーポイント・シュートは存在していたが、奨励されなかった。監督もテレビのアナウンサーも、このシュートを打つのは自分勝手だと非難した。試合でのプレー手法ではなかった。

けれども二〇〇〇年代の最初の一〇年で、スポーツに対する人びとの考え方が変化しはじめた。二〇〇三年に出版されたマイケル・ルイスの『マネー・ボール』は、すぐれた人材をそろえたライバルチームに勝つために、データ分析を使う弱小野球チームについての話だった。この本の影響で、スポーツ界でデータ科学が注目されはじめた。バスケットボール界も例外ではなかった。

データ科学の草分けであるデータアナリストが、新たな疑問を掲げた。それはこんな疑問だ——シュートを打つとき、もっとも効率がいいのはコート上のどの位置だろうか。

シュートを打つ位置別のゴール効率

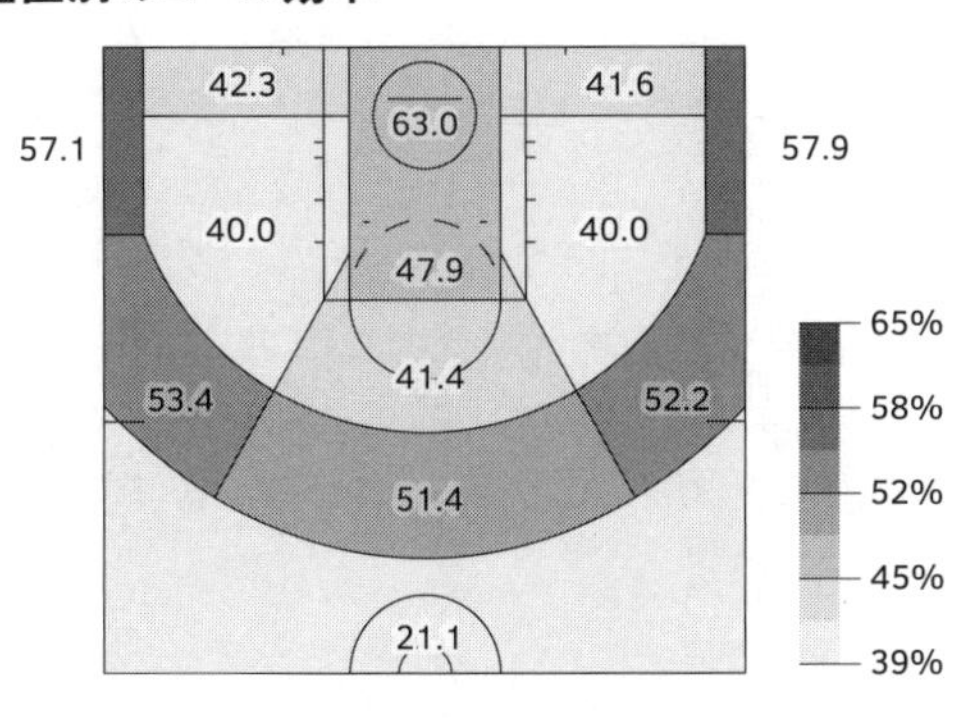

出典：CHANG, MAHESWARAN, SU, KWOK, LEVY, WEXLER, SQUIRE 2014, "QUANTIFYING SHOT QUALITY IN THE NBA"

これはいままでにないタイプの疑問だった。もっとも効率のいいシュートを知るために、新しい測定方法が必要になった。求めているデータを得るには新技術が不可欠だった。まもなく、チームは特別なカメラを使って、コート上のあらゆる行動を調べはじめた。

データアナリストとアルゴリズムによって、それぞれのプレーが事細かに分類され、測定された。シュートの成功・不成功だけではなく、コートのどの位置から選手がシュートを打ったのかが正確に追跡された。選手がシュートのまえにドリブルをしたか、それともパスを受けただけか。もっとも近くにいた相手チームのディフェンダーは誰か。どれほど近くにいたのか。その選手の身長はどれほどか。ごく些細なデータもおろそかにされなかった。

データの分析結果は、それまでの社会的通念と大きくかけはなれていた。いちばん効率がいいシュートはレイアップ・シュートやダンクシュートではなく、スリーポイント・シュートだったのだ（上の図）。「有効なフィールドゴールパーセンテージ」と呼ばれる新しい統計学的な値によると、スリーポイント・シュートを行なうチームはシュートミスが多いが——直感に反して——けっきょくはより多く点を取っていたのだ。[7]

何十年ものあいだ、バスケットボールのコートでは、決まったプレーの形で試合が行なわれていた。打っていいシュートとダメなシュートがあった。すべきプレーとすべきでないプレーがあった。それがとつぜん、新しい価値の測定法によって、いままでの慣例に疑問が差しはさまれたのだ。こうして新たな視点でみると、それまで試合でプレーしてきた方法はどれもこれも、まちがっていたのだ。

無理もない話だが、バスケットボールの団体はこの結果に懐疑的だった。コンピューターがプレーの仕方を教えるだって。いえ、けっこう。それでも、いくつかのチームがスリーポイント・シュートをそれまでより多く打ちはじめ、期待を上回る結果を得た。すると、ほかのチームも先駆者に続いた。そうやって一〇年もしないうちに、バスケットボールは様変わりした。二〇一七年から二〇一八年のシーズン中に打たれたスリーポイント・シュート数は、一九八〇年代のすべての試合で打たれたスリーポイント・シュートの合計よりも多かった。

新しいタイプの価値が発見されると、ゲームの戦い方が変わるのだ。

マレットをかわす

アデルとNBAのデータアナリストは、A点からB点へたどりつくためのより良い道筋を探した。アデルはファンのためにすばらしいコンサートを行ないたかった。NBAチームはバスケットボールの試合で勝ちたかった。ほかに誰もやっていない方法はないだろうか。ほかの可能性を探すうちに、アデルやデータアナリストは価値についてより深い知識を発見した。

アデルは、もっとも忠実なファンがコンサートに来られるようになるアルゴリズムを見つけたとき、お金ではなくファンたちを重視した。NBAのチームがスリーポイント・シュートをしはじめたとき、シュートを数多く決めるよりも試合に勝つための最適化が行なわれた。

それらは簡単な選択ではなかった。いま現在のことだけを考えていたら、できない選択だ。自分のことだけを考えていたら、できない選択だ。どちらのケースでも新しい価値では、直近を犠牲にする必要があった——ツアーで得られるお金が減ったり、シュートの失敗が増えたり。

ふたつの価値はいずれも医療を変えたのと同じ力によって発見された。つまり、技術と測定と特異性だ。アデルが使ったアルゴリズムは、技術によって実現できた。ファンの忠実度の測定は、広告の販売やEコマースの推奨に使われるデータ駆動型の戦略とよく似ている。ソングキックはそれらのツールを進化させて特殊なケース——ミュージシャンとそのファンの関係——に合うようにした。データで誘導されたスリーポイント・シュートの出現も同様だ。データアナリストは測定結果を用いて、コート上でシュートするのに最適の場所を見つけだし、試合を進化させてその価値を拡大した。

医療と健康の関係と同じく、これらの新しい価値観は現状を維持しようとする者から批判された（いまだに批判する者もいる）。

スリーポイント・シュートはいんちきのように思われた。あれは本当のバスケットボールじゃないと非難された。アデルのチケット販売戦略は、不合理で無意味で思いあがってさえいると、音楽業界にいる多くの人から批判を受けた。市場の力に逆らおうなんて、いったい何様のつもりなんだ。チケット販売やツアー運営を独占的に行なっているライブネーションという企業は裏で、アデルの真似をしないようほかのアーティストに圧力をかけていた。[8]

アデルは世の中を支配している価値観に背を向けた。それは、ファンからさらにお金を巻きあげるための新しいツールを探すためじゃない。現行システムの外へ目を向け、ファンからお金を巻き上げないようにするためのツールを探した。これまでの合理的な自己利益というマインドからすれば、これは不合理な選択だった。けれども、アデルの価値観にしたがえば、これは完璧に合理的な選択だ。

アデルがこの選択をしなかったと想像してみよう。ほかのアーティストのように、アデルが例のチケット会社と手を組み、転売されたチケットの分け前を手にすると想像してみよう。

利潤最大化のマインドにしたがえば、これは理想の形だろう。アデルを見たいと人びとが思えば思うほど、たっぷりお金が費やされ、市場は有効に機能する。これは利潤最大化が機能していく、ごく自然な方法だ。

けれどもアデルがこの選択肢を選べば、自分のファンに対して、マレットエコノミーを生みだしていることにもなる。

これについて考えてみよう。ファンがアデルのコンサートに行くためにお金を費やせば費やすほど、アデルの収入は増え、ファンたちの持っているお金が減る。高くなるチケットの価格は遠い世界の経済概念ではない。そのお金は、たいていの場合、愛するアーティストよりはるかに預金が少ないファンの銀行口座から出ているのだ。

チケットの費用が高くなったからといって、アデルのコンサートに行ける人の数が増えるわけじゃない。いずれにしろ、コンサートの収容人数は同じ。あなた自身が転売業者か、最前列のチケットを買えるほど裕福でないかぎり、良い面はほとんどない。これはひとりの人間レベルでのマレットエコノミーだ。

アデルは利他的な選択をしたようにみえるかもしれないが、その見方では、アデルの機転の良さが抜け落ちる。アデルはピュアな気持ちでこれを行なったわけではない。むずかしい特定の結果にたどりつくために行動したのだ——アリーナを埋め尽くす人びとは、ファンとして公平な経験を味わうためにやってくる人びとであること。アデルは異なる種類の価値観を最大化し最適化しているのだ。

より広い意味を持つ価値を思いきって受けいれたとき、重大な影響を及ぼすことがある。それがたとえ一週間のうちのたった一日だとしても。

日曜日は休業日

お金の影響を抑える動きはいまにはじまったことじゃない。ハッシュタグつきの抵抗運動とはちがってその歴史は、はるか昔にさかのぼることができる。

安息日について考えてみよう。安息日というのは、休養と礼拝のための時間を確保するための組織的な休日として、キリスト教とユダヤ教で普及している。安息日は価値観が存在するためのスペースを生む。安息日は、価値観がどうあるべきかという指図はしないが、禁じていることがある。それは仕事だ。安息日はお金の影響が及ばないスペースを生みだす賢い方法といえる。

アメリカでは長年のあいだ、安息日である日曜に商店の営業を禁じる「ブルー・ロー」(厳格法)で、安息日が保たれていた。安息日としての日曜の起源はキリスト教にあるけれども、ブルー・ローは、労働組合や一般大衆の生活にとって良いとみなす人びとからも支持されてきた。日曜日は全般的に公的な休日でありつづけた。

こんにちでは、大半のブルー・ローが撤廃され、多くの人にとって聖なる日曜日という概念は、古代の歴史上のもののように感じられる。日曜はいまやスポーツに興じたり、週末旅行に出かけたり、家の雑用を片付ける日になっている。いまだに日曜日を神聖な休養のために使うべきだと考えているのは、敬虔な信者だけだろう。

それでも、お金の影響を抑えるものとしての安息日は、一般の生活から完全に消えてしまったわけではない。アメリカでひじょうに評判のいいファストフードチェーン〈チック・フィレイ〉は、日曜日に店を閉めている。[9] この企業は、アメリカでいまだに日曜日を休業日としている数少ない大手チェーンのひとつだ。

〈チック・フィレイ〉が日曜日に店を閉めているのは、創業者の故トゥルエット・キャシーの信念に沿っているからだ。一九四〇年代にトゥルエットは最初に出していた二四時間営業の飲食店を日曜日に閉め、従業員が休めるようにした。チック・フィレイはこの伝統を現在も守りつづけている。

この方針には現実的な損失が降りかかる。日曜日に店を閉めることによって、毎週の営業時間が一四パーセント短くなる。これは競合店が店を開けているあいだ、一年のうち二カ月近くチック・フィレイが店を閉めているということになる。価値観を重んじる組織として、チック・フィレイはまさに、教会に通っている人びとが日曜日に行きたがりそうな店だ。教会に行ったあとの昼食は、大きなビジネスチャンスでもある。

日曜に店を閉めることで、チック・フィレイには一年間に一〇億ドル以上の損失があると見積もられている。[10]営利目的の企業で、成長し成功したいと望む一般的な企業と同じように成長し成功したいと願っているにもかかわらず、また一〇億ドルという値札がぶら下がっているにもかかわらず、チック・フィレイは日曜に店を閉めつづける。

利潤最大化層のコンサルタントがこの状態をみたら、気がちがったのかと言うだろう。テーブルに置いてきたお金がいくらかみてみるといい。もっと最大化できるのにと。けれども、チック・フィレイのリーダーはこう答えるだろう――たったひとつの価値ではなく、複数の価値を最大化しているのです。たしかにチック・フィレイは営利目的のファストフード企業だ。けれども、この企業はしきたりを重んじ、そのために喜んで年間一〇億ドルの売上を差しだしている。

利潤最大化のマインドで考えると、これは不合理だ。けれども、ベントー主義者の視点からすれば、充分に合理的なのだ。チック・フィレイはあきらかに、お金以外の価値を最適化する道を選んでいる。毎日ではない。日曜日だけ。

この道を選ぶことによって文字どおり犠牲も払っているが、利点もある。チック・フィレイは、アメリカで大人気のレストラン・チェーンであるだけでなく、職場としての人気もトップクラスだ。自分たちの価値観に対するこの企業の独自のかかわりかたが、人気の大きな理由だろう。

ときには、何かをしないことで価値が生まれることもある。

経済的な自立と早期退職のムーブメント（ＦＩＲＥ）を実践している人にとって、価値を最大化するというのは、不要なものにお金をかけないことを意味する。浪費など負け犬のすることだ。

ＦＩＲＥは個人的な財政上の戦略のひとつで、出費を最低限に抑えて、長期的なゴールを最大化する方法を人びとに伝える。ＦＩＲＥの信奉者が、初デートで尋ねる大事な質問は「どれだけ稼いでいるか」ではなく、「どれだけ節約しているか」だろう。

ＦＩＲＥの考え方によれば、お金が重要なのは、金持ちになれるからでも贅沢なものを買えるからでもない。人生のなかで本当に価値があることに集中するための安定を得られるからだ。ＦＩＲＥはマズローの欲求の五段階にきっちり沿っている。ＦＩＲＥを実践している人気のライター、ピーター・アデニーは自身のブログ「ミスター・マネー・マスタシュ」で次のように書いている。

「幸せそれ自体に意識を集中すれば、利便性や贅沢にばかり目を向けて経済的に無学な集団についていくような人びとよりはるかに望ましい生活を手にすることができる。幸せはさまざまな要素からやってくるが、それらの要素は高級な車やバッグを持つこととは関係がない[11]」

ＦＩＲＥの中心にあるのは、ひとりの人物でも、単一の組織でも、独自のアルゴリズムでもない。このムーブメントはブログや本や、共有されたエクセルのスプレッドシートなどを介して広がった。ツールや戦略はそのコミュニティのメンバーによって生みだされ、試用され、繰り返し使われている。

ＦＩＲＥの支持者はミレニアル世代が多い。快適で便利で過剰なアメリカン・ドリームには手が届かないし、知りもしない人びとだ。彼らは新しいタイプのドリームを生みだしている。「僕らはただ、平均よりかなり低い生活を選んだだけ」と、ＦＩＲＥのある支持者は語る。「それ自体がかなり進んだアイデアなんだ」

《ニューヨーク・タイムズ》は、ＦＩＲＥの原則に合わせて生活を変えた三三歳の女性について、こう説明している。

「新人採用の仕事をしているミズ・リーケンズは当初、海辺の生活やＢＭＷやそれに伴う名声を手放したくないと思っていた。だがそれは、いつリタイアできるかを示す計算の結果を見るまでのことだった。それによると、ＦＩＲＥを受けいれ引っ越しをすれば、一〇年以内に仕事を辞められるが、いまのゴージャスな生活スタイルを続けるなら、引退は九〇歳になるという」[12]

ＦＩＲＥの支持者は超長期思考を取りいれている。最終的な結果にもとづいて現在を見据えることで、《未来の自分》の価値観と目標に沿って《現在の自分》の選択を行なう。

こうして意識を高めたＦＩＲＥの支持者らは、群れから離脱するようになる。

街で生活している人びとの人口は増えつづけているが、ＦＩＲＥの支持者らは郊外や地方で暮らそうとする。大都会での高コスト生活を、ＦＩＲＥ支持者はカットすべき出費と考えるようになる。炭素も購買者の消費量も上昇しつづけているが、ＦＩＲＥ支持者は、エネルギー使用と出費を減らし、金銭的な自由への扉を開こうとしている。ＦＩＲＥには、ソローの『ウォールデン――森の生活』（今泉吉晴訳、小学館、二〇〇四年）の暮らしにアイフォーンと、『ファイト・

クラブ』（池田真紀子訳、ハヤカワ文庫NV、二〇一五年）に登場するタイラー・ダーデン並みの切れ味を足したような趣がある。

ＦＩＲＥの支持者は《未来の自分》のゴール――持続可能な生活を生みだすこと――に駆り立てられているが、そのゴールに到達するには《現在の自分》にかなり注意を払わねばならない。つまり、予算にしたがって生活をして、気ままにお金を使う同僚たちよりお金をもっと尊重して慎重に扱うのだ。

早期退職という夢は万人にとって現実的だろうか。おそらくそうではない。最低賃金の給料では、どれだけ支出を抑えても、大幅な節約は至難の業だ。けれども、別の視点からお金について考えるのは、誰にとっても有用だ。ＦＩＲＥはお金と幸せを切り離し、幸せとお金を直結させる矛盾をあらわにしつつ、それらがもたらす両方の価値を尊重している。

利潤最大化の支配を制限するのは、お金を無視するのとはちがう。お金を主役ではなく背景に組みこむということだ。ＦＩＲＥの支持者はお金をひじょうに意識している。お金の重要性を尊重している。それが価値を生みだすことを理解している。けれども、お金だけが重要な価値を持つわけではないとも考えている。

現実世界のベントーイズム

利潤最大化を超えて価値の領域（スペクトラム）を拡大するというのは、夢物語ではない。僕らはすでにこれをしている。アデルのチケット販売のアルゴリズムや、チック・フィレイの休業日や、ＦＩＲＥ

ムーブメント、そしてスリーポイント・シュートの増加はみな、現実の世界でベントー主義者がその価値観に沿ってすでに行動を起こした例だ。

これらの例のどれをとっても、人びとは、自分の利益にかかわるさまざまな領域について合理的に検討している。未来の自分や、周りの人びと、そして現在の欲求について熟慮している。

このような転換は単なる見せかけでなく、本当に実際に起こりつつあることなのだろうか。経験から言わせてもらうと、答えはイエスだ。

キックスターターが二〇一五年にパブリック・ベネフィット・コーポレーション（ＰＢＣ）になったとき、この会社はいわばベントー主義者に転換したようなものだった。それまでキックスターターは、昔ながらに構築された営利目的の企業として、《現在の自分》の欲求――利益率と株主の利益――についてのみ考えるように期待されていた。けれどもＰＢＣになることによって、公的に、《現在の自分たち》、《未来の自分》、そして《未来の自分たち》の価値観がすべきと示すことを体系化し、実現に向けて努力することになった。

ＰＢＣになるということは、キックスターターがつねに掲げていた価値観を映しだしている。とはいえ、その同じ価値観のおかげで、昔ながらに構築された営利目的の企業として、僕らは理論上の危機に陥ったこともある。理論的には、会社の売却も株式の公開もしないという僕らのパブリック・ステートメントは、株主から訴えられる可能性もあった。これらの決定は、株主価値の最大化のあらゆる形態を受けいれないことを意味したからだ。

株主に訴えられるようなことが起きるのはめったにないけれども、先例はある。二〇〇〇年にベン＆ジェリーズ社の取締役会は、創設者が反対しているにもかかわらず、ユニリーバ社へ売却するよう圧力をかけられた。もし売却を拒めば、信託された義務を怠ったとして投資家が取締役会のメンバーを訴えると脅されたのだ。ベン&ジェリーズ社の価値観はブランドと独自性を中心にしていたにもかかわらず、株主たちの要求は法的な裏付けがあったため、取締役会にはなんの権限もなかった。[13]

いっぽうPBCとしてのキックスターターのミッションと責任は、企業の法的な基盤に組み込まれている。[14]キックスターターのPBC憲章には、一五項目の公約がある。そこには次のような誓約が含まれている。

・(弊社の)租税負担を少なくするために、法的な抜け穴やその他難解だが合法の財務管理戦略は用いません
・弊社に経済的な利益があるかどうかにかかわりなく、(自らの)ミッションと価値観に一致しないかぎり、公共政策のためのロビー活動やキャンペーンは行ないません
・アーティストやクリエイター、とくに商業的な領域であまり活躍できていない人びとを支援し、奉仕し、擁護します
・アーティストやクリエイターに影響が及ぶ大きな問題や議論に、(企業の)枠を超えてかかわっていきます
・税引き後利益の五パーセントを、アートや音楽の教育に、また制度上の不平等を終わらせるために戦っている組織に寄付します[15]

これらの公約によってキックスターターには、つねにどうふるまうべきかを示す境界が設けられた。これらの公約が示す価値観は、漠然とした口先だけの決まり文句などとはちがう。ちゃんと効力がある。

ＰＢＣになって一年もしないうちに、キックスターターは「クリエイティブ・インディペンデント」という名前の独立したウェブサイトを新たに公開した。[16]「クリエイティブ・インディペンデント」は、クリエイティブな人びとに向けた、実用的で心に刺さる助言が詰まった発展中のリソースだ。このサイトでは、アーティストやクリエイターが活動やその課題について語るインタビューやエッセイが平日は毎日掲載される。最終的には、クリエイティビティに関するウィキペディアのようなものになるのが、このサイトの野望だ。「クリエイティブ・インディペンデント」のサイトには広告がないし、コンテンツに料金を課すこともないが、フルタイムのスタッフがいる。キックスターターがもろもろすべてを支払っている。それなのに、キックスターターのロゴはどこにもない。キックスターターはサイトのフッターにパブリシャーとして記載されているが、それ以外には直接的な利益は何も得ていない。

ではなぜ、こんなことをするのだろうか。

それは、「クリエイティブ・インディペンデント」が、キックスターターのＰＢＣ憲章の公約に沿って立ちあげられた価値創出プロジェクトだからだ。このウェブサイトは、クリエイティブなコミュニティを支援し、クリエイティブな人びとにリソースと教育的なマテリアルを提供し、アーティストやクリエイターの作品の質を向上させる。それは、キックスターターが成長に貢献すると誓った価値観で、「クリエイティブ・インディペンデント」もその価値観に沿ってサポートを行なう。「クリエイティブ・インディペンデント」や、将来キックスターターが開発するかもしれないクリエイティブな分野に焦点を絞ったプロジェクトでは、価値を創出するためにお金を稼ぐ必要がない。

パタゴニア、テスラ、そして未来の自分たち

衣料メーカーのパタゴニアほど過激にコーポレート・ガバナンスにアプローチしている企業はそう多くない。パタゴニアは（一九八三年から）オフィス内に無料の保育サービスを提供し、自社の衣服は生涯修理をするサービスを約束し（施設のひとつでは、一年につき三万件もの品を修理している）、従業員を同じ人間として扱う[17]（創設者イヴォン・シュイナードの注目すべき著書『新版 社員をサーフィンに行かせよう――パタゴニア経営のすべて』〔井口耕二訳、ダイヤモンド社、二〇一七年〕で提案されているとおり）。

パタゴニアはそれらすべてをやってのけながら、利益を出し、成功し、愛される企業でありつづけている。

パタゴニアはPBCになった最初期の企業のひとつだ。この会社のPBC憲章には競合について、次のような仰天ものの誓いがある。

〝「ビジネスを活用して環境の危機に対するソリューションを促進し、実現する」というわれわれの責務の一環として、取締役会がそうすることで環境に良い影響を及ぼすマテリアルの製造に結びつくと判断した場合、われわれは財産権の対象になる情報やベストプラクティスを直接的な

競合を含む他社と共有する。[18]」

つまり、パタゴニアが地球に優しい衣服の製造方法を新たに生みだしたときは、それを自社だけで独占せず、直接競合している他社にもその情報を共有するというのだ。これは、《未来の自分たち》にとっての最適化方針だ。この方針は、パタゴニアがすでに実践してきたことでもある。

二〇一四年、パタゴニアは四年の歳月をかけて、これまでより長持ちする繊維を開発し、新しいバイオラバー製のウェットスーツを発売した。こうして膨大な投資を行なったあと、パタゴニアはどうしたか。この素材を競合している他社と共有したのだ。この決定を発表する広告にはこうあった。「町でいちばんのハッパを手にいれた（から、いまから分ける）[19]」

《現在の自分》の視点でみれば、これはほとんど意味不明な行為だ。けれども、《未来の自分たち》として、価値を最大化するなら、これはひじょうに意味のある行為となる。

こんな話を聞いたら、パタゴニアが慈善団体のように思えるかもしれない。でも、そうじゃない。営利目的のPBCで、ほかの企業と同じように課題もあれば競合もある。けれどもパタゴニアは、広い視野も持っている。パタゴニアは《現在の自分》の欲求も満たさねばならないけれども、現状とバランスを取りながら《未来の自分たち》にかなり投資している。

■　■　■

テスラはPBCではないが、《未来の自分たち》という考え方のもうひとつの例として紹介しよう。テスラは電気自動車を作っている企業というだけではない。ここで大事なのは、その取り組み方だ。

二〇一四年、テスラはあらゆる特許——技術の根底にある知的財産——を完全に公開し、どの会社でも使えるようにすると発表した。これらの知識を守るより、分け与えることに決めたのだ。なぜこのようなことをしたのだろうか。なぜ、自社の特許をほかの自動車製造会社にライセンス付与しないのだろうか。なぜなら、テスラのゴールは特許でお金を儲けることではないからだ。電気自動車の目標は、もっと世の中に普及すること。テスラは電気自動車の普及を促すために、最良のアイデアを自ら進んで手放した。

「現在の新車生産数が一年あたり一億台に近づいており、世界全体の車両数が約二〇億台であることを考えれば、テスラだけで炭素(カーボン)危機に取り組めるほど速く電気自動車を製造するのは不可能だ」とテスラのCEOイーロン・マスクは書いている。「同時に、この市場が巨大であることも意味している。真のライバルは、テスラ以外で製造される一粒の雨ほどの数少ない電気自動車ではなく、世界中の工場で洪水のように毎日生産されるガソリン車なのだ[20]」

テスラの特許戦略は、《現在の自分》の経済的なリターンを最大化しないが、《未来の自分たち》のサステナビリティを最大化する。最優先事項は、自動車を売ることではない。電気自動車が普通の存在になることだ。

パタゴニアとテスラが《未来の自分たち》に焦点を絞ったことで、これらの企業はいまのところ、群れを離れたはぐれ者になっている。けれども、はぐれ者状態は長くは続かないだろう。

ポップなベントー主義者

ここまで挙げてきた現実のベントーイズムの例は、一般的な価値観を持つメインストリームの人びとのあいだにみられた。さらに上をめざす業界トップの人びととか。スポーツ業界で勝負に挑んでいる人びととか。信仰心が強い人びととか。お金を節約しようとしている人びととか。地球上の生き物を守ろうとしている人びととか。彼らはこれ以上ないほど有益な例だ。

これらの人びとは世界で違いを生みだしている。人びとの好奇心と大胆な選択によって、僕らは少しずつ前進している。価値にもとづいた選択の大半は、道義的な判断に沿っているが、すべてそうというわけじゃない。スリーポイント・シュートを打つチームは、まちがいを正そうとしているわけではなく、勝つためにより良い方法を探しただけだ。

ベントーイズムは現在起こっていることについて、より大きな認識の向こう側にある特定の価値観を押しつけるものではない。ファストフードのチェーン店がベントーイズム的選択をすることもある。環境保護活動家がベントーイズム的選択をすることもある。自家発電で生活している人やポップスターがベントーイズム的選択をすることもある。キリスト教徒でもイスラム教徒でもいい。ベントーイズムはあなたにどんな人になれなどと諭したりはしない。ただ、あなた自身の価値観とあなたのいまの状況が一致しているかを確認するのに役立ち、あなたらしくあるために、自分の価値観にもとづいた選択をする力を与えてくれる。

この思考方法は成長している最中だ。

本書を書いているとき、カントリー歌手からポップスターへと転身したテイラー・スウィフトが、新しいメジャーレーベルと契約を結んだ。交渉によって、スウィフトはレコード会社から魅力的な特権を得た。インスタグラムの投稿で、スウィフトがどんな説明をしているか、みてみよう。

「どの項目よりも大事な条件がひとつあった。ユニバーサルミュージック・グループ（UMG）との新たな契約の一部として、私はスポティファイの配信によるあらゆる売上から分配されたお金はすべてアーティストに、前金として差し引きされない返済不要の報酬として支払われるべきだと掛けあった。UMGは寛大にもこの条件に同意した。複数のメジャーレコード会社がこれまで支払ってきたよりはるかにいいと思えるような条件だった。これは、クリエイターにとって好ましい変化へ向かっている兆候だと思う。ゴールに到達するための後押しは、これからも決してやめないし、できるかぎりのことをするつもりだ」

テイラー・スウィフトは、自分の影響力を使って、自分自身に有利な条件になるように交渉しただけではなく（もちろん自身のためにもしたのだが）、ほかの多くのアーティストたちの代表としても交渉した。アデルと同じく、テイラー・スウィフトも《現在の自分》の視点では行動せず、意図的に《現在の自分たち》と《未来の自分たち》にとっての価値をも生んだのだ。

あなたはこう言うかもしれない。まあ、そりゃ、テイラー・スウィフトやアデルみたいな人にとっては、こんなこと簡単じゃないか、と。彼女たちはすでに裕福で有名なのだから。何も犠牲になってないじゃないか。それにチック・フィレイやキックスターター、パタゴニア、そしてテスラにとっても、寛大な行為を行なうのは簡単なことだろう。これらの企業もすでに成功しているのだから、と。

たしかに一理ある。マズローの欲求五段階に戻ると、この人たちや組織は安全や安定の欲求を満たしている。彼らが寛大で長期志向になれるのは、毎日生きていくだけで精一杯というような重大な脅威に直面していないからだ。

けれども、そもそも金銭的な価値の向こう側に注意を向けていることが、彼らの成功の秘訣だとしたらどうだろうか。金銭以外の価値を高め、最適化することが、革命的でも、並外れたことでもないとしたら、どうだろうか。それが単純に何かをするためのより良い方法だとしたら、どうだろうか。自分たちが暮らしているのが、革命的で、並外れた世界だったら、このような選択によって、僕らの価値観をゆっくり、でもしっかり取り戻せるのではないだろうか。

それが、ベントーイズムの視点の潜在能力だ。時計の針を戻すのではなく、ここでようやく前へ進めていける。では、そんな世界がやってくるまでに、どれくらい時間がかかるだろうか。

第9章　完璧な逆立ちの仕方

過去二〇年間、アマゾンの創設者でCEOのジェフ・ベゾスは、自社の株主に向けてアニュアル・レターを出してきた。そのレターには自社の経営状況や戦略、目標などが書かれている。二〇一七年のレターで、ベゾスは逆立ちについて興味深い話を披露している。

親しい友人が最近、完全に自立した逆立ちを学ぼうと決意した。壁にもたれない、数秒で倒れたりしない倒立。インスタ映えする技だ。まずは、通っているヨガ教室で逆立ちのワークショップに参加することから、彼女の旅は始まった。それからしばらく練習してみたが、なかなか思うような結果が得られなかった。そこで、逆立ちのコーチを雇った。そう、あなたの気持ちはわかる。けれども、まちがいなく逆立ちのコーチは実在する。最初のレッスンで、コーチはすばらしい助言をいくつかくれた。そのひとつが「大半の人は、一生懸命やれば、二週間もすれば逆立ちができるようになるはずだと考えます。でも実際は、毎日練習しても六カ月くらいかかります。二週間でできるようになるはずと考えていたら、けっきょく途中で投げだすことになるでしょう」。目的達成までの非現実的な確信は――隠れていて議論されないことが多いけれども――高い水準に向かう邪魔になるのだ。自分自身で、またはチームの一員として高い水準に到達するには、先々にどんな困難が待っているか現実的な見通しを立て、率先してそれを周りに伝える必要がある。

何かをするのにどれほど時間がかかるか、どれほど労力が必要かを過小評価してしまったとき、僕らは近道を探ろうとする。あるいは、諦めてしまう。そして、うまくいかなかったとき、何が悪かったのかと思い悩む。けれども、最初に現実的な見通しを立て、望む場所に到達するための計画を立てればきっと、目標にたどりつける。

完璧な逆立ちをするのに、毎日練習しても六カ月かかるとしたら、世界を変えるためにはどれくらいの期間がかかるだろうか。

変化には三〇年かかるという説

僕らとしては、いますぐ変えたい。即座に。けれども、本質的な変化について考えたとき、生物学的証拠も、歴史的証拠も、社会学的証拠も、変化にかかる適正な期間として示しているのは、三〇年だ。

僕のいう「本質的な変化」というのは、多数派（マジョリティ）の考え方に起きる重大な変化を意味している。以前は新しいアイデアだったものが、一般的な考えとして受けいれられていくパラダイムシフトのことだ。そのような変化はつねに起こっている。それでも、変化が起こるには時間が必要だ。だいたいまあ、三〇年くらいの時間が。

僕が話しているのはどんな種類の変化だろうか。僕は、新たな製品が出現する話をしているんじゃない。価値観や信念、ふるまいに起こる重大な変化のことを言っているのだ。たとえば、消毒の手法を取りいれるとか。

一八六七年、ジョゼフ・リスターはひじょうに信頼性の高い医学誌の《ランセット》で、自ら編みだした新しい手法についての良好な研究結果を発表した。医学界の人びとはリスターのもとに集まってきただろうか。いいや、ちっとも。しばらくすると、リスターの手法を掲載したまさにその医学誌が、その手法に対する辛辣な批評を掲載した。一八八一年、ガーフィールド大統領の担当医師らは、なかには実際にリスター自身によるデモンストレーションを目にした医師がひとりいたというのに、リスターの推奨した方法を無視した。

だが、一九〇二年、英国王が緊急に虫垂切除術を受けねばならなくなったとき、医師たちはリスターを呼んだ。医師らはリスターの手法にしたがい、国王は生き残った。エドワード王はのちにリスターにこう言った。「きみときみの研究がなければ、私は今日ここにいなかっただろう」

リスターの処置法は、瀕死のアメリカ大統領を救う際には信頼に足るとみなされなかったが、何十年後かの英国王の医師たちからは求められた。物議をかもす手法から国王の命を守る手法になったのだ。三〇年かけて。

スリーポイント・シュートはどうだっただろうか。

スリーポイント・シュートがＮＢＡで採用されたのは一九七九年だったが、当時はそれほど重宝されなかった。試合のプレーの仕方がちがっていたのだ。ところが三〇年後、新たな測定法によって、スリーポイント・シュートの使用が奨励されるようになった。その後、スリーポイント・シュートは目新しい得点手段ではなくなった。標準的な攻撃方法になったのだ。新奇な技から欠かせない技になるまで三〇年かかったが、いまや、スリーポイント・シュートのないバスケットボールの試合は想像できない。

では、利潤最大化はどうだろうか。

一九七〇年に《ニューヨーク・タイムズ》に掲載されたミルトン・フリードマンの論評によって、利潤最大化という概念がメインストリームに紹介された。「企業の社会的な責任は利益を出すことだ」とフリードマンは述べた。企業はそのメッセージを受けとり、社会もそうした。不可欠な目標として、裕福になるというゴールを挙げた学生の割合は、一九七〇年のカレッジの入学生では三六パーセントだったが、二〇〇〇年には七〇パーセントになった。三〇年のあいだに、少数派だった新たな考え方が独占的な地位を占めるまでになった。

変化の歩調として三〇年というのは一理ある。[1]

世代交代

「一世代が永遠に生き、誰も代わることがないとき、人類の社会生活はどうなるか［想像してみよう］」と、ハンガリーの哲学者カール・マンハイムは一九二八年に書いている。そのような世界では、社会の価値観や基準は変わらないままだろう。

そのいっぽうで、マンハイムは僕らの社会を次のように述べている。

（A）文化的なプロセスのなかで新たな参加者が現れ、そのあいだに
（B）そのプロセスのなかで以前からいる参加者は次々と消えていき、
（C）ひとつの世代の人びとは、歴史のプロセスの一時的な限られた期間に参加するだけである。

ようするに、新しい世代の人びとが生まれ、それまで存在していた人びとが死んでいくにつれ、物事は変化していく。死は生命の転換であり、それによって価値観と力も自然に転換する。僕らがそれぞれ登場するのは、人の一生よりずっと壮大な物語の数場面にすぎない。マンハイムは僕らの役割は一時的なものであるゆえに、次のようなことが起こると書いている。

（D）したがって、必然的に文化的な遺産は伝承され、蓄積されつづけ、
（E）世代から世代への転換は連続するプロセスとして起こる。[2]

秩序を維持し、すでに到達した進歩を基盤にするために、僕らは知識と価値観をひとつの世代から次の世代へと伝えつづける。

人生をひとつのパーティとして想像してみよう。新たな客がどんどんやってきて、いままでいた客がどんどん帰っていくが、パーティはずっとにぎわいつづける。パーティが続くのは、「蓄積された文化的な遺産」が客のある一団から次の一団へと伝えられるからだ。

パーティに到着した人びとはまず、上着を掛ける場所や、食べ物のある場所、キッチンにある飲み物を示される。新参者はしばらく壁際に立っているが、自分の居場所を見つけると、にぎやかな騒ぎに加わる。これが人生でいえば、子どもから思春期を経て、社会人になるころだ（年齢でいえば〇歳から三〇歳）。

社会人ら（三〇歳から六〇歳）はパーティを仕切る。音楽を選び、ルールを決める。けれども、永遠にパーティを仕切りつづけることはできない。ダンスフロアで踊るのは疲れるし、そうでなくても新しい人たちがあとを引き継ごうとする。

もう充分楽しんだ人は、ちょっと静かな部屋で休憩し（六〇歳くらいからそれ以上）、そのあとはパーティから去っていく（なんのことかはおわかりだろう）。その人たちにとってのパーティは終わったけれども、パーティ自体は続く。次の世代が新参者としてダンスフロアに立ち、どう踊ればいいのかを覚えていく。[3]

これが世の中だ。もともといた人は去り、新たに別の人がやってきて、パーティは続く。しかも規模が大きくなっていく。一秒ごとに一・八人が死に、四・三人が生まれる。[4] 地球の人口は一年ごとに一・〇六パーセント増加している。

一パーセントの成長率では、多くのCEOがクビになるだろうが、死という必然性と組み合わさった複合的な利益は、比較的短い時間で大幅な入れ替わりがあることを意味する。今日生きている人びとは、いまから三〇年後に生きている人びと全体からすれば、少数派になる。三〇年後には、いま生きている人の三分の一が亡くなっていて、増大した人口の半分がいまから生まれる人になっているだろう。[5]

パーティがこんなふうに機能して、一分ごとにふたりが去って、四人が新たに加わるとしたら、部屋の雰囲気は急速に変化するだろう。それに伴って、何が普通かも変化していく。

パーティの印象は、最初に到着したときの様子で決まる。同じ時間にそこにいたティーンエイジャーもその世界を同じように見ている傾向がある。その最初の印象によって何が普通かという基準が決まり、その後の人生はその基準でフィルターをかけられる。

アイフォーン以前の生活を経験している人は誰でも（二〇〇八年以前のことにすぎない）、自分たちの生活に存在しているこのツールの「新しさ」を認識している。テレビが世の中に出回ったときに生きていた人のほうが、テレビの影響をよくわかっているのと同じだ。

現在成長している世代は、スマートフォンの存在に新しさを感じない最初の世代だ。それはたいへんなことだ。この世代のテクノロジーに関する価値観は、もっとまえの世代と違っていくだろう。なぜなら、彼らが生まれたとき、スマートフォンはすでにどこにでも存在していたからだ。

僕の三歳の息子にしてみれば、電気自動車が充電しているところを目にするのも、普通のことだ。けれども四〇歳の父親にしてみれば、その光景は新しい。僕が経験してきた人生の最初の九〇パーセントに、電気自動車は存在していなかった。ありがたいことに、息子の人生には、存在しつづけるだろう。

利潤最大化の世界で成長してきた僕らみんなにとっても、それは同じこと。この歌は永遠に流れつづけるように思えるけれども、そうじゃない。僕らがパーティに参加したとき、物事がそうなっていただけのことだ。

価値観を次世代に伝えていくことは、「継続的なプロセスだ」とマンハイムは書いている。継続的というのは、必ずしも調和しているという意味ではないけれども、変化が緩やかに進む傾向であることを意味している。消毒の手法がいい例だ。

ジョゼフ・リスターが傷口を消毒するという考えを提唱したとき、それは、細菌説というもうひとつの新しい科学にもとづく新たな主張となった。この説には敵意が向けられた。すでに活動していた外科医にしてみれば、この新しい手法にしたがうということは、一種の自己否定を必要とするので、多くの医師がそうしたがらなかった。おそらく、僕らだってそうだろう。けれども、リスターの提唱が行なわれたころに研修を受けていた医師や科学者の卵らにしてみれば、消毒の手法は受けいれやすかった。彼らは個人的に批判されている気にもならずにその手法を使い、受けいれた結果、その手法がいかにまっとうなものかを目にした。消毒の手法を受けいれるのに、自分たちの信念の深い部分を配線しなおす必要もなかったし、自分たちの評判が危機にさらされることもなかった。

リスターが《ランセット》で研究の結果が有望だったと発表したあとでさえ、迅速には導入されず、むしろ議論が起こった。リスターが暮らし、診療を行なっていたグラスゴーでさえ、外科手術後の死亡率の減少は緩やかだった。それでも、リスターの手法は批判者たちより長生きした。[6]

三〇年もたてば古い世代の外科医は亡くなったり、引退したり、時代遅れの考えのせいで社会から取り残されたりして影響力が衰えた。消毒の手法という科学を受けいれた若い世代は、自分たちのやり方で診療をした。門番が代わり、転換が起こった。消毒の手法は科学として受けいれられ、多数派の考えになったが、そこにたどりつくのに約三〇年かかった。

重大な変化がうまくいくとしても――外科手術後の死亡率の劇的な改善と同じくらい必然的なものであってさえ――その変化がニューノーマルになるには時間がかかる。新しい概念は、懐疑論者に対して自らを証明しなければならないし、懐疑論者より長く残らねばならない。そうすれば、新しい概念は標準的な概念になる。[7]

エクササイズ

一九六〇年、米国の将来の大統領がアメリカは肥満大国だと非難した。それはツイッターでつぶやきはじめる前のトランプではない。大統領選で勝利したあとのジョン・F・ケネディが、《スポーツ・イラストレイテッド》で"The Soft American"（軟弱なアメリカ人）という論評を発表したのだ。[8]

ケネディの指摘によると、一九五一年にイェール大学の新入生で基本的な体力テストに合格したのは、五一パーセントだった。しかし、一九六〇年の合格者はたった三五パーセントだったという。アメリカの活発な若者たちにいったい何が起こったのだろうか。

答えはこの一語に尽きる――テレビだ。

一九五〇年に米国に普及していたテレビの台数は、三〇〇万台だった。ところが一〇年後には、五〇〇〇万台以上になっていた。それとともに、おびただしい数のカウチポテト族〔ソファに寝そべってテレビばかり見ている人をさした言葉〕が増え、そこに余分な肉もついてきたのだ。生活は穏やかになった。良き時代は、心地良くなりすぎた。

この変化をケネディはかなり憂慮し、エクササイズによる健康増進を国の優先事項にした。国の指針を作り、これに関する大統領委員会を創設し、軍隊にさえ軍としての能力を示すために、（のちに、ケネディ・ハイクと呼ばれるようになる）二〇時間五〇マイル（約80キロメートル）の行進を課題として与えた。

ケネディは大統領の演壇から、アメリカに新しい国の優先事項と娯楽を与えた――つまり、エクササイズを。奇妙に聞こえるだろうけれど、これは新しい概念だった。

「一九四〇年代から一九五〇年代ごろまで、人びとは栄養や体力づくりやシェイプアップに日ごろ関心を寄せておらず、それらは一般的な興味の対象ではなかった」と書いているのは、ボディビルダーとして初めて「ミスター・カリフォルニア」というタイトルを獲得したハロルド・ジンキンだ。ジンキンはマッスル・ビーチとエクササイズ史に名を残した。[9] ジンキンによると、ケネディが一九六〇年に行なったエクササイズへの呼びかけは「当時でさえ革命的と感じられた」。こう語っているのは、実際にトレーニングしていた数少ない人びとのひとりなのだ。

当時、負荷の高い運動は危険で健康に悪いとみなされていた。

「医師は、重量を持ちあげたりしたら健康を害すると人びとに話し、ウエイトリフティングをしないようにと警告した」とアーノルド・シュワルツェネッガーは一九六〇年代のウエイトリフティング事情を書いている。[10]「プロのアスリートでさえ、ジムを避ける人がいた。ウエイトリフティングは筋肉を硬直させて動きが悪くなるという伝説のせいだ」

一九六〇年代に運動のために外を走っている人はひじょうに珍しかったため、見かけた人は警察を呼んだ。サウスカロライナ州の人種分離主義者ストロム・サーモンドは一九六八年にランニングをしているとき、警察に逮捕された。[11]

運動として走ることが流行しはじめたのは、一九六六年に*Jogging*（ジョギング）という本によってランニングよりゆっくり走るスタイルが紹介されたあとのことだ。ジョギングは当時、ニュージーランドで紹介されたばかりだった。本の著者であるランニングコーチ、ビル・バウワーマンが自らニュージーランドでジョギングを体験した。この本は一〇〇万部売れ、バウワーマンは新しいランニングシューズをこの成長コミュニティのためにデザインし、シューズを作るためにある企業の共同創設者となった。それがナイキだ。

一九六〇年代後半、《シカゴ・トリビューン》、《サタデー・イブニング・ポスト》、《ニューヨーク・タイムズ》はそろって、人びとが楽しみや健康のために戸外を走る奇妙な現象について記事を書いている。

新しく生まれたエクササイズのトレンドはこれだけではなかった。

カリフォルニア州では、ゴールドジムという名前の新しい流行のスポットによって、ウエイトリフティングがメインストリームになっていた。このジムは一九六五年にマッスル・ビーチの初期のウエイトリフターによって開設された。このゴールドジムのチェーン店によって初めて、多数のアメリカ人が本気でエクササイズに取り組めるようになったのだ。一九七二年にジムに入会していたアメリカ人の数は一七〇万人だった。一九七〇年代の終わりには、その数は一〇倍にもなっていた。[12]

エアロビクスという新しいスタイルのエクササイズが、空軍の生理学者と理学療法士によって発明され、一九六八年に導入された。一九八〇年代には、ジェーン・フォンダに先導されたアメリカ全土の何千万もの人びとが、地下室や寝室やリビングルームなどで、ＶＨＳビデオを流しながら、エアロビクスを日課にしていた。

エクササイズは一九六〇年には革命的とされたが、三〇年後には日常の習慣になった。ケネディがエクササイズしようと呼びかけてから一世代後の一九九三年、アメリカは初めて、ジョギングを習慣にしている人を大統領に選んだ。こんにちでは六〇〇〇万人のアメリカ人がジムに所属し、二〇〇〇万人がヨガに通っていて、五〇万人が毎年マラソンを走っている。娯楽としての運動はおどろくほど短い時間でゼロから日常の習慣に成長した。

僕らはエクササイズのことを普及に成功した習慣とは考えない。いまの状況がどれほど目新しいことだったか知らないからだ。

目新しい存在から日常の存在へ

危機に対応するために変化が起きることもある。テレビの普及はエクササイズの普及を促した。リスターが消毒法を試したのは、外科手術後に人びとがばたばたと死んでいったからだ。病気がなければ、治療の必要もない。

もうひとつの好例がリサイクルだ。

使い終えたものは捨てる、という考えは二〇世紀の概念だ。パッケージや包装をしはじめたのも長い歴史の尺度でみればごく最近のことだ。二〇世紀になるまでは、廃棄が前提になっているものなどほとんどなかった。再使用するのが当然だった。

まもなく、世の中の人びとは、新しい大量消費文化によって生まれ、増加するいっぽうの大量のゴミの影響を感じはじめた。一九五三年、ポイ捨てという新しい問題に対処するために「キープ・アメリカ・ビューティフル」（アメリカを美しく保とう）キャンペーンが始まった。一九六〇年代の末――豊かな物質文化の始まりからきっかり二〇年後――には、蓄積したゴミの山が無視できない存在になっていた。

この問題を解決しようと、一九七〇年にオレゴン州が初めて近代的なリサイクル・プログラムを開始した。一九八〇年には、ニュージャージー州のウッドベリーが市として初めて、リサイクルを義務化した。ウッドベリーなどの決定がますます好ましくみえたのは、一九八〇年代後半にニューヨーク市のゴミが山と積まれた荷船が海上で、引き取り手がいないまま足止めされた事件のあとだ。当時、ニューヨーク市がリサイクルしていたのは、ゴミのわずか一パーセントだった。危機の瞬間がやってきた。

一九九〇年代から二〇〇〇年代初頭にかけて、多くの自治体でリサイクルが義務化されていき（とはいえ、だんだんわかってきたとおり、多くの自治体が問題の多いシングル・ストリーム方式だった）、それがビジネスのひとつの分野となり、日常の家事のひとつになった。こんにちリサイクルをしているアメリカ人の半数は、リサイクルの習慣がなかった世代よりあとの世代だ（そして、基本的には誰もが二世代まえ、大量消費時代が訪れるまえと同じことをしている）。

オーガニック食品の話も同様だ。農薬と加工食品に対する懸念は、より質の高い食品への深い関心を生んだ。

当初のオーガニック食品は、健康食品店や独立した小売店を介して流通していた（いまでもはっきり覚えているが、一九八〇年代に母と僕は地元の小さな健康食品店へよく出かけた）。二〇〇〇年に食品医薬品局（ＦＤＡ）がオーガニック食品を定義する基準を設定していらい、ずいぶん一般的になった。

こんにち、オーガニック食品は一般によくみられ、広く利用できるようになった。アメリカ人の三分の一が意図的にその食品を求めて買い物をする。ウォルマートにはオーガニック食品売場のセクションがある。

リサイクル、オーガニック食品、エクササイズは以前は一般的でなかったかもしれないが、いまは一般に普及している。三〇年のうちに、それぞれが新しいアイデアから新しい標準になった。しかもそれらはまだ成長を終えたわけではない。

変化はつねに進歩とはかぎらない

このような傾向はいい兆候に思えるけれど、僕らは慎重に変化を評価すべきでもある。新しいものは、改良されたいいものにちがいないと思いこみがちだ。新たな技術は進歩を意味する。数十億ドルかけた広告キャンペーンが僕らにまちがった印象を植えつける。

新しいものがよりいいもので、技術が進歩を生むことはある。けれども、それは自動的についてくるわけじゃない。ときには、ソローが『ウォールデン――森の生活』で述べているとおり、

「改善が改善された結果にならない」こともある。

ボトル入りの水に年間数十億ドルを費やしているいっぽうで、脱工業化した歴史のなかでできれいで無料でいつでも利用できる水は、ちっとも飲まれなくなったことを考えてみよう。

水道水の質が高くなるにつれて、僕らはその水を飲まなくなった。ボトル入りの水の販売によって、僕らは水道水が低水準で時代遅れのもののように考えるようになった。「われわれがこれをなしとげたあとは、水道水はシャワーと食器洗い用の水になり下がる」と、ある飲料会社の役員が二〇〇〇年に述べている。[13]

一九八〇年代にボトルに詰められて売られるまでは公共の資源だった水は、三〇年後、アメリカでもっとも売れている飲料になった。ボトル入りの水の売上が一年につき一〇パーセント伸びているいっぽうで、水道から流れでる無料の水はますます使われなくなり、利用しにくくなった。

水の商業化と同時に起こったのが、公共の噴水式水飲み器の消滅だ。これは数世紀のあいだ公共生活の頼みの綱だった。消滅はあまりに明白だっただけに、二〇一八年にロンドンで新たな飲用給水器が二〇台設置されるという発表は、うんざりするほどニュースに取りあげられた[14]〔飲用給水器の設置はペットボトルを減らすために始められた〕。

変化はいつも進歩とはかぎらないのと同じく、進歩は必然でもないということを肝に銘じておかねばならない。進歩は努力あってこそだ。

エクササイズやリサイクル、オーガニック食品の普及についてここまで簡単にみてきたが、この概観でこれらの変化が自然で必然的なものという印象を与えたかもしれない。けれども、これらはひとりでに発生したのではない。それは当てはまらない。

これらの変化が起こったのは、変化を起こそうと人びとが懸命に働きかけたからだ。人びとは新しい考え方を提唱し、まず自身の生活で実践してみて、徐々にそれを他者へと広げていった。それらの考えは、支持してくれるコミュニティや組織的なパートナーに見いだされ、メインストリームの舞台に上がる手助けを受けた。

世界が特定の方向へ変わるためには、人びとが変化を起こさねばならない。新たなアイデアが価値を創造し、ほかの人を味方に引き入れられるなら、変化が起こる可能性はある。けれども、この結果が保証されていると思ったら大まちがいだ。

二〇五〇年

と、ここまで来たところで、もう一度二〇五〇年に話を戻す。

この本の最初に、二〇五〇年に僕らはどうなっているだろうか、と尋ねた。これはただ切りのいい数字を出してきたわけじゃない。いまから約三〇年さきだからだ。いまこの瞬間から一世代さきのことだからだ。

三〇年。エクササイズやオーガニック食品やリサイクル、スリーポイント・シュート、消毒法を使った手術、インターネット。その他気づいていない多くの生活必需品や習慣が、この年月をかけて、目新しいアイデアから日常の当たり前の存在になった。三〇年後にはさらに、さまざまなものが変化している可能性がある。ベントー主義者のムーブメントが成長しつづけたとしたら、いまから三〇年後の二〇五〇年には、価値に対する考え方に重大な変化が起こっていると期待してもいいかもしれない。けれども、変化の性質について現実的に考える必要もある。

変化は一夜にして起こるわけではない。変化は徐々に強まるものだ。多くが長い時間をかけて変化し、結果はなかなか現れない。[15]

変化は短距離走ではない。マラソンだ。なおかつリレーでもある。各自または各世代が長いレースの一区間を走る。ゴールのテープは僕らが生きているあいだに現れないかもしれない。だからといって、落胆する必要はない。僕らがすべきは単純な計算だ。変化は不可能ではない。けれどもとにかく時間がかかる。どれほど懸命に練習しても、完璧な逆立ちは一日にしてならず、なのだ。

それでも、いったん変化が起こりはじめたら、一気に加速することはある。変化は感染性だ。変化は複利を生む。一部の人が変わることでさらに多くの人が変わる。ムーブメントが高まっていくと、ふいに一夜にして新たなアイデアが受けいれられたみたいに思えることもある。三〇年のタイムラインは充分長いので、なんだって起こりうる。

あなたが変わらねばならないときは、変化がどれほど困難かも認識しておくべきだ。細菌説を知らない医師たちのことを笑ったかもしれないが、自分が考えだした変化でないかぎり、変化を受けいれたがる人は多くない。自尊心をなだめるのは簡単なことじゃないからだ。

だからこそ、気候変動に取り組むための重大な変化は、温暖化危機にあまり責任のない世代にならなければ起こらないのだろう。自分がしでかしたことより、誰かほかの人が起こした問題を解決するほうが簡単なのだ。歴史という圧倒的な力のなかでさえ、人の性(さが)が大きな役割を果たす。

世代の適合

一九八三年にSF作家のレジェンド、アイザック・アシモフは、二〇一九年はどんなふうになっているかと思うかと尋ねられた。当時からすれば、およそ三五年さきのことだ。[16]

さまざまな予測をしたなかでも、とくにアシモフは、オートメーションと、その結果生じる職場と社会の構造の変化によって失業が増えると予想した。産業革命のころよりも、課題はますます大きくなり、さらにむずかしくなるだろうとも述べた。

だがまもなく、これも変化するだろうとアシモフは語った。「移行期の世代が死に絶え、新たな世代が成長し、新しい世界へ向けた教育を受ける。そのころの社会は、程度の差こそあれ、いまの状況よりも永遠に良くなりつづけるフェーズに突入している可能性が高い」

ときにはひとつの世代とひとつの瞬間がぴったりはまることがある。自分たちの時代の課題を自分たちで引き受ける世代だ。たとえば、第二次世界大戦を戦った世代は〝もっとも偉大な世代〟と称えられる。危機の瞬間に、ひとつの世代を構成する世界じゅうの一般大衆が社会の価値のために立ちあがろうと準備を整えていた。

アシモフは、僕らの「新しい世界」への転換という課題と、ちょうどいま現れつつある世代とのあいだに、同様の適合があると予測しているように思える。アシモフが予測したとおり、これから起こる瞬間が、すべてが変わる瞬間になるかもしれない。

第10章　社会的価値最大化層

歴史上で、大きな経済成長を生みだした人物としてジョン・メイナード・ケインズほど功績を称えられている人はほかにいない。イギリスの経済学者として、マクロ経済学を確立し、グローバル経済で重要な役割を果たした。世界大恐慌のときには、各国の政府をうまく説得して、国の財源を使った雇用やその他の社会的な支援形態を引きだした。もしかすると、ポッドキャストなどで以前に「ケインズ経済学」と誰かが口にするのを聞いたことがあるかもしれない。それがこのケインズだ。

ケインズは資本主義を強く擁護していた。一九三〇年の論文「孫の世代の経済的可能性」（『ケインズ説得論集』山岡洋一訳、日経ビジネス人文庫、二〇二一年所収）で、ケインズは紀元前二〇〇〇年から紀元一七〇〇年（別名瀉血時代）まで、世界は経済成長も技術的な発展もほとんどなかったと指摘している。ケインズの推定によれば、その何千年ものあいだ、生活はせいぜい一パーセントほど改善されたにすぎなかった。

ところが、とケインズは書いている。ふいに変化が始まった。一六世紀にスペインが大西洋の向こうに船を送りこんだとき、発見したのは新世界だけではなかった。資本主義と呼ばれるようになる不思議なものも発見されたのだ。新世界遠征への投資は、大きな財政的リターンをもたらした。それによってさらなる遠征へ向けた投資が行なわれ、またもや大きなリターンがあり、とそれがどんどん続いた。これは、人類が資本の再投資と複利という二重のパワーを発見したひらめき（ユリーカ）の瞬間だった。

ひとつはっきりさせておくと、これらの遠征で行なわれた取引は単純で無害な単なる交易ではなかった。たしかに取引にはちがいなかったが、搾取と大量虐殺もあったし、数えきれないほどの生活様式の破壊もあった。財政的なリターンとともに、資本主義のもっとも醜悪な部分が最初から存在したのだ。

資本主義にあらゆる情熱を注ぎ、ケインズはその限界も目にしていた。さきほどの論文で次のように書いている。

「富の蓄積がもはや社会的に重要でなくなったとき、倫理的な規範が大きく変化するだろう。私たちは、二〇〇年ものあいだ悪夢のように苦しめられてきた多くのエセ道義から解放される。このエセ道義によって、私たちはもっとも不快な人間の性質を最高の美徳という地位に高めてきたのだ。だが金銭的な動機を本当の価値で評価する余裕ができる。所有物としてのお金への愛が――生活を楽しみ、生活を実現するためのツールとしてのお金を愛することとは一線を画して――胸の悪くなるような病的なものとして認識されるだろう」

こう書いておきながら、ケインズはそれについて何かすべきという提唱は行なっていない。まだときが満ちていないからだ。

「だが、心しておきたまえ。このようなさまざまな変化が起きるときはまだ来ていない。少なくともあと一〇〇年のあいだ、われわれは自分自身やほかのあらゆる人びとに対し、公正は不正であり、不正は公正だというふりをしなければならない。不正は便利だが、公正はそうではない。もうしばらくのあいだ、貪欲と強欲と警戒心を神として崇めねばならない。これらを崇めるしか、経済的な必要性というトンネルを抜けて日の光を浴びることはできないのだ[1]」

ケインズによれば、経済成長を継続させるために、人びとは強欲や嫉妬心やその他の「不正な」感情を「少なくともあと一〇〇年のあいだ」良いものであるふりを続けねばならない。一〇〇年後には、富が充分に蓄積され、不誠実は置き去りにできるだろう。そうケインズは考えた。

ケインズがこの文章を書いたのは一九三〇年だ。つまり、僕らはそこからだいたい一〇〇年後の時代にいることになる。一世紀のあいだ人びとは「公正は不正であり、不正は公正だ」というふりをしてきたのち、ケインズのいう「神」にすっかり圧倒されてしまった。

とはいえ、お金の支配が永遠に続くわけではない。ケインズでさえ、そうは考えていなかった。いまがちょうど、マクロ経済学を考案した人物が「経済的な必要性というトンネルを抜けて日の光を浴び」れるだろうと予測した瞬間なのだ。

その瞬間を味わうのは、僕らなのだ。

選ばれなかった道

ケインズの論評が発表されてから何十年ものあいだ、貪欲と強欲と警戒心は繁栄をもたらした。

一九四六年から一九七三年まで、アメリカの労働者は史上最大の賃金上昇期を経験した。賃金の中央値は九一パーセント上昇し、平均的な家族の実収入は二倍以上になった。アメリカは未来のインフラを構築し、とりわけ重要なことに、ミドルクラスが成長した。しかも、人びとの労働時間が減り、初めて自由裁量所得を得た。このゴールは全員の繁栄で、誰もが同じ船に乗っていた。

　そしてその後、利潤最大化がハンドルを握った。

利潤最大化という考えのもと、全員の広範な繁栄というゴールは姿を消した。そのかわりに重要なのは自分の繁栄になった。国のデフォルトが、ミドルクラスの繁栄（《現在の自分たち》と《未来の自分たち》の繁栄）から利潤最大化（自分の、自分だけの繁栄）になった。

四〇年後、アメリカは世界のなかでもとくに貧富の差が大きい国になり、ミドルクラス――アメリカが好況だったころの中心的な存在――は衰退してしまった。平均的な従業員の賃金は（インフレ率で調整すると）一九七三年以降ほぼ横ばいだ。そのいっぽうで平均的なＣＥＯは、平均的な労働者の二七一倍以上もの報酬を得ている。[2]

　アメリカは実質的に二〇世紀のあいだじゅう、世界でもっとも高い生活水準を謳歌していたが、二〇一八年には一七位に落ちた。[3] 利潤最大化に支配されていらい、アメリカでは次のようなことが起こった。

・公共のサービスと公共のインフラが荒廃した。
・独占企業が競争と起業家精神を遮断している。

・政治家は公共のお金を使って大企業を支援するために法律を書き換えている。
・企業や富裕層はGDPの推定一〇パーセントを国外のタックス・ヘイブンに隠している。
・チェーン店が地元のコミュニティからお金と機会を奪っている。

アメリカが利潤最大化まえの道筋に沿って進みつづけていたら、いまごろは、次のようになっていただろう。

・平均的な労働者の賃金はさらに上がっていただろう。
・CEOや執行役員の収入は〔現状より〕少ないが、それでもやはり、地球上でもっとも高給を得ている人びとに属していただろう。
・もっとも稼いでいる人びととの税金は上がっていただろう。
・公共のサービス、インフラ、教育はさらに潤沢に資金援助されていただろう。
・リッチな人はやはりリッチなまま。だけれども、い
ま
ほど
リッチではなかっただろう。

別の言葉でいえば、現在よりも強固な市民社会が存在しただろう。利潤最大化のおかげで、これは幻想のようにみえる。でも、そうじゃない。そういう世界はかつて存在していたし、そのようなものがふたたび存在する可能性はある。

そこに到達するためには、価値観を変えねばならない。その手始めに、《現在の自分》という自己利益の向こう側を眺める方法をもう一度おさらいしてみよう。

《現在の自分》の向こう側を見るなんて、不合理だし意味がないという人もいるだろう。この世はジャングル、なんて言いだす人もいるかもしれない。必要になれば、生き残るために何でもする。誰だって自分がいちばんかわいい、と。

夏休みの大作映画で僕らはそんな物語を目にしてきたし、お気に入りのさまざまな一人称視点のシューティングゲームのなかでその役を演じてもきた。悪いやつが負けはじめたら――いつそれが起こってもおかしくない――この社会のあらゆる悪いやつが消滅していく。その瞬間、僕らは弱肉強食の世界に逆戻りしている。食うか食われるかだ。

こういう物語が広まっているけれども、これは真実ではない。極端に厳しい状況になっても、人びとはあっというまに獣のような《現在の自分》に逆戻りしたりしない。現実に危機的な状況になったとき、僕らはもっと広い視点で真実を見るのだ。

三三人の「自分」

二〇一〇年八月五日、チリのアタカマ砂漠の地下深くでとつぜん、数十万トンの岩盤が崩落した。[4]

落ちてきたおびただしい数の岩の下に閉じこめられたのは、三三人の男たちだった。地中深くでレアメタルをはじめとする鉱物を採掘するために雇われた鉱山労働者たちだ。

男たちは窮地に陥っていた。外界と通信する手段がなかったからだ。地上の人びとには、男たちがいったいどこにいるのか正確な場所がわからなかった。閉じ込められた男たちには、一〇人が二日生き延びられるだけの食物と水しかなかった。これぞまさに、真の囚人のジレンマだ。では《現在の自分》はどうやって問題を解決したのだろうか。ジャングルの掟が出現し、乏しい飲み物や食べ物をめぐって争いが起こり、強者が弱者を殺しただろうか。

そんなことは起こらなかった。男たちが互いに攻撃しあうことはなかった。彼らは組織化した。すぐにそうなったわけではない。一日目は、多くが死に物狂いで出口を探した。けれども窮状を理解したあと、数人のリーダーが生まれた。男たちは協力して秩序と仕組みと目標を作ったのだ。作業も割り当てられた。民主的な投票で飲み物や食料を配る方法を決めた。電灯を使って昼と夜の時間を模した。打ちのめされたときには互いに励ましあった。毎日、お祈りから一日を始めた。

男たちは三三人の《自分》ではなく、《自分たち》だった。

外の世界と連絡が途絶えたまま、想像を絶する恐ろしい二週間以上ものあいだ、こんなふうにして三三人は生きていた。発見されるかどうかもわからない状態だったのに、男たちは秩序を守り、協力しあってどうにか生きつづけたのだ。それこそが、生き残るために必要なことだった。一六日目になるころには、食料の配給はほんのわずかになっていた。三日ごとに一口分の食べ物しか得られなかった。それでも、男たちは持ちこたえた。

そしてその後、奇跡が起こった。一七日目、一本のドリルが壁を突き破った。発見されたのだ。それから五二日後、三三人全員が無事に生還を果たした。

閉じ込められた者たちが、囚人のジレンマのように《現在の自分》の視点でこの苦境に取り組んでいたら、全員とは言わないまでも多くが亡くなっていただろう。誰もが自分勝手にしていたら、悲惨な結末を迎えていただろう。男たちは真実を認識していたからこそ生き延びた——生きようが死のうが一丸になること。三三人の《自分》ではなく《自分たち》になることで、生きる道を見つけたのだ。[5]

ベントーイズム

坑道内に閉じこめられていないからといって、窮地に陥っていないとはかぎらない。利潤最大化に抑えつけられて、僕らは身動きが取れないでいる。限られた視点に縛られている。

では、どうすれば、この縛りから解放されるのだろうか。それは、この世の中が実際はどれほど大きいかを知ればいいのだ。

こうじゃなくて、

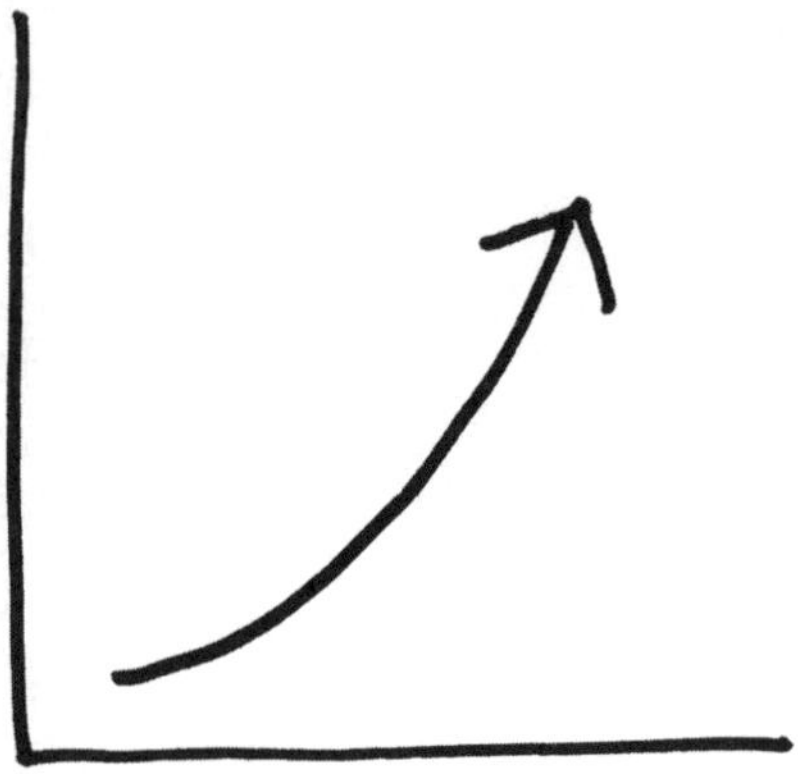

こうだ。

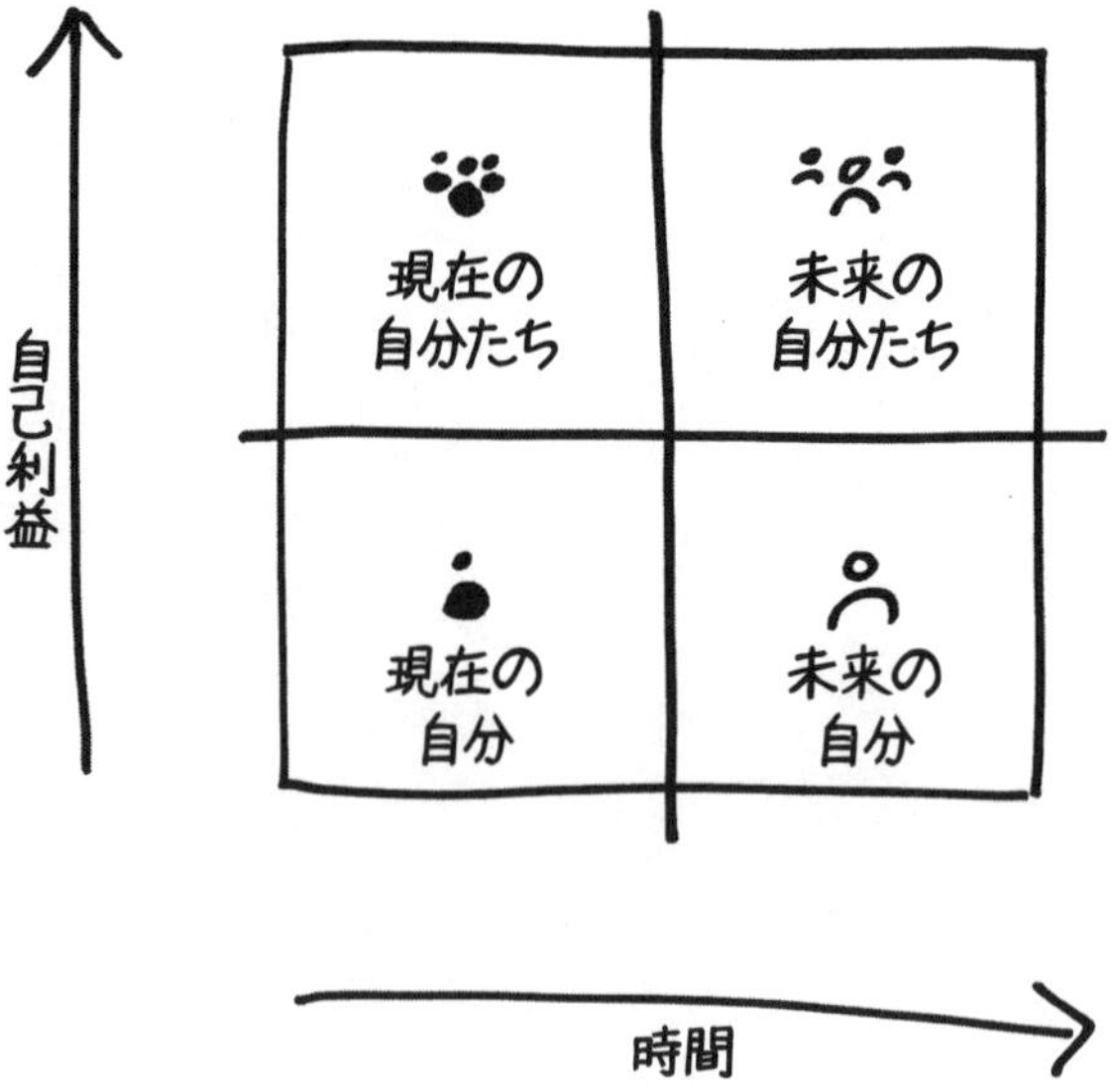

こんなふうに価値を見る方法が当たり前になったら、何が起こるだろうか。《未来の自分たち》と《現在の自分たち》のニーズの検討が一般に受けいれられるようになったら、どうなるだろうか。さらに多くの企業がパタゴニアのように、すでに存在する製品を修理し、再使用を奨励

するようになるのではないだろうか？　多くの自動車製造会社が、温暖化危機の解決策を積極的に探しはじめるのではないだろうか？　それがたとえ、自社の短期的な利益を損なうことになっても。ＣＥＯらは喜んで自分たちの報酬を減らして、労働者の賃金を増やすのではないだろうか？　僕らは自分たちの経済的なニーズを満足させられるし、同時に自分が大事にしている価値観を優先できるようになるのでは？　アデルみたいに？

イエス、いま書いたすべての問いにイエスと言えるだけじゃない。それ以上のことが起こる。人類は経済的な成長を求めて何を生みだしたのかみてみよう。想像してみよう。僕らの能力と価値への幅広い理解を組み合わせたとき、何を果たせるかを。ただ価値の争奪をめざすのではなく、価値の創造をめざす世界。みんながもっと自分らしい人生を生きられる世界。

どうすれば、そんな世の中が生まれるのだろうか。

ステップ1――個人的なベントーイズム

自分の価値観がどういうものか、スラスラ言える人はそれほど多くない。経済的な安定を手にいれるのに忙しすぎて（その願いがいつのまにか、もっと裕福になりたいという望みに変わっていることもあって）、意義深い人生哲学を探す暇がない。そんな時間がある人などいるだろうか。この状態をどうやって変えればいいのだろうか。どうすれば、自分自身の価値観を見つけられるだろうか。

まずは、何も書かれていない紙を用意しよう。[6]

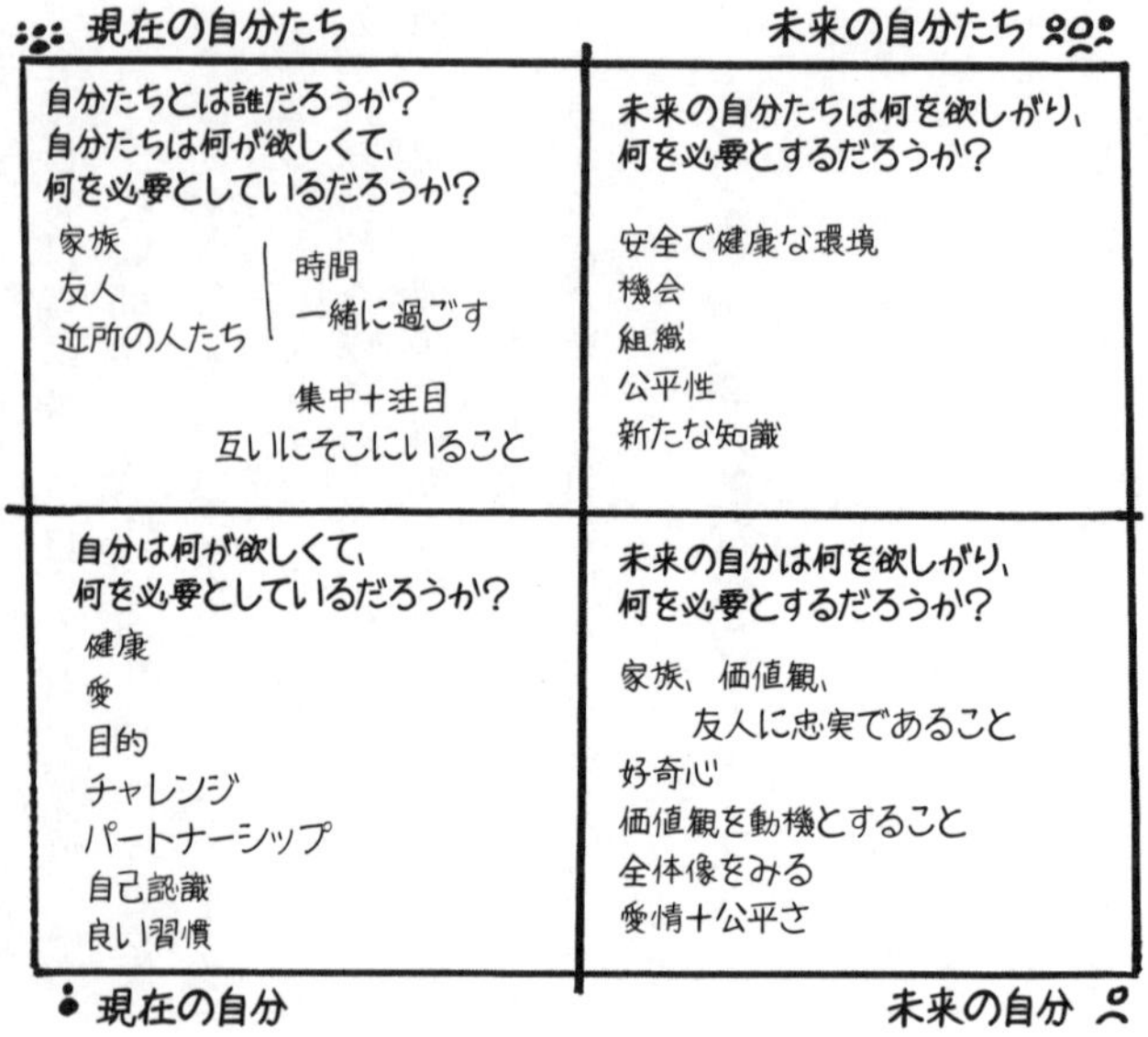

現在の自分たち	未来の自分たち
自分たちとは誰だろうか？ 自分たちは何が欲しくて、 何を必要としているだろうか？ 家族 友人 近所の人たち 時間 一緒に過ごす 集中＋注目 互いにそこにいること	未来の自分たちは何を欲しがり、 何を必要とするだろうか？ 安全で健康な環境 機会 組織 公平性 新たな知識
自分は何が欲しくて、 何を必要としているだろうか？ 健康 愛 目的 チャレンジ パートナーシップ 自己認識 良い習慣	未来の自分は何を欲しがり、 何を必要とするだろうか？ 家族、価値観、 友人に忠実であること 好奇心 価値観を動機とすること 全体像をみる 愛情＋公平さ
現在の自分	未来の自分

こうやって僕はベントーイズムを始めた。一枚の紙に、僕は弁当箱みたいなボックスを四つ描いた。それぞれのボックスのなかに、何が重要かについて核心に迫る質問を書いた。そして、その横に各ボックスの中心になる価値観も書いた。

質問は直球だ——自分は何が欲しくて、何を必要としているだろうか？　未来の自分は何を欲しがり、何を必要とするだろうか？　自分たちは何が欲しくて、何を必要としているだろうか？　未来の自分たちは何を欲しがり、何を必要とするだろうか？

考える時間は五分と決めて、この質問にブレインストーム式に自由に答えていった。あまり考えすぎないようにした。頭に浮かんだことをなんでも書きつけた。それが上の図だ。

さらに時間をかけて、書きだしたもの

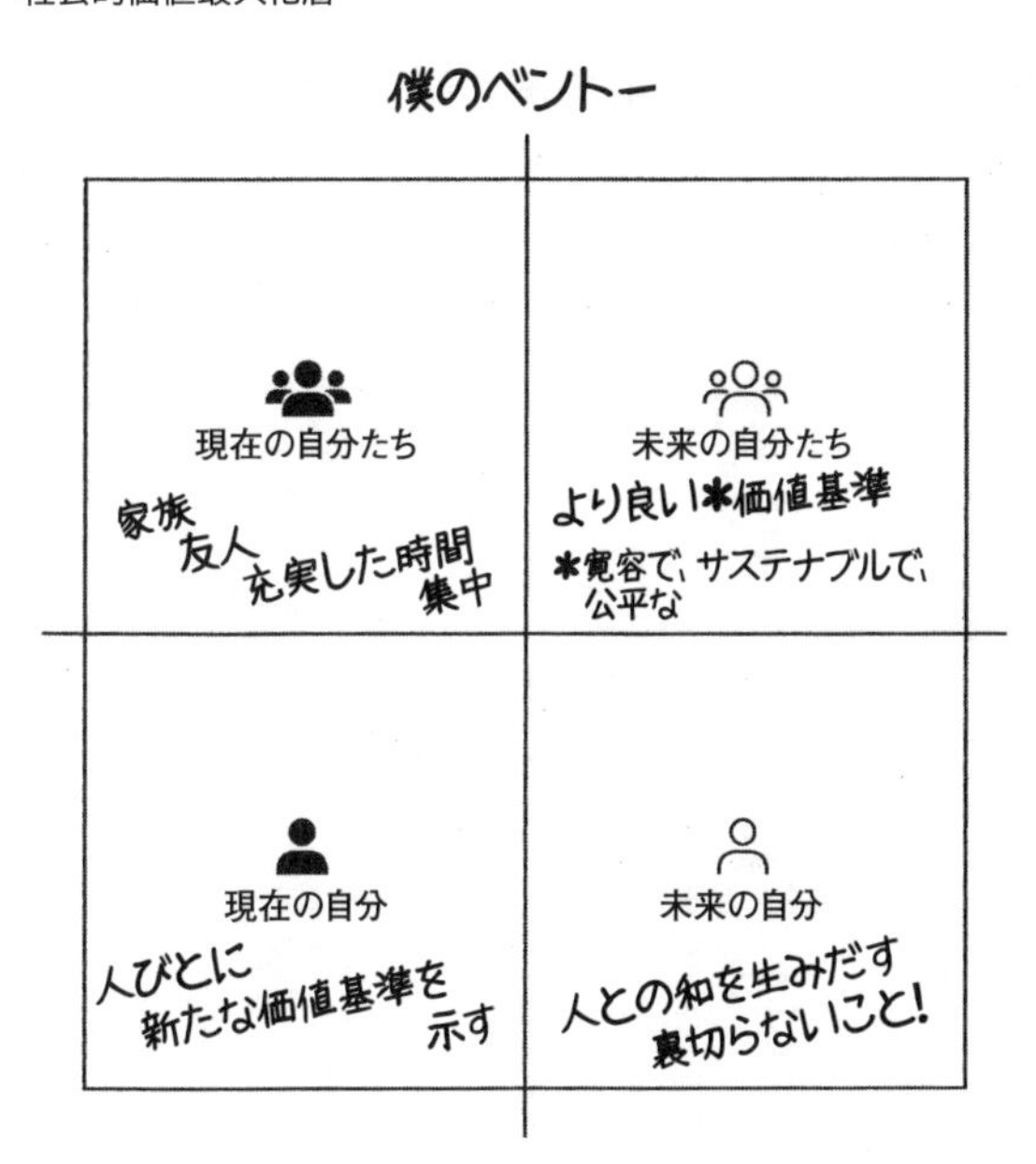

のなかで、似ているものや似たテーマを探した。それらのアイデアに共通した特徴や価値観、モチベーションはなんだろうか。何度かそれを繰り返したあと、僕のベントーボックスは上の図のようになった。

僕は何にモチベーションを感じているのだろうか。目標はなんだろうか。僕のベントーによって、それらがわかった。これが僕の価値観だ。僕を駆り立てるものだ。僕という人間の本質だ。初めてこれを見たときは、感動的でもあったし、自分がむき出しになった気もした。これが真実だと感じた。

自分のベントーを設定してみたあと、僕はこの図に問いかけはじめた。まずは日常的な問題から始めた。ここに、僕が実際にベントーに問いかけた質問とその答えを記しておく（次ページの図）。

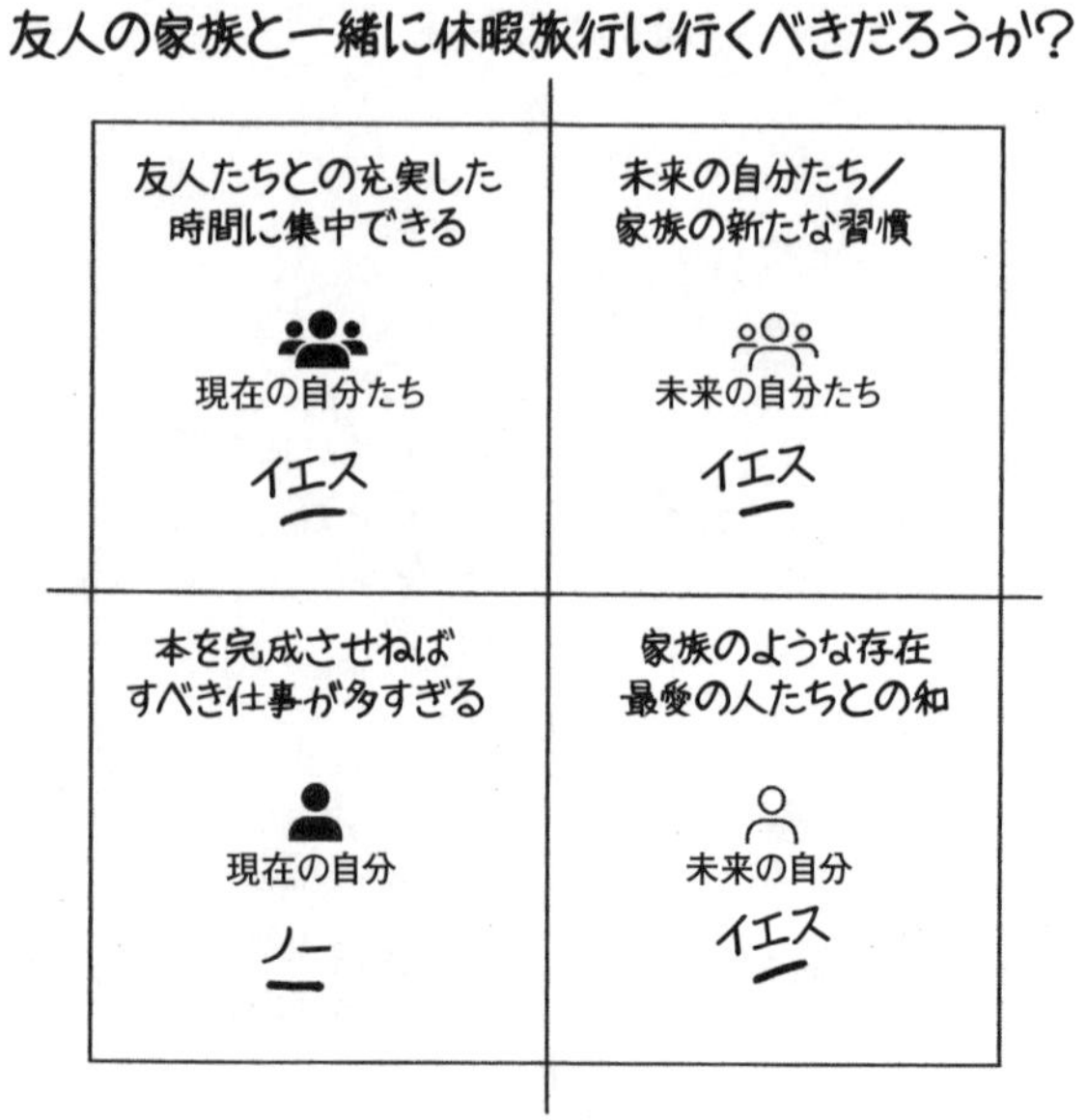

友人の家族と一緒に休暇旅行に行くべきだろうか？

友人たちとの充実した時間に集中できる 現在の自分たち イエス	未来の自分たち／家族の新たな習慣 未来の自分たち イエス
本を完成させねばすべき仕事が多すぎる 現在の自分 ノー	家族のような存在最愛の人たちとの和 未来の自分 イエス

《現在の自分たち》、《未来の自分たち》、《未来の自分》はイエスだった。仲のいい友人と休暇旅行に出かけたら、きっと充実した時間を過ごせるし、家族ぐるみの旅行が新たな習慣になるだろう。旅行は、これらのボックスとたやすく一致した。

けれども《現在の自分》はノーだった。この本の締め切りがあって、その期日を守りたかった。三つのボックスはイエスだったが、ひとつがノーと言っているので、僕らは休暇旅行に行かなかった。

もっとむずかしい例をやってみよう。

僕が生計を立てている仕事のひとつに講演がある。組織や学校や何かのイベントなどに招待されて、聴衆に僕の考えを聞かせて、お金をもらっている。けれどもときどき、話をしてくれと依頼される企業のなかには、僕を落ち着かない気分

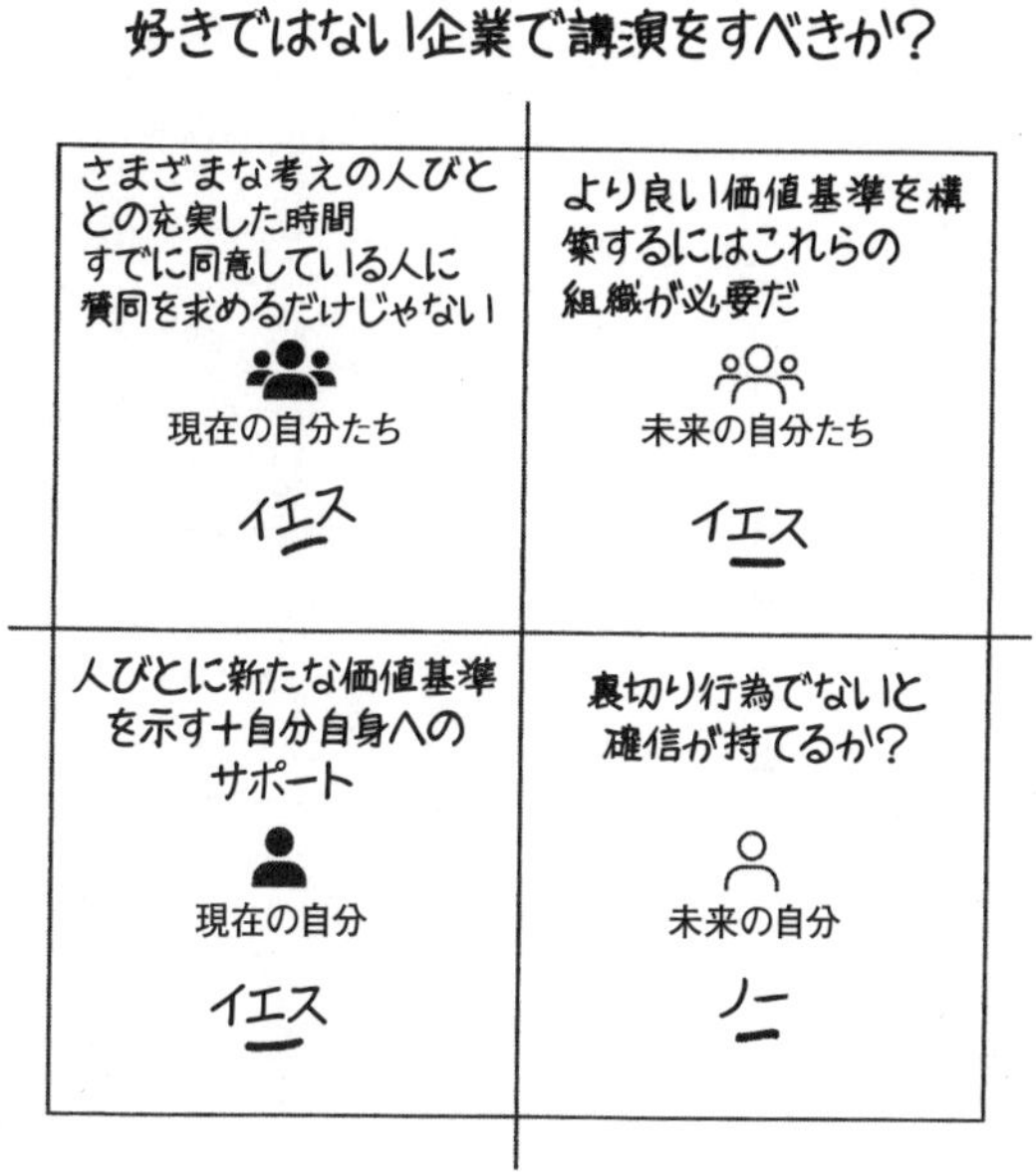

好きではない企業で講演をすべきか？

さまざまな考えの人びととの充実した時間
すでに同意している人に賛同を求めるだけじゃない
現在の自分たち
イエス

より良い価値基準を構築するにはこれらの組織が必要だ
未来の自分たち
イエス

人びとに新たな価値基準を示す＋自分自身へのサポート
現在の自分
イエス

裏切り行為でないと確信が持てるか？
未来の自分
ノー

にさせる職種の企業がある。広告代理店や金融サービス会社、その他、自分の価値観に合わない可能性があると感じる企業だ。

　このような企業や団体からの依頼に対する直感は（本能も）、断れと言っている。裏切り行為のように思えるから、やりたくない。けれどもそのとき、僕はこの問題をベントーに託してみた（上の図）。

《現在の自分》はやれと言う。講演をすれば、経済的な安定が得られるし、人びとに新たな価値基準を示すという目的もかなう。ベントーは示す相手がどういう人であるべきかは問うていない。

《現在の自分たち》はやれと言う。すでに同意している人に賛同を求めるだけのつもりなのか。もしかすると、もっとも話をしにくい場所こそ、僕の声がもっとも重要になるし、もっとも学びの多い場所であるかもしれない。《未来の自分たち》は、世界が利潤最大化から転換していくのなら、この分野こそ進化していかねばならないと言う。ひとつの機会であり責務として、これらの分野の人びとと直接話すチャンスとみなすべきだ。

ところが《未来の自分》はやはりノーと言う。この講演で生まれる金銭的な見返りを懸念して、僕の心構えに疑問を投げかけ、足元に気を付けろと語りかけてくる。これは、過去にもこのような判断に思い悩んだとき、僕にしつこくささやきかけてきた声だ。けれどもいまは、この声を《未来の自分》のコンテクストに組みこめるし、この声がそこにあることがありがたい。これは僕の価値観を見張る用心棒みたいな存在で、背後に目を光らせてくれる。《未来の自分》にノーと言われて、僕はときおり講演依頼を断るけれども、以前より寛容になった。ベントーイズム的視点からみることで、人生のこの部分についての考え方が変わったのだ。

■■■

自分の価値観をさらに突き詰めてみると、選択のなかでも選ぶのがむずかしいものがある理由を、ベントーが明らかにしてくれる。では、実行がひどくむずかしいものについて考えてみよう。たとえば、禁煙だ。禁煙すべきかどうかという質問を投げかけたときの、喫煙者のベントーを想像してみよう（左ページの図）。

喫煙者は煙草が身体に悪いとわかっている。長い目でみれば、禁煙するほうが自分にとってい

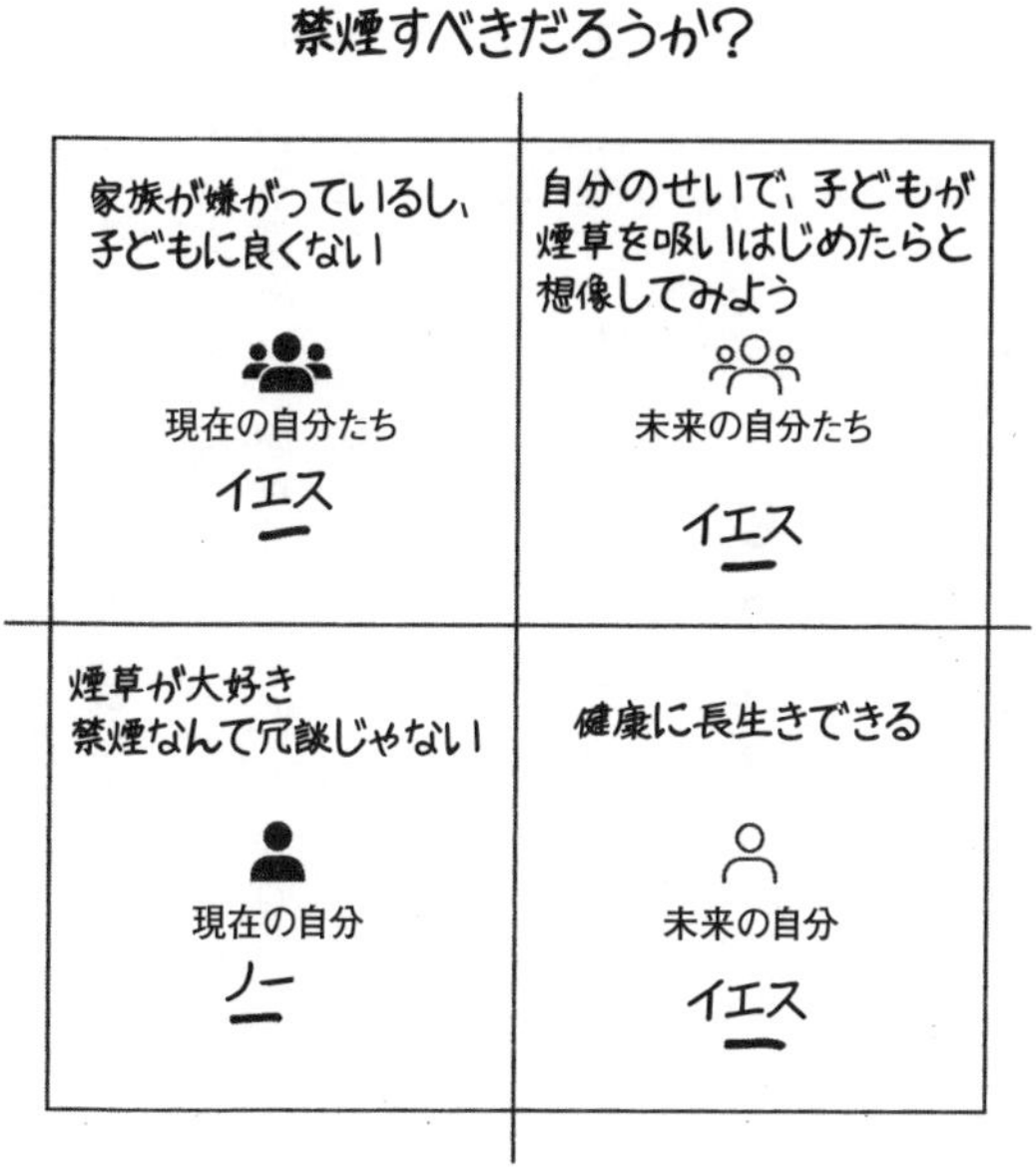

禁煙すべきだろうか？

家族が嫌がっているし、子どもに良くない 現在の自分たち イエス	自分のせいで、子どもが煙草を吸いはじめたらと想像してみよう 未来の自分たち イエス
煙草が大好き 禁煙なんて冗談じゃない 現在の自分 ノー	健康に長生きできる 未来の自分 イエス

いのだと知っている。愛する人びとのためにもいいと知っている。それでも《現在の自分》は楽しみを求め、それに依存し、やめたくないと言うのだ。

ここで重要なのは、《現在の自分》に理性がないわけではないと認識することだ。ニコチンに依存しているので、禁煙は地獄の苦しみだ。ほかに選択肢があるなら、誰がそんな経験をする選択肢を選ぶだろうか。だからこそ《現在の自分》の声は、これほど頑固なのだ。それにときおり、限定的だけれど合理的なこの視点に立つほうが、有効な場合もある。利潤最大化と同じく。

《現在の自分》の声を変えるには外部からの助けが必要な場合が多い。この助けはポジティブなものとネガティブなものがある。たとえば、パートナーから禁煙するよう励まされたり、口の悪い医者から警告されて、すっかり怖気づいてしまったり。外部の人から話を聞くことで、刺激を受け、別の道を選ぶこともある。けれども同時に、喫煙者はすでに禁煙すべき理由を知っている。それでも《現在の自分》の声が、吸いつづけろと言うのだ。

もっと有益な戦略があれば、喫煙者の《現在の自分》が合理的に禁煙にイエスと言う現実を生みだせるはずだ。けれども、どうすればそんなことができるのだろうか。じつは喫煙するのに相当な労力が必要になるよう仕向けることで、それができる。これこそ、現代社会が効果的に実践している方策だ。煙草は良くないと非難し、高い税金を課して値段を高くし、公共エリアでの喫煙を禁止して、煙草を吸うのにかなり努力が必要な状況にした。《現在の自分たち》である社会が喫煙をやめていき——禁煙を完了すると——さらに多くの《現在の自分》も禁煙するようになった。妥当なニーズを持つ人の価値観を優先することによって、誰かの意見やふるまいが変わる可能性がずっと大きくなるのだ。

■■■■

僕がベントーを使いはじめたとき、デスクの横に紙を張りつけ、携帯電話にその写真を保管していた。これが、自分の価値観を思い出すための有形のリマインダーとして役に立つと気づいたのだ——なにしろ、雑誌の言葉で自分自身が混乱を来してしまう世の中なのだ。

このベントーの図で考える習慣は、あっというまに第二の天性となった。まもなく頭のなかで絵を描いて、心のなかで質問を問い、それぞれのベントーボックスがイエスかノーの判定を赤色か緑色のライトでくだすのを確認できるようになった。家族の問題に決断をくだすときは、妻と一緒に「ベントーはなんと言うかな」と互いに質問を出しあって、さまざまな視点から話しあった。こうすることで、何が重要かが明確になり、どの選択肢が自分たちの価値観にもっとも一致しているかを確認できるようになった。

ときには、さきほどあなたが見たように、答えを書きとめねばならないような質問もあった。こうすることによって、微妙な状況をさらに細かく理解する助けになった。おそらくベントーがノーと言うのは、質問に対する意思決定だけでなく、僕がどう予測するかにもよる。だから、四つすべてがイエスのＹ／Ｙ／Ｙ／Ｙという結果にたどりつくまでその状況を繰り返し考えつづけることもある。

これはなにも、Ｙ／Ｙ／Ｙ／Ｙという結果のときだけゴーサインを出すべきだと言っているわけじゃない。すでに示した例のとおり、僕のベントーから得た答えは、イエスとノーが入り混じっていることが多い。だからこそ、僕は最初に特定の質問をいくつか投げかけているのかもしれない。けれども、最終的にベントーの推奨にしたがわない場合でも、自分の価値観に対する認識が深まるので、さらに自分らしい選択ができて、以前よりも、自分の性質に合った生活が送れるようになった。ベントーが新しいものの見方を教えてくれたのだ。

あなたは、こんなことできやしないと思うだろうか。そんなことはない。まずは何も書いていない紙を用意してみよう。あなたにもできるはずだから。

ステップ2——組織的なベントーイズム

私生活ではベントー主義者の価値観を存分に発揮できる。それでも、利潤最大化に対抗するには、ひとりの力では充分とはいえない。だから、ベントー主義者の価値体系に同調してくれる組織が必要なのだ。

組織——とくに企業——には並外れた影響力がある。利潤最大化へ向かう推進力となるし、標準を生みだす場所でもある。価値に対するベントーイズム的アプローチへの大転換を起こすなら、企業にその方向へと導くパートナーになってもらう必要がある。

これはなかなかハードルの高い望みに聞こえるかもしれない。企業が利潤最大化以外のことに喜んで力を注ぐだろうか。その行為はここ何十年の傾向に反しているようにみえる。

たしかにそのとおりだ。けれども、ほかのどの団体よりも、一般の組織や企業は価値観を利用して期待感を設定し、決定を導くという方法を受けいれてきた。もちろん、それらの価値観に企業がどれほど誠実かという問題はある（たとえば、巨額の不正会計事件を起こしたエンロン社が核として掲げていたふたつの価値観は「一貫性」と「尊重」だった）。けれども、意思決定を行なう方法のひとつとして、自社の価値観に沿っているかどうかで判断する方法は、ほかのどこよりも企業で受けいれられている。

ＰＢＣのような企業構造が存在するおかげで、自社の価値観や信念に法的な後ろ盾を与え、複数の世代にわたってそれを継続できる機会が、企業にはある。企業は独自の立場から、未来の価値観をどうとらえるかについて、社会を導くことができる。

ベントーは、個人で使うときと同じように組織に対しても使うことができる。ひとつ違うのは、

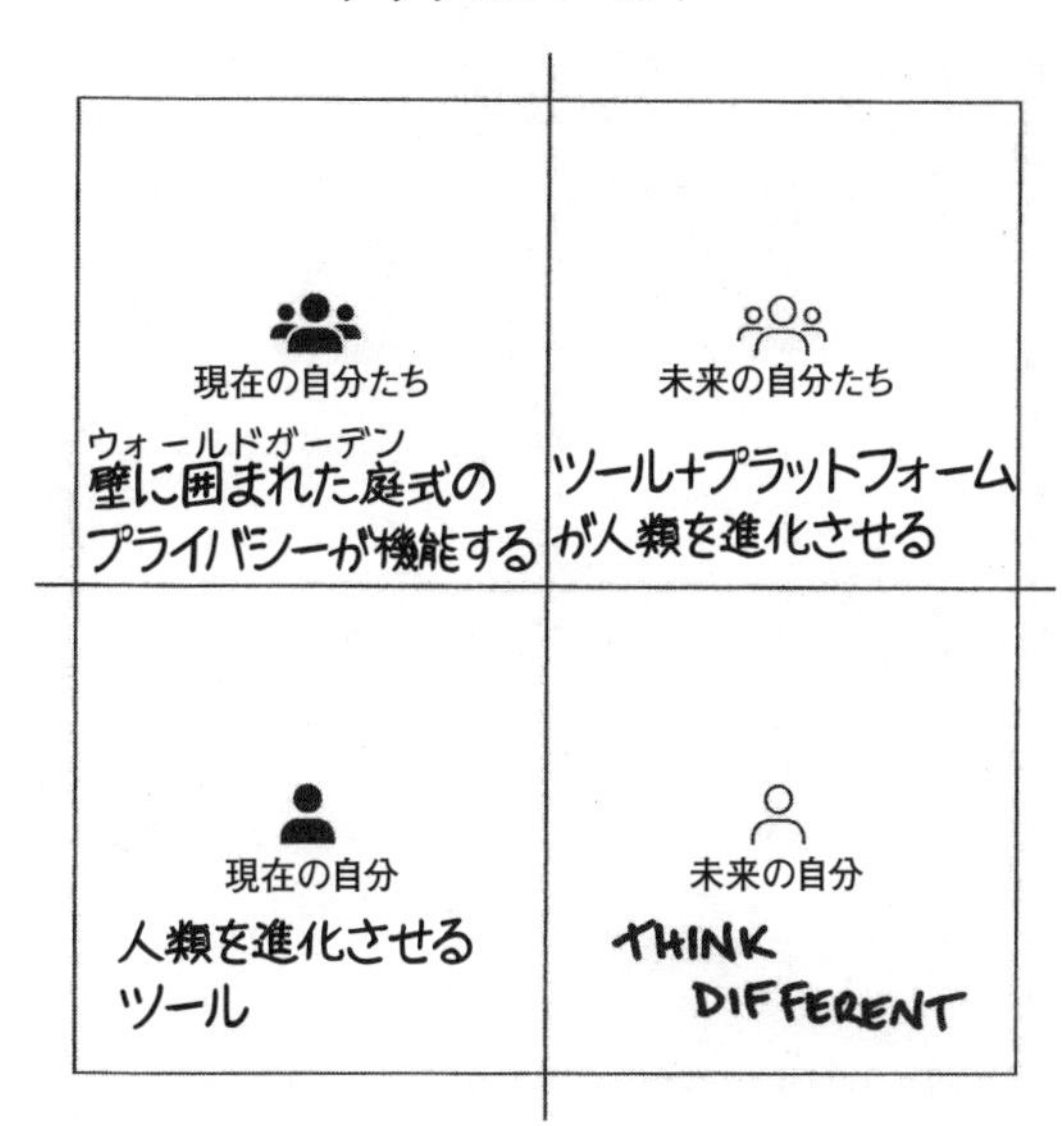

組織の「自分」の自己利益は組織自身の利益を表し、「自分たち」は従業員、顧客、コミュニティのメンバー、その他組織の行為によって影響を受ける人びとをさす、というところだ。

例として、アップルが公表しているミッションやアイデンティティ、戦略を用いて、アップルのベントーを上の図のように作ってみた。

このベントーは（僕の作ったキャナル・ストリートで売られているようなバッタ物ではなく、企業の実際の戦略にもとづいているという前提で）、アップルが意思決定を行なうときの指針になる。どのプロジェクトに投資すべきか――ベントーにもっとも一致するプロジェクトだ。この新製品をどうやって生産すべきか――顧客が期待している《現在の自分たち》の価値観と自分たちが思う《未来の自分》の水準に沿うべきだ。などなど。

組織がベントーの価値観を特定したら、その組織の目標や価値の測定法はそれにしたがって進化するだろう。金銭的な目標は事業の継続や収益を確保するために存在しつづけるだろうけれども、ベントーイズムの価値観に関係する目標や測定法もそれらと並行して、洗練されていく。組織は利潤最大化だけに集中していた状態から、金銭的な成績と、その組織のミッションの求める道に沿った別の価値を生みだすというふたつの目標をめざすようになる。

これによって、どの組織も「共存と共栄の精神」に近づく。これは松下幸之助が、会社と社会が共有すべきと語った精神だ。「企業というものはみな、大きさにかかわりなく、収益の追求とは別の明確な目標を持つべきだ。その企業がわれわれのコミュニティに存在する理由になるパーパスを」と松下幸之助は書いている。「そのようなゴールは本業ではないが、世界へ向けた永続的なミッションとなる[7]」

地球の安寧の改善をミッションとする企業にとって、自社製品の環境への影響は企業の収益と同じくらい重大な懸念事項であるべきだ。その企業は利益の一部を進んで諦め、それと引き換えに、たとえば、パタゴニアのように生涯の修理サポートを約束したり、マーケットプレイスサイト、エッツィのように「カーボンオフセット配送」を提供したり、ミッションにもとづいた価値観に投資する。企業は積極的に金銭的な価値を使って、非金銭的な価値を生みだすべきなのだ。

永続的なミッションを実現させるためには、そのミッションを自社の財政上の懸念と同じくらい重大なものとして扱わねばならない。社長がそのミッションに本気で取り組まないときは、本気で取り組む新たなリーダーを取締役会が招かねばならない。企業の価値観に沿った結果を出すという責任を負わせることで、ビジネスとは違うが、これもビジネスに含まれることを明確にする。結果は重要だ。

その他のビジネスの場合、自社が本気でサポートすべき価値観は何かを見つけるのに苦労するかもしれない。カフェテリアの壁に掛かっているような漠然とした、陳腐な決まり文句では話にならない。企業は、古い価値観から新しい価値観への転換が加速するにつれて、時代に乗り遅れる危険がある。すぐれた人を雇って、忠実な顧客を増やすには、企業は収益を伸ばす以上のことをしなければならない。永続的なミッションを見つけ、コミュニティのためになる価値を創造する独自の方法を探らねばならない。この種の価値を生みだすビジネスは、新たなビジネスモデルという衝撃波や、その他のディスラプティブな変化にも耐え、長い年月を生き延びる。そのような価値を生みだせない企業は長続きしないだろう。

企業間のパートナーシップにベントーイズムの価値観を持ちこめば、共同で何かしたいという衝動と、有望な価値創造というふたつの目的を、最高の形で満たすことができるだろう。これこそ世界が必要としている共栄だ。

ステップ3——社会的価値最大化層

ここは二〇五〇年の世界だ。

僕らが立っているのは、ローワー・イーストサイドの二番街とファーストストリートの角だ。かつて、この場所にはマーズ・バーやＴＤ銀行があった。どちらもずいぶんまえになくなった。

いまやこの場所には、全面ガラス張りの建物があり、通りに面したドアは開いている。ガラスの向こうにはテーブルが並び、人びとがぎっしりすわっている。年寄りもいれば若者もいる。会話している人もいるし、ほのかに光る画面を熱心に見つめている人もいる。壁にはループが描かれたグラフとほかの図が掲示されている。正面ドアの真上に看板がある。

ベントー・ソサエティ
ローワー・イーストサイド支部

その下に、小さめの文字と矢印が手書きで記されている――「ＨＳＢチェイス銀行はこちら」。矢印は、二階へと通じる外階段をさしている。[8]

ベントー・ソサエティの支部内では、一連のコミュニティ活性化試験を行なったばかりの研究者が、結果を発表している。それらの試験のうちの四つは有意な差がみられなかったが、ひとつが有望な結果を示した。部屋にいるほかの人びとはそれが意味することについて語りあっている。

その夜、世界じゅうの六〇カ所でこれらのミーティングが行なわれている。ベントー・ソサエティの月例会議では、コミュニティの人びとによって、非金銭的な価値の増加に関する研究から得られた知見やデータが発表される。失敗した結果を共有するときも、恥じることはない。このような新しい分野では、いかなる結果であれ、何かしら学びがあるからだ。

■　■　■　■

二〇五〇年、ベントーイズム的な価値観は現実のものになっている。人びとは自らの価値観を深く理解し、より自分らしい人生を生きている。企業は幅広い価値観に対し責任を持ち、自社の収益と同じくらい真剣にそれらの価値観を扱っている。ゆっくりだが確実に三〇年の年月が過ぎ、金銭的な価値を超えた合理的な価値への信頼が、普通の感覚になる。新たな隠れデフォルトだ。

ベントーイズムのアプローチが価値を生みだすにつれて、有能な人びとはそのユニークな課題へと惹きつけられるようになる。そして、まったく新たな価値の領域が待っているというときに、金銭的な価値を最大化するために自分のスキルを使うのはスキルの無駄遣いにさえ思えてくる。ミレニアル世代やZ世代の優秀で賢い人びとに導かれ、同世代の人びとは新しい社会的価値最大化層のパイオニアになる。

会計士、大工、コミュニティ・オーガナイザー、建築家、データ・サイエンティスト、デザイナー、生態学者、経済学者、エンジニア、起業家、証券アナリスト、ジャーナリスト、弁護士、料理人の助手、気象学者、政治家、社会科学者、教師、トラック運転手、ベンチャーキャピタリスト、ウェイトレス、学生、退職者など、さまざまな人びとが、金銭以外の合理的な価値観を特定し、測定し、育てるというミッションに専念する。研究は、ベントー・ソサエティによって資金提供され、役割が分担される。そのローワー・イーストサイド支部を、僕らはさきほど目にしたところだ。

このグループの初期のプロジェクトのひとつは、有望な社会的価値への投資について複数の企業内のデータを収集し分析することだった。何百ものケーススタディを綿密に調べ、研究者は価値を成長させるおもな三つの経路を特定した。

1　新しいものに存在する新しい価値の成長
2　既存のものに存在する新しい価値の成長
3　既存のものに存在する既存の価値の成長

ひとつめの経路としてもっとも成功したプロジェクトは、付加価値クレジット（ＶＡＣ）だ。これは政府から支援された利子つきの通貨で、長期的な視点で価値を創造しているビジネスやコミュニティに報酬として与えられる。ＶＡＣは、不動産価格が上がりつづけているなか、数多くの地域の特産品やサービスの維持・拡大の支援になる。

とはいえ、新しいものに存在する新しい価値の成長研究のうち、結果として意義深い成功を果たしたのはＶＡＣのみ。ほかの、ポップアップ広告式の「バリューズ・スパ」や「バリューズ・ボット」は、意図は良かったが大衆の関心はたいして引けていない。

ふたつめと三つめの経路――既存のものにある新しい価値や既存の価値の成長――に沿った価値成長プロジェクトは、また別の話だ。調査した企業のほぼすべてが既存のものの価値をうまく成長させていた。たとえば次のように。

・アデルの試みに導かれて、ほかの人びとも利潤最大化アルゴリズムから公平性の最大化へとリプログラミングする。これによって、もともとのアルゴリズムの価値の寿命が延び、公平性最大化戦略が住宅、医療、旅行、そして交通にさえ応用できるようになる。これらのいわゆる、積極的格差是正措置機能（アファーマティブ）のあるアルゴリズムは、逆オークション（買い手が売り手を選ぶオークション）のロジックを用いて、最低限の価格と競争力を備えた不動産や学校、その他の公共リソースと、それらをもっとも必要としている人びととのマッチングを行なっている。

・企業はマーケティング目的でユーザーを分類しランク付けするアルゴリズムのリバース・エンジニアリングを行ない、コミュニティメンバーのなかで指導者（メンター）とその仲間たちというグループを作るためにそのアルゴリズムを再利用する。その区分けツールは似た状況にある人びと（医療上の課題や経済的な問題に立ち向かっている人、ビジネスを始めたばかりの人、新米パパとママなど）と、同じ問題や課題を経験してきた人、またはかつてそれらの人びとをうまく導いたことのある人とを集めて引き合わせるのに役立つ。これによって、それらの人びとやプラットフォームの自主性、コミュニティ、知識、熟達、パーパスなどの価値が高まる。

・資源の使用を減らすために、多くの企業が「永遠の緑（エバーグリーン）」モデルに転換する。つまり、消費財にサブスクリプション式の価格設定を行なう。客は少額の前払金を支払い、その後月々の使用料を払ってその製品を所有しつづける（「エバーグリーン」は常緑、いつまでも緑という意味で、それらの製品は永遠に費用がかかりつづけるため、当初はそれを皮肉ってつけられた）。製品は生涯の使用が保証され、無料で修理される。物議をかもすかもしれないが、エバーグリーンモデルは結果として製品の生産が少なくなるし、リソースの消費も減るし、消費者主義（コンシューマリズム）を減少させる。そうしながらも、企業は、膨大な修理や再利用のための施設で利益と雇用を維持・増加させる。

この研究に対する社会的価値最大化層の概観「二一世紀の価値」では、その重要性が示されている。なかでももっとも重要な推奨事項は、一〇以上ある非金銭的な価値の測定方法と、国内総価値（GDV）と呼ばれる、総合的な価値の創造を追跡するための新しい測定値のための式を標準化することだ。

標準的な測定法の確立によって、さらに多くの企業や政府さえも社会的価値最大化に参加するようになる。価値の拡大は新たなインフラの最前線だ。利益追求型の企業の五社のうち一社近くが、収益とミッション駆動型の価値創造というふたつの目的を採用する。その多くは大げさに宣伝しているにすぎないが、本気で取り組んでいる企業も多い。

金融界のアナリストは、これらの企業の市場価値は、利益のみを追求している競合より二〇パーセント低いと見積もる。けれども、ベントー・ソサエティによる分析では、それらの企業によって創造された非金銭的な価値を考慮に入れると、ふたつの目的を掲げた企業は価値生産性が有意に高い。非金銭的な価値は、有望な金銭的投資になる。

この新たな価値観の背後に人びとや企業、機関、ツールが集まり、世界じゅうの国ぐにで国内総価値（GDV）がホッケースティック型の増加をしはじめる。視野の拡大を経て、足りない世界は豊かな世界になる。

価値観の螺旋

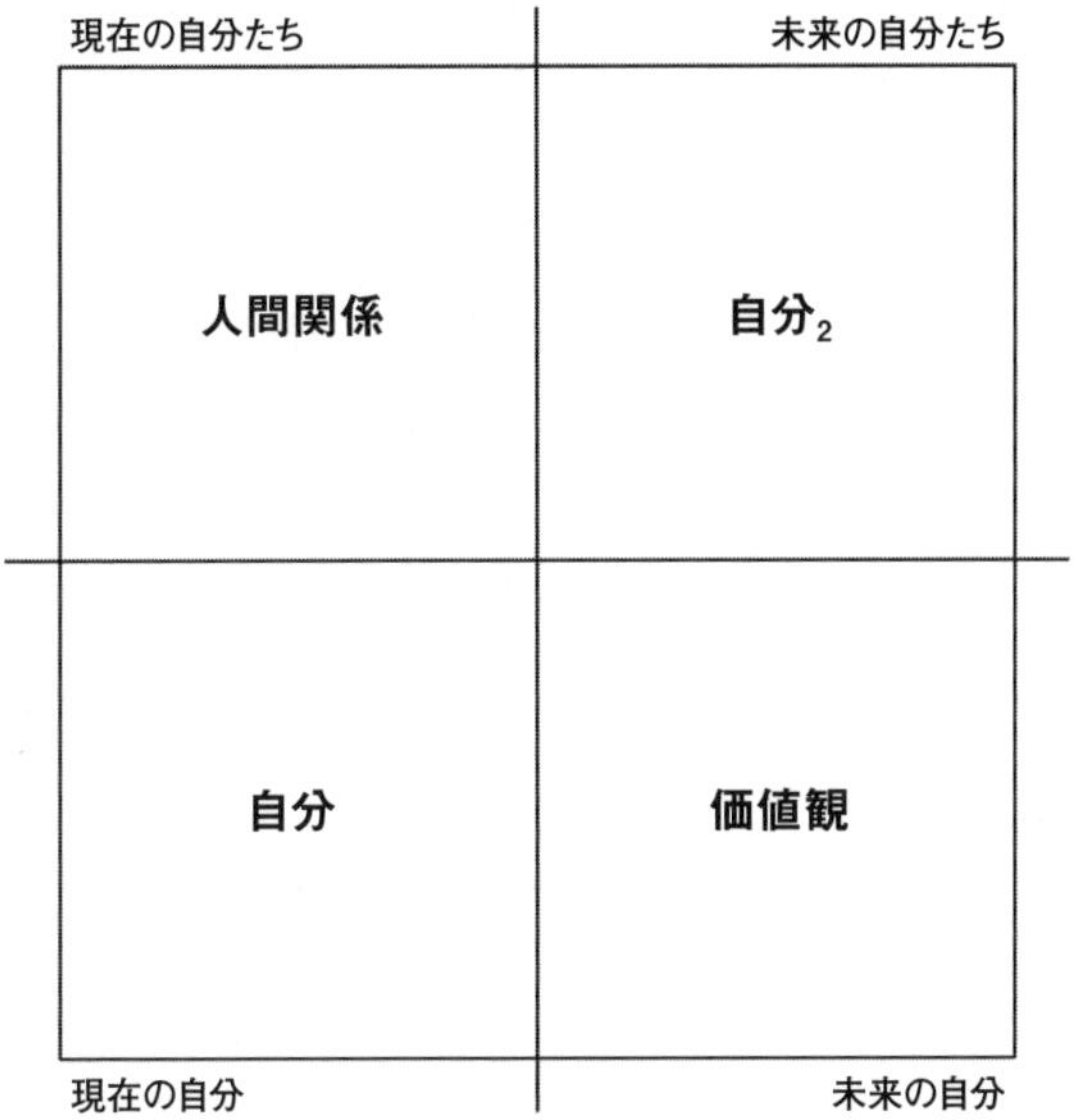

現在の自分たち	未来の自分たち
人間関係	自分$_2$
自分	価値観
現在の自分	未来の自分

このような未来が起こるには、僕らがみな役割を果たさねばならない。未来の自分たちだけじゃない。いまこの瞬間の僕らに役割があるのだ。

僕らひとりひとりがみな、ある時代から別の時代へと連綿と続くアイデアと価値観の伝導者であり、ときには転換者となる。どの価値観が継承され、どの価値観が変化するかは僕ら次第だ。

ベントーの図が、それがどのように機能するかを示す。

ここにベントーの図がある（上の図）。それぞれのボックスは何を代表しているか説明するために少し名称を変えた。

《現在の自分》は《自分》とラベルをつけた。

《未来の自分》は《価値観》とした。これはつねにあなたに当てはまるものだ。

《現在の自分たち》は《人間関係》とした。

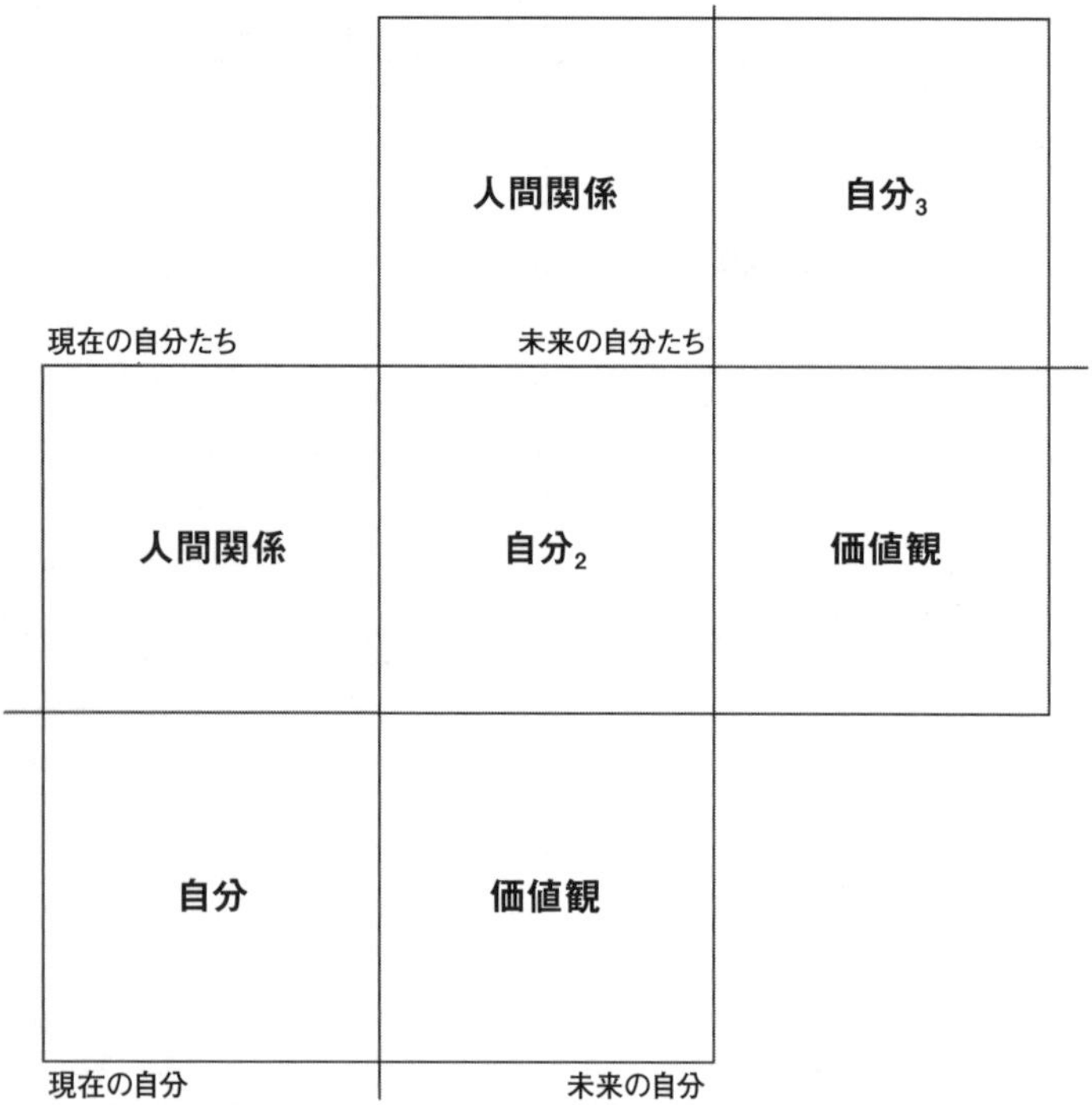

人間関係　自分$_3$

現在の自分たち　未来の自分たち

人間関係　自分$_2$　価値観

自分　価値観

現在の自分　未来の自分

《未来の自分たち》は《自分^2》とした。次世代という意味だ。

これは僕のベントーだ。僕にとって《自分^2》は息子をさす。息子のベントーをここに積みあげてみるとどうなるか、見てみよう（上の図）。

息子のベントーは僕のベントーからそのまま拡大していく。僕の価値観と人間関係は、息子に直接影響を及ぼす。僕の妻と僕は息子を背後で支える力であるし、僕らの価値観は息子の基盤になっている。僕らみんながそうであるように、息子も自分の人生を自分で定義し、発見していくだろうけれど、僕らは彼の背中を押す推進力になるし、どういう人間かを形づくる土台

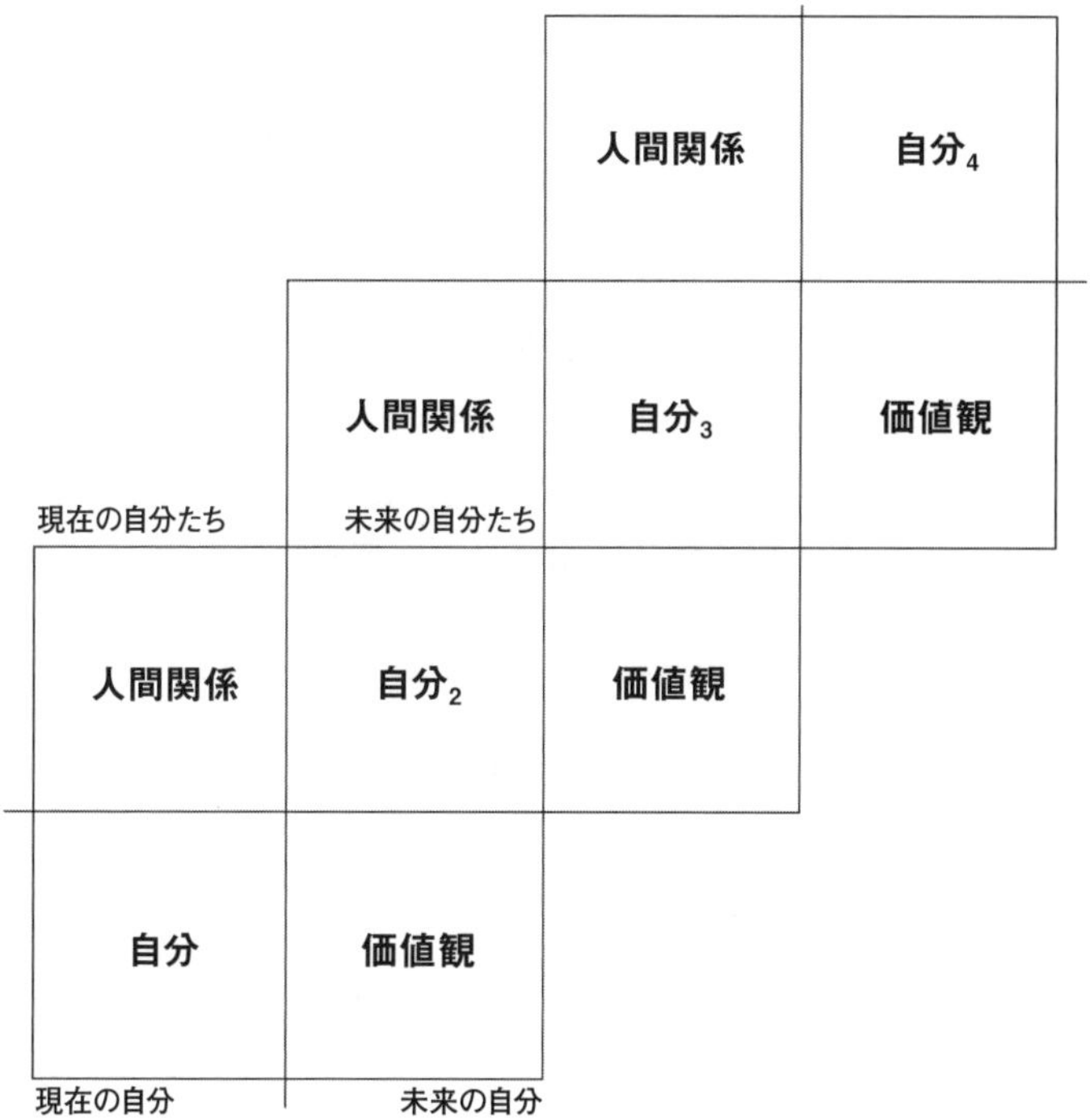

人間関係　自分$_4$
人間関係　自分$_3$　価値観
現在の自分たち　未来の自分たち
人間関係　自分$_2$　価値観
自分　価値観
現在の自分　未来の自分

にもなる。

　それは自分^2（息子）と自分^3（もしできたとしたら、息子の子ども）でも同じだ（上の図）。

　これは、一世代前に戻れば、自分$^{-1}$、つまり僕の両親の価値観と人間関係は僕に同じような影響を及ぼしたということも意味する（次ページの図）。両親によって、どうやって価値を評価し、世界を見るかについて、僕の土台が作られた。

　この連鎖は拡大しつづける。価値観と基準は世代から世代へと継承されていく。パーティに参加する一集団から別の集団へと。こうやって家族はその家族独特のものを継承しつづける。

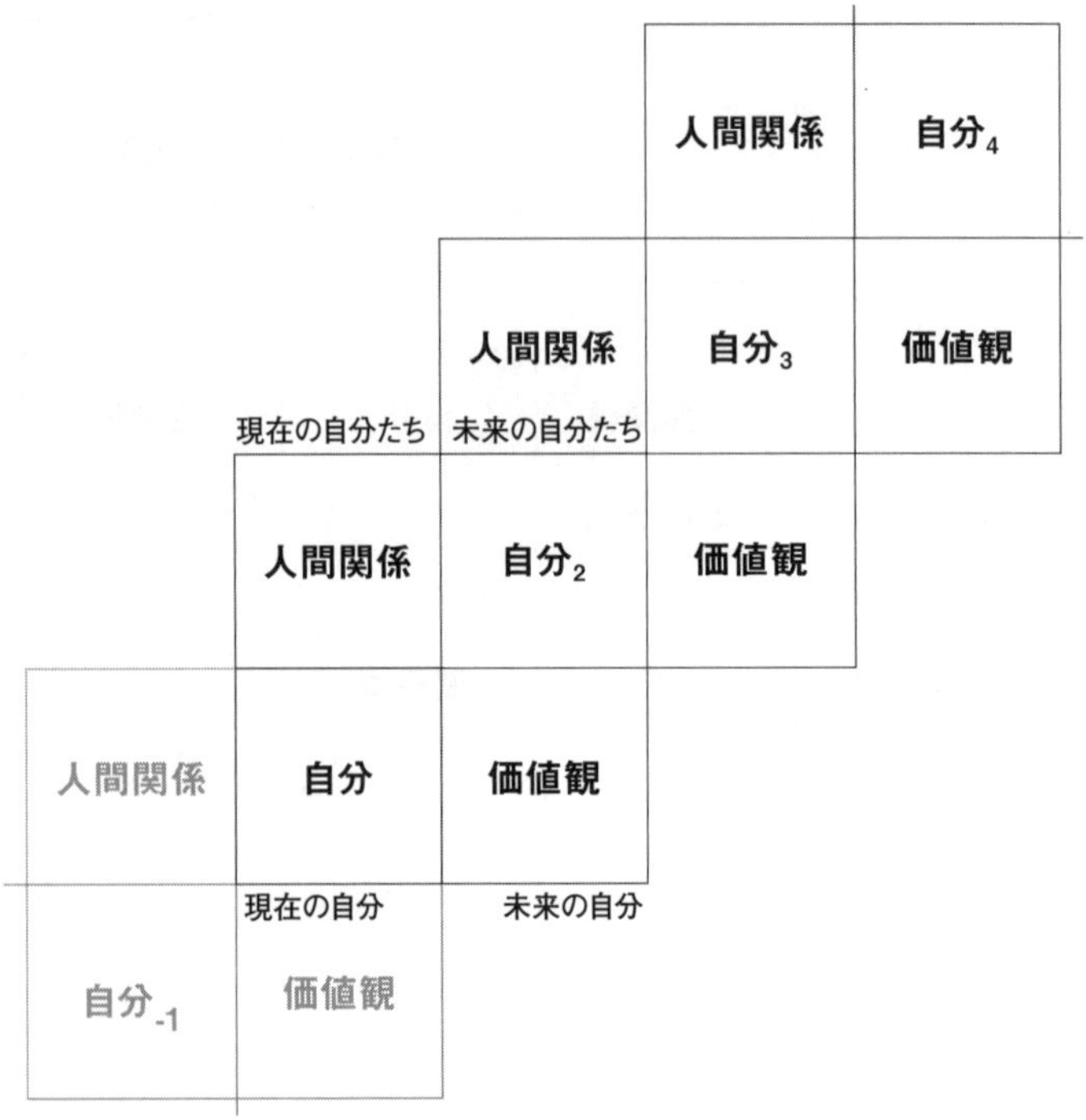

人間関係　自分$_4$
人間関係　自分$_3$　価値観
現在の自分たち　未来の自分たち
人間関係　自分$_2$　価値観
人間関係　自分　価値観
現在の自分　未来の自分
自分$_{-1}$　価値観

こうやって社会は存在しつづける。これを運ぶ力を僕は「価値観の螺旋」と呼ぶ（左ページの図）。

価値観の螺旋は時間の経過によって自然な力で進む。僕らの価値観や習慣、僕らの隠れデフォルトさえも世代を超えて運んでいく。僕らが全体的に、あるいは個人的に選んだ選択肢や、暮らしている生活は、価値観の螺旋に乗って上にあがり、次に続く世代の価値観に直接影響を及ぼす。パーティは終わらない。

一八世紀のスコットランドの哲学者デイヴィッド・ヒュームは、世代の影響を受けない世界を想像した。[9]

ヒュームはそうするために、

価値観の螺旋

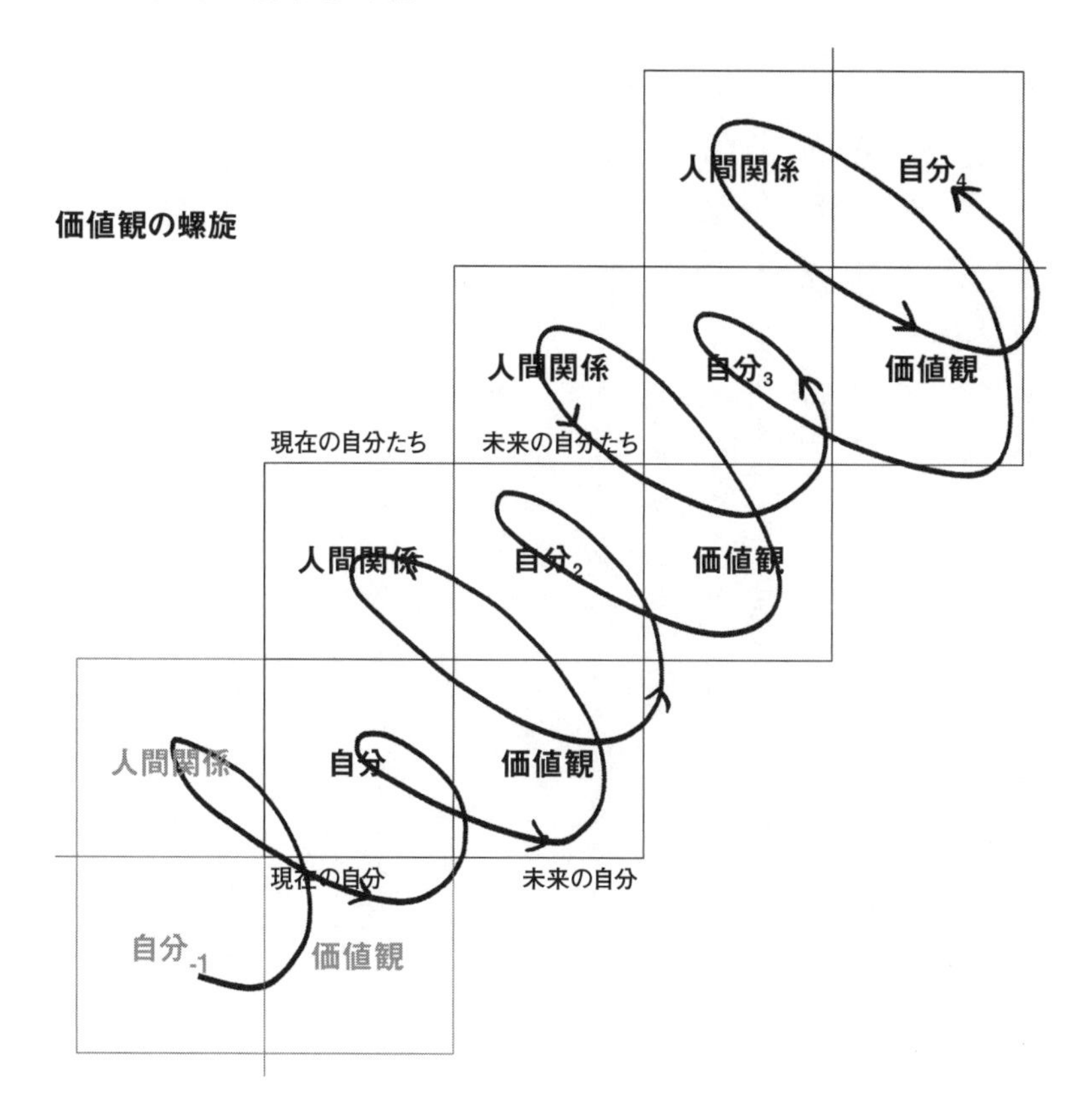
人間関係
自分$_4$
人間関係
自分$_3$
価値観
現在の自分たち
未来の自分たち
人間関係
自分$_2$
価値観
人間関係
自分
価値観
現在の自分
未来の自分
自分$_{-1}$
価値観

人間がイモムシとチョウのように生きている世界を示した。現代の世代（イモムシ）は繭に入ると死ぬ。次の世代（チョウ）はまえの世代となんの関係もなく繭から姿を現す。

ヒュームはこの人間に、繭から現れるたびに世界をデザインしなおせる能力を与えた。こうして作られる世界はどんなふうになっているだろうか。より賢明な選択ができるだろうか。よりよい暮らしができているだろうか。

そうはならなかった。ヒュームが導きだした結果は混沌だった。変化があまりに多く、あまりに頻繁に起こった。継続性がない世界では、社会はほぼ成り立たない。

■ ■ ■ ■

自分たちが直面するあらゆる問題に備えて、僕らはよくできたツールを手にしている。集合的な知恵と価値観は、先祖の勤勉な働きと経験によって継承されてきたものだ。数々の制度は、まえの世代が構築してきたものだ。技術やスキルは僕らが発展させてきたものだ。

これらのツールを利用するには、僕らは人間としての責任を果たしながら生きなければならない。文化と社会的な価値を活発にさせておく連続的なプロセスを意識しなければならない。僕らは用心深く、自分たちの役割を認識しておかねばならない。ひとりひとりに果たすべき役割があるのだから。

価値基準を変えたい領域では、変えるために努力すべきだ。価値はひとりでに変わったりしない。いっぽうで、価値を変えるためには、どれほどの労力がかかるかを正しく見積もっておく必要もある。自分たちが生きているあいだにゴールが見えなかったとしても、レースに負けたことにはならない。

変えたくない価値の領域があるなら、その価値が変わらぬようエネルギーを費やさねばならない。家族やコミュニティ、組織、生活を肯定的に支配する価値については、口が酸っぱくなるほど伝えていくべきだ。あって当然と思ってはいけないし、価値についての議論が起こったときに、黙っていてはいけない。

ときには、努力むなしく、愛する価値が消滅することもある。そのときは、緩やかな変化のプロセスに感謝すべきだ。僕らはみな、消えていくものを嘆き、ニューノーマルに順応するための時間を必要としている。

■
■
■
■

ある日、そう遠くない未来に、利潤最大化という価値観は衰えていくだろう。この制度の歪みはどんどん積み重なっていく。重大な瞬間はもうすぐそこまで来ている。

どんな価値観が取って代わるのだろうか。僕らは価値の視野を広げているだろうか。新たな方法で自己利益を眺める方法を学んでいるだろうか。合理的な自己利益から合理的な自己調和へとシフトしているだろうか。

本書を読みはじめたとき、あなたは、これは現実的なゴールじゃないと思ったかもしれない。いまでもそう思っているかもしれない。それでも僕は、価値の理解を広げていけば可能性がはるかに高まることや、自分の属する組織や生活のなかに、自分たちそれぞれの価値基準を組みこむべきだと思ってもらえたらと願っている。

そこに行きつくまでには多くの停車場がある。道のりは遠い。でもそれは、対向車線側の店に寄るみたいなものだ。ただ、向かうに値する目的地と、そこに行きつくための覚悟があれば、それでいい。

謝辞

本書は、多くの人びとの広い心と支援と知恵で形になった。

母、マギー・センテルへ、僕に力強い価値観と読書への愛を注入してくれてありがとう。僕はまぎれもなくあなたの息子だ。父、C・G・ストリックラーへ、愛にあふれた繊細な父でいてくれて、そして僕に音楽の才能を分けてくれてありがとう。大好きだ。継父のトミー・センテルと継母のカレン・ストリックラーへ、何十年ものあいだ、愛情と支援をくれてありがとう。義父のS・J・キムと義母のココ・キムへ。愛と思いやりに感謝。僕の兄弟、スティーブン・センテルとディラン・ストリックラーへ。ふたりとも、けっこういいやつだよね。

ペリー・チェンとチャールズ・アドラーへ、生涯を共にするパートナーシップに感謝する。僕らがともに創り、分かち合った経験がなければ、この本は存在しなかった。キックスターターの過去と現在のみんなへ、友情と献身、人としてリーダーとして僕を成長させてくれたこと、そしてすばらしい家族になってくれたことに感謝する。

僕のライターとしての人生は、多くの恩師の励ましなしにはあり得なかった。まずは先生がたから。デイスプリング・クリスチャン・アカデミーのミズ・ジョンソンとミズ・ウォントロプ、ジャイルズ高校のミスター・スウォープ、ウィリアム&メアリー大学のサム・カシュナーとヴァルン・ベグリーに。先生がたはみな、僕に投資し、新しいアイデアに触れさせてくれた。心から感謝している。僕の最初の編集者、当時《ロアノーク・タイムズ&ワールドニュース》の編集をしていたマデリン・ローゼンバーグへ。一六歳の僕に調子を合わせてくれてありがとう。ライアン・シュライバーへ。当時「ピッチフォーク」に寄稿するチャンスをくれてありがとう。アイラ・ロビンス、あなたの指導と長年の友情に感謝する。チャック・エディ、僕が一方的に送りつけたレコードの批評を《ヴィレッジ・ヴォイス》に掲載し、その後も記事を書かせてくれてありがとう。マイケル・アゼラッド、eMusicで僕を初めて雇ってくれたことと、「Come As You Are」と「Our Band Could Be Your Life」を書いてくれたことに感謝する。フレッド・ウィルソンへ、役員としてのあなたの指導と、AVCへの毎日の投稿の明瞭さと誠実さに感謝する。

何年ものあいだ、共同で記事を書いてくれた人たちみんなに感謝をささげる——ジョー・キーズ、アレックス・ナイダス、ジェイソン・グリーン、ミケランジェロ・マトス、ジョセリン・グレイ、マーク・マンガン、サッシャ・ルイス、アンジュリ・エアー、ニッフ・アベベ、ニック・シルヴェスター、ウィラ・コーナー、キャシー・マルケトス、ミーガン・オコンネル、マイク・マクレガー、ブランドン・ストスイ、ブレット・カンパー、メリッサ・メアーズ、リッチ・ジュズウィアック、ジョー・ロビンソン、マイケル・ブライソン、スペンサー・カウフマン、クリス・カスキー、マーク・リチャードソン、ショーン・フェネシー、トム・ユーイング、アンディ・ケルマン、デイヴィッド・カー、スタンリー・ブース。

この本を書いているあいだ、僕は幸運にも多くの協力者に助けてもらった。

ジュリー・ウッドへ、ウェブサミットのオリジナルトークを書くようにハッパをかけてくれたり、楽しい気分にさせてくれたりしたことに感謝する。ローレル・シュワルスト、いつもすばらしいコラボレーターでいてくれて、この未来の息吹を一緒に作ってくれてありがとう。トレーシー・マー、このアートブック版の初期の共同制作者であり、のちにはわかりやすい参考文献を作ってくれたことに感謝。ミリアム・ガルシアへ。このプロジェクトのために驚くほど詳細なリサーチをしてくれてありがとう。とても重要なことだった。エヴァン・アップルゲイト、この本の図表を作ってくれて、ありがとう。一緒に仕事をするのは楽しい。ダニエル・アーノルドへ。つねに過激な人でいてくれて感謝する。僕の四〇歳の誕生日の朝に著者近影も撮ってくれた。ありがとう。ジョン・サンドマンは、ファクト・チェックを手伝ってくれて、この本の厄介なトピックに第二の視点を向けてくれた。感謝する。そして僕らを引き合わせてくれたジョン・ビッグスにも感謝する。ザック・シアーズ、カバーデザインについての的を射たコメントをくれてありがとう。ジェームズ・ミヤオは、「ハッカー・ニュース」にトークを投稿し、初期のアイデアを広めてくれた。ありがとう。マリス・クライツマンとシェイ・セラーノへ。書籍業界のノウハウと推薦をありがとう。ロビン・スローンへ。最終的にベントーイズムにつながった*Age of Fracture*を勧めてくれてありがとう。カティンカ・バリシュ、あなたの知恵に感謝する。そして、医学の発展によって健康の意味が再定義されたと教授が言ったとき、僕をじっと見つめてくれてありがとう。ケン・トゥン、最初の支援者になってくれてありがとう——この本をもうすぐ届けられる。イリス・ボネット、あなたのクラスで本の初期バージョンをプレゼンさせてくれてありがとう。そしてＹＧＬの僕のクラスメイトたちに。寛大にも僕の話を聞いてくれてありがとう。フレッド・ベネンソン、僕の計算をチェックしてくれてありがとう。ジェイソン・コッキ、『がん―４０００年の歴史―』（シッダールタ・ムカジー著、田中文訳、早川書房、二〇一六年）を推薦してくれてありがとう。この本から医療に関する情報をおおいに吸収させてもらった。クリスティン・カントナーはすばらしい友人であり、隣人であり、サロンに招待して、話をさせてくれた。ありがとう。ワリス・アルワリアは、僕らのアイデアを世に送りだす手伝いをしてくれた。その惜しみない心遣いと友情に感謝する。ノエル・オシェロフ、僕を招待してあなたの家で執筆させてくれてありがとう。コワーキングできたのは大切な思い出だ。

ほんの一握りの初期の読者は、この本が正しい道からはずれないように導いてくれる、かけがえのない存在だった。友人のイアン・ホガースへ。きみの才能とトレンドを見据える鋭い目が、この本に及ぼした影響は誰よりも大きい。古くからの友スティーブ・エスケイは、率直なフィードバックをくれて、迷っているときに励ましてくれた。感謝する。トリストラム・スチュアートとサイモン・スマイルズは、貴重な時間を費やして、この本がより良くなるよう尽力してくれた。ありがとう。友人のエリザベス・ホルム、ジェイソン・バトラー、ラファエル・ローゼンダール、ヘイデン・ポルセーノ＝ヘンズリー、ジャスティン・カズマーク、初期の草稿を読んでくれてありがとう。アレックス・タボラックへ、この本の好きなところだけでなく、嫌いな部分も快く教えてくれてありがとう。友人のアダム・カーティス、イアン・ロジャース、サイモン・ラッセルへ――僕のアイデアに耳と頭を貸してくれてありがとう。

『正義の領分――多元性と平等の擁護』（山口晃訳、而立書房、一九九九年）を書いた哲学者マイケル・ウォルツァーと *Value in Ethics and Economics* を書いた哲学者エリザベス・アンダーソンに。すばらしいアイデアに感謝する。本書によって、おふたりの著書が大衆の目に留まる大きな一歩となればと願っている。ロバート・ギブスは、ノー・レフト・ターン・ルールについての僕の質問に、ユーモアを交えながら回答をくれた。感謝する。ジョナサン・ボウルズへ、ニューヨーク市に対する細やかな感覚を教えてくれたことと、長年にわたってあの街を支援するために行なってきたすべての仕事に感謝する（紹介してくれたイーライ・ドボルキンにも感謝）。コウヘイ・ニシダ、たくさんの弁当を買って、ぴったりの弁当の写真を撮ってくれてありがとう。ティム・ローハンとスタン・コナーズ、マレットヘアの写真を使わせてくれてありがとう（スタン、本当にすばらしい写真だ、おめでとう）。アダム・グラント、惜しみなく時間を費やして助言をくれてありがとう。この本を読み、気遣いの言葉を分かち合うことに同意してくれた、すばらしい作家たち、そして僕が彼ら自身の本から学んだことに感謝する。アーランド・オイエ、ソランジュ、ハイル・メルギア、ファラオ・サンダース、アリス・コルトレーン、ムラトゥ・アスタトゥケ、フランク・オーシャン、ザ・ドゥルッティ・コラム、フューチャー、カート・ヴァイル、J・ディラ、ユージン・マクダニエルズなどのミュージシャンに感謝する。彼らの音楽は僕にインスピレーションを与え、僕の頭が回転しているあいだ、ともにときを過ごしてくれた。このプロセスを通して僕に語りかけてくれたイデア空間に感謝し、そしてイデア空間の存在を明快に表現してくれたアラン・ムーアと、ＫＬＦに関する著書のなかでイデア空間について書いてくれたジョン・ヒッグスに感謝する。

ほかのニューヨークの家族にも感謝をささげる。たとえば、ケンドルとアダム・ショア、ブリジェットとチャールズ・ベスト、ローレンス・カーティとパオラ・アントネッリ、レナ・イワムラ、アグニエシュカ・クラント、ミハイル・ローゼン、アンソニー・ヴォローディン、ジョシュ・スタイルマン、ピーター・ハーシュバーグ、アラン・デル・リオ・オルティス、C・J・アンダーソン、ピート・フリッツ、エド・コールマン、グレッグ・コステロ、モーリーン・ホーバン、ジャミン・ウォレン、ジェス・フェルプス、ジェシー・ボール、カンタ・シミズ、ダグ・シェラード、リズ・クック。ジェリー・コロナ、チャド・ディッカーソン、パトリック・コリソン、エブ・ウィリアムズ、アンディ・バイオ、サニー・ベイツ、ティナ・ロス・アイゼンバーグ、ランス・アイビー、ホープ・ホール、ジェフ・ハマーバッカー、ティム・オライリー、ジェス・サーチ、ジェニファー・パールカ、ジョイ・イトウ、カリン・チェン、ケリ・パットナム、ルイス・フォン・アン、マックス・テムキン、デレイ・マッキーソン、ローレンス・レッシグ、ダリル・モレイ、タイラー・コーウェン、タニヤ・キーレパートにも感謝する。エコーパークの家族、トリッシュとトニー・アンルー、ルシアン・アンルー、ローハン・アリ、アレクサ・ミード、アンナ・ブルブルック、サディ・ヘンソン。僕らをくつろいだ気分にさせてくれて、ありがとう。いつもインスピレーションと癒しを与えてくれる場所、トゥエンティナイン・パームズ・インにも感謝を。ニューヨーク市のローワー・イーストサイドとチャイナタウンにも感謝。これらの地域のエネルギーとインスピレーションがなければ、この本は生まれなかっただろう。二〇年以上にわたり、多くのものを与えてくれた。

　エージェントのダニエル・グリーンバーグへ。僕を信じ、同時に疑い深くもあってくれてありがとう。あなたの基準の高さのおかげで、僕はめざすべきハードルを早い段階で設定できた。編集者のエミリー・ワンダーリッヒへ。チャンスをくれてありがとう。そして、思いやりと優しさを持ってこの本を導いてくれたこと、むずかしい問題を提起する絶妙な方法をいつも知っていてくれたこと、この本のあらゆる可能性を可能なかぎり広げてくれたこと、つねに僕を信じてくれたことに感謝する。宇宙が僕らを引き合わせてくれて、とても幸運だったと思う。

最後に、そしていちばん大切なこととして、僕のすばらしい妻、ジェイミー・キムと息子のコージに感謝したい。ふたりは僕の人生を照らす明かりであり、日々のインスピレーションであり、まさにすべてだ。ジェイミー、長くて困難なプロセスのあいだ、我慢強く、いつも熱心に耳を傾けてくれて、そばで励まし、僕ならできると言い、いつだって知恵を貸してくれた。きみの愛は僕にとってかけがえのないものだ。心から愛している。そしてコージ。きみは僕の息子で、僕のヒーローだ。きみはたった三歳なのに、繊細で思いやりがあって賢くて、僕は感動して胸がいっぱいになる。まだ三年しか過ごしていないのに、きみにはもう教えることはなにもないような気がする。きみがこの本を読んで、自分の居場所を見つけられるほど大きくなる日が待ちどおしい。きみが何をするにせよ、僕はすでにそれをすごく誇りに思っている。

このリストはすでにかなり長いので、とても大切な人びとをかなり省いている。これほど多くのすばらしい人びとが僕の人生に変化をもたらしてくれたなんて、僕は信じられないほど幸運だ。それらの人びとみんなに感謝したい。そして、この本に関心を向け、時間を費やしてくれた読者のみなさんに感謝する。それがどれほどかけがえのないものか、僕は知っている。

ピース&ラブ　ヤンシー

解説

二五年後の未来から提案された新しいビジネスロジック

ＰＩＶＯＴチーフ・グローバルエディター
竹下隆一郎

二〇五〇年までに、世界のビジネスのルールは書き換えられる。我々はついていけるのか。いや、ついていこう——。

『２０５０年を生きる僕らのマニフェスト——「お金」からの解放』を貫くのは、そんな力強いメッセージだ。著者は、クラウドファンディングのさきがけとなった米国キックスターター社の共同創業者、ヤンシー・ストリックラー。利潤の最大化のみを考える現在のビジネスは終焉を迎えつつあり、ミレニアル世代やＺ世代のビジネスパーソンたちを中心に、会社の存在意義や目的（パーパス）、伝統、未来のニーズなどさまざまな価値を重んじるようになるのだという。それは決してお金儲けを悪だと決めつけて「清貧たれ」という思想ではない。利潤最大化「以外」の価値も求めてビジネスをしたほうが合理的だ、と著者は私たちの心を揺さぶっているのだ。

世界各地で大きな変化は起き始めている。例えば本書でも言及されている、米国アウトドア用品大手のパタゴニア。創業者や家族が持っていた同社の株式を環境ＮＰＯに寄付したことを明らかにした。企業価値を考えると、金額は三〇億ドル（約四三〇〇億円）。「地球が唯一の株主だ」と主張し、株式上場を意味する「ゴーイング・パブリック」をもじって、企業の存在意義を表す「パーパス」という言葉を使いながら、「ゴーイング・パーパス」と高らかに宣言した。

パタゴニアのみならず、環境保護や気候変動の防止、脱炭素を目標に掲げる企業は増えている。彼らの判断は理にかなっている。こうした企業姿勢を消費者が支持し、固定ファンが増え、安定した売り上げにつながる。従業員たちのモチベーションも高い。「毎年の売り上げを一・五倍にしよう」と社長が宣言すれば、短期的に社員はやる気を出す。だが、繰り返しているうちに「何のために働いているのか」という疑問が出てくる。それよりも、「環境問題を解決しよう。あなたの仕事は特別なミッションなのだ」とトップに言われたほうがやる気は持続する。「こうすれば早く解決できる」と社員から提案も出てくる。

金儲けを唯一の目標に掲げる企業のトップは凡庸だ。トップも社員も、物事を深く考えない。売り上げは、数字を見れば誰でも「成長」を実感できる。一方、環境保護などの複数の価値を企業が重んじるようになると、みんなで頭を捻り出す。どうすれば環境を守れるのか。環境とは何か。どうビジネスを成長させれば真の成功につながるのか。企業に投資をする金融機関にとっては、こうした会社のほうが魅力的に映る。自主性が高いチームのほうが新しいアイデアを生み出すからだ。そんな成長性を見込んで、さらに投資をする。そして、EUを中心に環境に関するビジネス上の規制が世界的に厳しくなるなか、新しいタイプの企業でないと市場から締め出される。

もちろんこの動きを「理想主義的だ」と批判する声もある。最近の米国では、環境問題や社会課題を考えながら投資をするESGに対する批判も起きているのも確かだ。

とはいえ、環境や社会的価値を重んじるビジネスの広がりは加速しており、批判や修正を経たとしても、大きな流れは止められないのではないか。本書を読んでその思いを新たにした。特に著者のストリックラーに耳を傾ける価値があるのは、誰もやったことがないクラウドファンディング事業という「理想」によって本人自身が、現実を変えてきたからだ。

キックスターターは二〇〇九年四月に誕生して以来、二四万件以上のプロジェクトを支援してきた。累計金額は七六億ドル（一・一兆円）を超える。ヴィーガンのためのベーカリーを開く店主から、海のプラスチックボトルのゴミを解決するためのプロジェクトまで。あるいは、これまでにない掃除ロボットを作ろうとしている人たちに、インターネット上の不特定多数の人たちから資金が集まる。資本力があったり、金融機関から融資や投資を受けられたり、特別なコネクションがあったりするビジネスパーソンではなくても、世界を変えたいというアイデアさえあれば誰でもお金を調達できて、新しい商品や企画を生み出せる。

これまでのビジネスの「投資」と異なるのは、（1）お金を出す人が金融のプロではない普通の人たち、（2）見返りが単純にお金ではない、という点だ。ストリックラーらが生み出したクラウドファンディングという新しいビジネスが、資本主義のあり方を一〇年で変化させて来たのは間違いない。

日本にも、ＲＥＡＤＹＦＯＲ（レディーフォー）、Ｍａｋｕａｋｅ（マクアケ）、ＣＡＭＰＦＩＲＥ（キャンプファイヤー）などのクラウドファンディング企業は増えてきた。設立一〇年を迎えたＭａｋｕａｋｅは、最近では自社サービスを「応援購入サービス」と定義しており、三万三〇〇〇件以上のプロジェクトが掲載され、累計八〇〇億円以上の応援購入額を集めている。今でこそ当たり前となったクラウドファンディングも、発祥地・米国で広まり始めた二〇〇〇年代は懐疑的な人も多かった。

ストリックラーは本書『2050年を生きる僕らのマニフェスト』で次のように言う。

（引用者注：クラウドファンディング企業のキックスターターを立ち上げる時に）投資家やクリエイターなど、このアイデアにかかわってほしいと僕らが考えた人たちと会ったときのことはいまでも覚えている。たしかに賛同してくれる人も多かった。けれども即座に拒否する人たちもいた。

そういう人びとの反応はだいたいこんな感じだ——「赤の他人にお金を出そうとする人なんていないよ。世の中そんなに甘くないって」。

しかし、本当に〝甘かった〟のはこのアイデアに懐疑的だった旧世代のビジネスパーソンたちかも知れない。彼らは、金儲けという〝単純すぎる価値〟のみに傾斜した資本主義にうんざりし始めた新しい世代の台頭を見逃していたのだ。そして二〇五〇年には彼らが経済社会の中心となる。

私もクラウドファンディングを通して何度も資金を出したことがある。世の中に出ていない商品や企画に自分が関わっている気分は、旧来型の寄付とは異なる体験だった。十分なお金が集まって、実際に新商品が開発されれば、店頭に並ぶ前の商品が手に入り、お得感がある。集めた資金をどのように使うのか、写真や文章などで丁寧に説明されるのもクラウドファンディングの特徴だ。世界が変わっていく様子を追体験できる。いわば寄付と買い物と社会活動、そして見知らぬ誰かへの応援が混ざった新しいタイプの消費なのだ。

ストリックラーが「重大な変化が起こっている」と期待を寄せる二〇五〇年。それは遠いようで近い未来だ。現在の二〇二三年の二五年前の一九九八年、日本ではSMAPが「夜空ノムコウ」を歌い、サッカーのワールドカップのフランス大会で日本代表が初出場を決めていた。家電量販店には半透明のデザインが人気のiMacが並んだばかりだった。ちょっと前の出来事に思える。そう考えると、今から二五年後も、すぐにやって来そうだ。

米国の投資銀行、ゴールドマン・サックスの報告書によれば、二〇五〇年の世界のGDPの上位五カ国は、中国、米国、インド、インドネシア、ドイツになる。日本は現在の三位から六位に転落する予測だ。その後、日本はエジプトやブラジルにも抜かれ、一二位に後退するという推計もある。経済大国とは名乗れなくなる。

日本企業のイノベーション不足、少子高齢化による社会保障費の増加、公的債務。さまざまな長期的課題があるなか、二〇五〇年の私たち日本人は、必死にもがいて他の経済大国についていくしかない。そうした「近い未来」に備えるためにも、本書は大きなマニフェストとなるはずだ。二〇五〇年に向けて、私たちは具体的にどうしたら良いか。何を参考にすればいいのか。どのようなスキルを身につければ生き残れるのか。そんなふうに焦ってしまう読者を諭すように、著者のストリックラーはユニークな提案を本書で行なう。ベントーイズムのススメだ。

ベントーイズムとは本人の造語で、日本でお馴染みの箱詰めの「ベントー（弁当）」から名付けられている。

弁当は、日本の「腹八分目」という哲学を尊ぶ。（中略）弁当箱は便利なだけでなく、健康を保つという隠れデフォルトを生む。

さまざまな食材をバランスよく配置する弁当。持ち運びに便利だという合理性を保ちながら、現代人にとって必須の健康的な食事を確保できる優れものだ。ストリックラーは、これからのビジネスにおいては、弁当箱の中の多様なおかずのように、（1）現在の自分の利益、（2）現在の家族や友人たちなどコミュニティの利益、（3）将来の自分の利益、（4）将来の家族や友人たちなどコミュニティの利益、といった複数の視点が必要だと力説する。

弁当以外にも、世界が日本から学ぶべきことはあるという。本書では、パナソニック創業者の松下幸之助にもページが割かれている。松下は「産業を通じた奉仕の精神」や「礼節謙譲の精神」などを説いた。利益一辺倒ではなく、社会貢献も担うビジネスのあり方を追い求めた。いわゆる米国の起業家のように「自分自身をぶっ壊せ」と言うような経営者像との違いは、ストリックラーにとって新鮮に映ったらしい。

弁当や松下幸之助の金言が世界のビジネスを変える、と言うつもりはない。日本人の我々にとっては、両者のことを褒められるのは嬉しいが、少しばかり違和感も残る。ただ、これが本書『2050年を生きる僕らのマニフェスト』の魅力でもある。バスケットボールのNBAのスリーポイント・シュートの秘話から、歌手のテイラー・スウィフトの戦略まで。一〇章にわたってユニークな事例と著者の独自の視点を交えながら、ビジネスのあり方が変化している様子が生き生きと描かれる。

ゴールはお金の排除ではない。無欲になることでもない。利益を出すなというのでもない。ゴールは、コミュニティや知識、目的（パーパス）や公平性、安全、伝統、未来のニーズといった価値にも、僕らの直面する大きな決断や日々の決断に、合理的な発言力を持たせられる世界だ。

環境保護、社会課題の解決、ステークホルダーたちを豊かにすること――。企業は、お金儲け以外のことを考えよ。なぜならそちらのほうが二〇五〇年には〝合理的な〟ビジネスになっているからだ。これが二五年後の未来から提案された新しいロジックである。

二〇二三年一〇月

Page 89: Photo courtesy of Tim Rohan and Stan Connors.
Page 112: *Harvard Business Review* October 2015 cover reprinted with permission of Harvard Business Publishing.
Page 156: Photo courtesy of Kohei Nishida.
Bentoism and Bento images created by Yancey Strickler with design support from Laurel Schwulst.
All other images courtesy of the author.

付　　録

僕は日ごろから愛読してきたすべての本にライナーノーツが付いていたらと願っていた。これは本書のいわばライナーノーツで、ベントーイズムの哲学的ルーツへの深い考察、推薦する本、30年変革理論についての詳しい考察などが含まれている。

ベントーイズムの起源

僕は以前からずっと、自分たちの価値観が狭すぎるという信念を持っていた。10年以上まえの《ハーパーズ・マガジン》で、GDPはお金の使い方を社会的にプラスかマイナスかで分類しているわけではないという記事を読んだ覚えがあった（この記事は見つけられなかった）。この考えは僕の心にずっと引っかかっていた。僕らの測定システムは、どうしてこんなに大雑把でなまくらなのかと思っていた。

キックスターターを共同設立して、率いていくなかで、さきほどの思いがより強くなった。お金の重要性は重々承知していた。僕らは自立したかったし、自主性を確立しておきたかった。そのためには黒字経営が必要だ。けれども、お金がどれほど問題を引き起こしうるかもはっきりわかっていた。つねに成長し、裕福でいたいという願望がいかにして、目先の利益重視を招き、社会的な価値の切り捨てにつながるかは知っていた。

キックスターターの同僚であるジュリー・ウッドに励まされて、僕は、本書で書いたとおり、ウェブサミットで利潤最大化について話した。その後もCEOとして講演で話すたびに、このテーマに触れつづけた。

2017年、僕はキックスターターのCEOを引退し、金銭的な価値とほかの価値の役割について考えはじめた。金銭的な価値を評価しはじめた歴史は何だろう。なぜお金こそが大切だとこんなにも信じ切っていたのだろうか。この信念を正当化する根拠は何だったのか。このような疑問に引き寄せられ、僕はウサギの穴に飛びこんで、リサーチと読書に励んだ。その一部が本書の前半を形づくっている。

本を読んでいると、お金の歴史、お金の重要性、お金の弊害に関する多くの話を目にした。けれども僕は、自分が考えていたような、貨幣を超えた価値の空間を探求する道を探してもがいていた。僕は、金銭的な価値と同じくらい金銭以外の価値も合理的だと主張したいと考えていた。このようなことを主張した人はこれまでいただろうか。

そしてある日、僕は見つけた。ダニエル・ロジャースの*Age of Fracture*（分断の時代）という魅力的な本を読んでいたとき、共同体主義（コミュニタリアニズム）（communitarianism）と呼ばれるムーブメントについての記述に出くわしたのだ。共同体主義では、もっと拡張された一連の価値が受けいれられていた。じつはランド研究所のゲーム理論家の中心人物のひとり（「ビューティフル・マインド」という映画の主人公として描かれたジョン・ナッシュ）は、1970年代に共

同体主義のコミュニティに移っていた。僕は興味をそそられ、共同体主義についてさらに深く調べ、マイケル・ウォルツァーの本に出会った。

ウォルツァーは、プリンストン高等研究所名誉教授で、『正義の領分――多元性と平等の擁護』を1983年に出版した。僕が貨幣とは異なる価値の概念を見つけたのは、このほとんど知られていない本のなかだった。

ウォルツァーいわく、僕らの問題は支配だ。お金や過去のほかの価値は、それが本来あるべき領域を超えて幅を利かせる。「生まれや血筋、土地から生まれる富、資本、教育、神の恵み、国家権力。これらはみな、支配力を与えるか、一部の集団がほかの集団を支配できるようにさせる」とウォルツァーは語っている。

結果として、僕らは人生の多くの領域で理想的な結果に到達できない。僕らの世界のポテンシャルは、他者の支配によって不当に狭められているのだ。ウォルツァーは、17世紀フランスの博学者ブレーズ・パスカルが、1670年に出版した『パンセ』という遺稿集のなかで、専制政治について書いた文章に触れている。

「専制政治の本質は、世界全体だけでなく自身の領域の外の世界をも支配する力を欲することであり……その領域を超越した万能の力を欲することである」

パスカルはさらに続ける。

> そこにはさまざまな一団がいる――力持ち、二枚目、賢者、信心深い者――そして、それぞれがほかでもない自分自身の領域を支配する。しかしときに、それらの人びとは出会い、力持ちと二枚目が支配権を争ったりする。それぞれの支配する領域は異なるので、ばかげた行為なのだが。彼らは互いを誤解しあい、それぞれが広い支配を目論んでいるとお互いに思いこむ。この戦いに勝つ者はいない。力持ちでさえ、賢者たちの王国では無力だからだ。

僕らは多くの支配者たちがいる世界にいる。支配者はひとりではない。それぞれの領域には、正しい支配的な価値と価値を評価する方法がある。

ウォルツァーの提案は、「複合的な平等」とか「政治的な平等主義」とか呼ぶものを通じて貨幣やその他の支配的な価値の影響を制限することだ。その目的は、「支配から解放された社会」である。

ウォルツァーの直観に反する洞察は、ある一領域内での支配はかまわないというところだ。つまり、正義に関する領域で正義は支配的でよいというのだ。愛は心の領域を支配すべきだという。それぞれの価値には、それが支配すべきそれ自身のまっとうな場所がある。ウォルツァーによれば、ひとつのカテゴリー内であればビジネスの独占さえも問題がない。このような独占や支配的地位は、公正に得ることができるし、すべての人にとって利益になる。

問題が起こるのは、支配すべきでない領域をそれらが支配する場合だ。ウォルツァーは次のように書いている。「独占の分割や制限ではなく、支配の縮小に焦点を絞るべきだ。財を

ほかの領域に転換できる範囲を絞るとはどういうことかを検討しなければならない」ウォルツァーは続ける。

> いまから、さまざまな社会的な財がそれぞれ独占的に保持されている社会を想像してみよう——継続的な国の介入がなければ、現にそのような独占は行なわれるし、今後もそうなりうる——とはいえ、その社会では特定の財をほかの財に転換できない……転換に対する抵抗は一般の男女によって、おおいに続く。大規模な国の介入のない、競争とコントロールという自らの領域のなかで。

これは少しわかりにくいけれども、ウォルツァーは各領域で独自のルールや基準がある社会を検討してほしいと、僕らに語りかけている。お金をたっぷり持っているからといって、美しいわけではない。美という価値はまったく別のカテゴリーだからだ。ほかの強みがあるからという理由で別の何かを得るわけではない。そしてこれは、自分の価値基準やその基準の持続方法を介して、人びとが自分でコントロールできることだ。

僕らにはそれぞれ、自分がすぐれている領域がある。だからといって、自分の才能や長所が価値を発揮しない領域で行きすぎた権利を得るべきではない。ウォルツァーはこう書いている。

> 市民Xが市民Yを抑えて政治家に選ばれたとする。その場合、ふたりは政治の領域では平等ではない。しかし、Xがその役職に就くことで、すぐれた医療が受けられるとか、わが子を良い学校へ行かせられるとか、起業の機会が得られるなど、ほかのいかなる領域でYより有利にならないかぎり、ふたりのあいだには全体的な不平等はない。

金銭的な不平等は、お金がそれほど支配的でないかぎり、大きな問題にはならない。たっぷりお金を持っていることは、たっぷりトイレットペーパーを持っているようなもの。ある目的には適しているけれども、万能ではない。

> 複合的な平等という観点からすれば、あなたはヨットを持っているけれど私は持っていないとか、彼女のハイファイの音響システムは彼のものよりずっとすばらしいとか、そんなことはたいした問題ではない。それを重大なことと受け止める人もいればそう思わない人もいる。それは文化の問題であって公平の問題ではない。ヨットやハイファイ装置やカーペットに使用価値と個別化された象徴的な価値しかない場合、それらが平等に分配されていなくても問題ではない。

ウォルツァーが思い描くのは、支配のない世界だ。それぞれの生活の領域が、他者に支配されることなく、独自の価値に支配される世界。なぜなら、ウォルツァーが書いているとお

り、「私たちはみな、文化を生みだす生き物であるからこそ、その習慣には意味があり、それを踏みにじろうとする試みはなんであれ専制的である」からだ。

答えは1つのアイデアや方法が花開くことではなく、さまざまなアイデアや方法が花開くことだ。

> 世襲の王や慈悲深い君主、土地を持った貴族、資本主義国家の取締役たち、官僚政権、あるいは革命の指導者が統治する社会を想像できる。民主主義の要旨は、あらゆる集団を構成するあらゆる人びとが政治権力を共有していれば、さまざまな集団の男女が尊重される可能性が高いということである。

僕らがこれを受けいれがたいのは、これまで僕らがさんざん聞かされてきた偉人神話のせいだ。ウォルツァーはこう語っている。

> われわれは、戦争の英雄が起業家に転身し、その後完璧な演説家になったというような話を聞かされている。このような物語はフィクションで、金や権力や学術的な才能が伝説的な名声に変換されているにすぎない。たとえこのような人物が実在したとしても、支配階級を形づくるほど多くない。ひとりの人物が、もっともすぐれた政治家で起業家で科学者で兵士で愛すべき恋人というのはまれで、概してそれらは別の人たちである。その人びとが所有する財によってほかの財がもたらされるのでないかぎり、人びとの成功を恐れる理由はない。

ウォルツァーを読んで、僕の心が開かれた。それぞれの価値には適切な領域があるという概念について、僕は考えつづけた。これが本当なら、僕らはどの領域にいるのか、どうしたらわかるのだろうか。どうすれば、問題になっているのはどの価値だとわかるのだろうか。

1年後、僕の考えを転換させる2冊目の本に出会った。それは、哲学者エリザベス・アンダーソンが1993年に出版した *Value in Ethics and Economics*（倫理的で経済的な価値）だ。ミシガン大学の教授であるアンダーソンは、ウォルツァーの多元的価値に焦点を当て、それをたたき台にしている。アンダーソンはこう書いている。

> 私たちは欲求や喜びをほとんど感じないものに価値があるという判断はしないが、愛、称賛、名誉、尊敬、愛情、畏敬の念を感じるものは価値があるとみなす。このことからして、財がいかに多元的で、種類や質がいかに多様かがわかる。それらの財は、私たちがいくらの値段を付けるかだけでなく、どのように価値を評価すべきかもさまざまだ。ものを大切に扱うさまざまな方法が、私の価値の理論では、多元性の源泉である。

ウォルツァーの観点とは対照的に、アンダーソンはお金に振り回されて何かを行なうこと

で、僕らは次のようにすべきと思いこまされていると言う。「本当は重要でないことを大切に扱い、本当には信じていないことへの行動を正当化する。そして、そうすることで物質的な豊かさが生まれる。それでは、それが自分の性格に合わなければ、どうすればいいのだろうか。それは私たちが支払う代償にすぎない。それは、自己認識のための一貫した土台を提供してくれないし、自己のさまざまな側面に心をざわつかせるような分裂を必要とする」

アンダーソンはさらに続ける。

> 追い求める価値のある理想はきわめて多様であるし、それがみなたったひとりの人生に組みこまれるわけではない。さまざまな理想に達するためには、相反する美徳を成長させる必要があったり、ある計画の追求が必然的にほかの計画の追求を妨げたりすることもある。多くの才能や気性、関心、機会、人間関係を持つ個人が、合理的に異なる理想を取りいれたり保持したりしている。理想があるからこそ、人はほかのどれでもない計画や、人物、事物をとくに追い求めるべき価値のあるものとして位置付けるので、さまざまな財のなかからその人にとってとくに重要なものとしてそれが区別される。ある人が好んで採用した理想が別の人には不適切な場合があるので、同じ財に対して同じ態度をみんなが採用すべきというのは意味がない。価値があるかもしれない評価対象は、ひとりの人間の心を占める財より、はるかに多いのだ。

アンダーソンは自ら「表現の価値」と呼ぶ多元的な価値を受けいれていくなかで、新しい重要なステップを紹介している。

> このアプローチ法では、あなたの理想的な結果を最大化するのはどの選択肢かを選ぶのではなく、まずどの枠組みが適切かをみきわめ、どれが正しい表現の基準で、実際的な対応はどれか、を見つけることが最初のステップである。

このステップを踏めば、僕らは自分たちの価値基準と自分自身とに、さらに整合性を持たせられる。

「表現理論は、自己認識や統一された自己を構成するための一貫した土台を提供する。またその土台によって、適切なふるまいや感情など本来備わっている価値や基準に関する平凡な直感が意味をなす」とアンダーソンは書いている。

僕らは自分が誰で、どこにいるのかに基づいて決定をくだすし、自分の周辺ではどういう行動が正しくてどれが間違っているかを示唆する基準に基づいて決断する。そしてこのような判断の仕方は一般的にいいことだ。こうしてコミュニティや人びとが区別されるし、こうして人びとは一貫した自己として生きられる。金銭的な最大化が飲みこんでいるのは、この繊細で深いエネルギーなのだ。

ウォルツァーやアンダーソンの考えは、僕の頭のなかでぐるぐる回りつづけた。そしてあ

る日、紙にスケッチをしているとき、ひらめきの瞬間がやってきた。ホッケースティックのグラフを描きながら、その向こうにある、まだ描かれていない自己利益の広大な領域が見えたのだ。それまで考えたこともなかった、別の空間のことを思ったのだ。僕はグラフの軸を伸ばし、本書でまさに示したとおり、点線で線を引いて4つのボックスを描いた。

描いたスケッチの横には、走り書きで描いたものの説明を付けた。「近視眼的な姿勢を超えて（Beyond near-term orientation）」と僕は書いた。それがこのグラフの成し遂げたことだ。このグラフは、僕らを近視眼的な姿勢の向こう側へ連れていってくれた。

ぼくはメモを見直した。BEyond Near-Term Orientation。

略して BENTO（ベントー）。その絵は弁当箱そのものだった。

あなた自身のベントーを設定するプロセスの助言を含め、ベントーイズムの詳細については、https://www.ystrickler.com/bento を参照してほしい。

参考図書

以下の本は本書に影響を及ぼした。これらを推薦する。

ベントーイズム

エリザベス・アンダーソン *Value in Ethics and Economics*

マイケル・ウォルツァー『正義の領分——多元性と平等の擁護』（山口晃訳、而立書房、1999年）

アイデアがいかに機能するかについて

ユヴァル・ノア・ハラリ『サピエンス全史——文明の構造と人類の幸福』（柴田裕之訳、河出書房新社、2016年）

ジョン・ヒッグス『The KLF——ハウス・ミュージック伝説のユニットはなぜ100万ポンドを燃やすにいたったのか』（中島由華訳、河出書房新社、2018年）

ジョン・ヒッグス『人類の意識を変えた20世紀——アインシュタインからスーパーマリオ、ポストモダンまで』（梶山あゆみ訳、インターシフト、2019年）

トマス・S・クーン『科学革命の構造　新版』（青木薫訳、みすず書房、2023年）

ダニエル・ロジャース *Age of Fracture*

J. Z. ヤング『人間はどこまで機械か——脳と意識の生理学』（岡本彰祐訳、白揚社、1956年）

経済学

ルトガー・ブレグマン『隷属なき道—— AIとの競争に勝つベーシックインカムと一日三時間労働』（野中香方子訳、文藝春秋、2017年）

デヴィッド・グレーバー『負債論——貨幣と暴力の5000年』（酒井隆史監訳、高祖岩三郎、

佐々木夏子訳、以文社、2016年）
アニー・ローリー『みんなにお金を配ったら――ベーシックインカムは世界でどう議論されているか？』（上原裕美子訳、みすず書房、2019年）
マリアナ・マッツカート『企業家としての国家――イノベーション力で官は民に劣るという神話』（大村昭人訳、薬事日報社、2015年）
マリアナ・マッツカート *The Value of Everything: Making and Taking in the Global Economy*
カルロタ・ペレス *Technological Revolutions and Financial Capital: The Dynamics of Bubbles and Golden Ages*
トマ・ピケティ『21世紀の資本』（山形浩生、守岡桜、森本正史訳、みすず書房、2014年）
E. F. シューマッハー『スモール・イズ・ビューティフル――人間中心の経済学』（小島慶三、酒井懋訳、講談社、1986年）
ジョセフ・E・スティグリッツ、アマティア・セン、ジャンポール・フィトゥシ『暮らしの質を測る――経済成長率を超える幸福度指標の提案：スティグリッツ委員会の報告書』（福島清彦訳、金融財政事情研究会、2012年）

ビジネス
イヴォン・シュイナード『新版 社員をサーフィンに行かせよう――パタゴニア経営のすべて』（井口耕二訳、ダイヤモンド社、2017年）
フィル・ナイト『SHOE DOG――靴にすべてを。』（大田黒奉之訳、東洋経済新報社、2017年）
マイケル・ルイス『ライアーズ・ポーカー』（東江一紀訳、ハヤカワ文庫NF、2013年）
松下幸之助 *Not for Bread Alone: a Business Ethos, a Management Ethic.*（日本語名　わが実践的経営理念）〔PHP研究所のウェブサイトによると書名訳は『ビジネスで重要な71のこと』。松下幸之助の『商売心得帖』など4冊の著書から選出した71のエッセイから成っている。本書での日本語名は国会図書館のデータに基づく〕
ダニエル・ピンク『モチベーション3.0――持続する「やる気！」をいかに引き出すか』（大前研一訳、講談社、2015年）

経済的自立 早期リタイア
クリス・マーテンソン、アダム・タガート *Prosper! How to Prepare for the Future and Create a World Worth Inheriting*

医学
シッダールタ・ムカジー『がん―4000年の歴史―』（田中文訳、ハヤカワ文庫NF、2016年）
デイヴィッド・ウートン *Bad Medicine: Doctors Doing Harm Since Hippocrates*

付　録

参考映像作品

アダム・カーティス監督の作品 *The Trap: What Happend to Our Dream of Freedom*、*Century of Self*、*HyperNormalisation*（いずれも BBC のドキュメンタリー）

注　　釈

はじめに

1《チャイナデイリー》の見出しは2017年10月27日付のもの。

2 タッカー・カールソンの独白は2019年1月3日、「フォックス・ニュース」で語られた。

3 若者と資本主義についてのハーバード大学政治学部の世論調査。《タイム》で報告された（“American Capitalism’s Great Crisis” May 11, 2014）。

第1章　シンプルなアイデア

1 キックスターターがローンチされるまえ、ミュージシャンのマリリオンやジル・ソブレ、そしてアーティストシェア、ドナーズチューズ、ファンダブル、インディゴーゴー、セラバンドといったプラットフォームが、クラウドファンディングやそれに準ずることを行なっていた。

2 ハイタッチの話は *ESPN The Magazine* から（“History of the High Five,” August 8, 2011）。

3 僕のウェブサミットでの講演は、YouTube で “Resist and Thrive–Yancey Strickler, Co-Founder of Kickstarter ” というタイトルで公開されている。

4「クラウドファンディング」は2006年にジャーナリストのジェフ・ハウが生みだした言葉だ〔ジェフ・ハウが命名したのは正しくはクラウドソーシング。同じ源流とみなされている〕。キックスターターはこの言葉を受けいれなかったが、今後もこの言葉は残るだろう。

5 2009年4月29日に投稿した “Why Kickstarter?”（「なぜキックスターターなのか？」）というタイトルのブログより。

6 最初に20ドルをくれたミャンマーの男性はケン・トゥンだった。ありがとう、ケン。

7 人口の予測は国連の World Population Prospects レポートによる。

8 スティーブ・ジョブズの最後の言葉は、スティーブの妹モナ・シンプソンによって伝えられた（“A Sister’s Eulogy for Steve Jobs,” *New York Times,* October 30, 2011）。

9 人類の年齢に関するウィル・マッカスキルの視点は、2018年の TED トーク “What Are the Most Important Moral Problems of Our Time?” による。マッカスキルはまた、「効果的な利他主義」というムーブメントの共同提唱者でもある。効果的な利他主義は人びとが生活のなかで生みだす利他的な影響の最大化をめざしている。

第2章　対向車線を横切らないルール

1 僕が「ノー・レフト・ターン・ルール」に出会ったのは、1994年の《アトランティック》の記事で、アーバン・リテール・プランナーのロバート・ギブスについて読んだことがきっかけだった。ギブスは記者に、「交通アドバイザーはすべてを支配しています。彼

はあまりにも多くの土地を拒否したので、"ターミネーター"と呼ばれていました」と語った。ギブスは、2012年に出版した著書 *Principles of Urban Retail Planning and Development* にもこれについて書いている。ギブスは親切にも僕と話す機会を設けてくれた。「ノー・レフト・ターン・ルール」はまだ使われているかと尋ねてみたところ、現在でもこのルールは、ショッピングセンターや店舗が建設される場所の指針になっているとギブスは請け合った。

2 キャス・サンスティーンは、リチャード・セイラーとの共著『実践行動経済学――ノーベル経済学賞を受賞した賢い選択をうながす「しかけ」』（遠藤真美訳、日経BP、2022年）のなかで、駐車場の白線が一種の隠れデフォルトであることについて書いている。

3 臓器提供率に関するデータは、2004年の次の研究による（"Defaults and Donation Decisions," by Eric J. Johnson and Daniel G. Goldstein）。

4 ジムの使用率に関するデータは《USAトゥデイ》の次の記事による（"Is Your Gym Membership a Good Investment?," April 27, 2016）。

5 メールの配信停止率に関するデータは、メールサービス・プロバイダーのMailChimpによる（"Email Marketing Benchmarks," March 2018, https://mailchimp.com/resources/email-marketing-benchmarks）。

6 連邦議会の支持率と再選率のデータはCenter for Responsive Politicsによる。

7 デヴィッド・フォスター・ウォレスの物語は、彼がケニオン大学で行なった卒業式でのスピーチ "This Is Water" が元になっている。

8 ダニエル・カーネマンとエイモス・トヴェルスキーの研究は、『ファスト＆スロー――あなたの意思はどのように決まるか？』（村井章子訳、早川書房、2014年）に付録で収録されている。

9 ダン・アリエリーは2008年の『予想どおりに不合理――行動経済学が明かす「あなたがそれを選ぶわけ」』（熊谷淳子訳、早川書房、2008年）で、僕らの感情が選択に及ぼす影響について書いている。

10 2009年に *American Journal of Medicine* に発表されたレポートによると、アメリカの破産の62％は医療費が原因だ（"Medical Bankruptcy in the United States, 2007: Results of a National Study" by David U. Himmelstein, Deborah Thorne, Elizabeth Warren, and Steffie Woolhandler）。

11 企業が既存薬の薬価を引きあげた例としては、エピペン、インスリン（大手製薬会社3社）、ダラプリムなどがある。

12 2018年にR&Dよりも自社株買いに多くの資金が費やされたというデータは、CNBCのレポートによる（"Capital Expenditures Surge to 25-Year High, R&D Jumps 14% as Companies Spend Tax Cut Riches Freely," September 17, 2018）。

13 J・D・ウィリアムズ『ウィリアムズのゲーム理論入門――経営・人生ゲームの戦略と応用』（竹内啓、関谷章、新家健精訳、白揚社、1967年、46ページ）。

14 ランド研究所の事務職員たちの物語は、ダグラス・ラシュコフの *Life Inc: How Corporatism Conquered the World, and How We Can Take It Back* とアダム・カーティスのBBCドキュメンタリー *The Trap* から引用している。

15 ゲーム理論は文字どおり、友人を警察に突きだすべきだと提案していたわけではない。ゲームの世界でプレーしているときは、こうした戦略が合理的というだけの話だ。問題が起こるのは、人びとが現実の世界もゲームのひとつみたいにふるまいはじめたときだ。

16「ウォール・ストリート・ゲーム」対「コミュニティ・ゲーム」の名前の力に関する研究についての情報は、Varda Liberman, Steven M. Samuels, Lee Ross による論文 "The Name of the Game: Predictive Power of Reputations versus Situational Labels in Determining Prisoner's Dilemma Game Moves" から得た。

第3章　何もかも同じなわけ

1 サム・ハントの「ボディ・ライク・ア・バック・ロード」現象を知ったのは、2017年9月22日にブログ「Marginal Revolution」に掲載されたジャーナリスト、ジェシー・リフキンのメールだった（https://marginalrevolution.com/marginalrevolution/2017/09/slower-turnover-songs-movies.html）。

2 2006年に *Loyola of Los Angeles Entertainment Law Review* に掲載されたレイチェル・M・スティルウェルの論文 "Which Public–Whose Interest–How the FCC's Deregulation of Radio Station Ownership Has Harmed the Public Interest, and How We Can Escape from the Swamp"（385ページ）より。

3 ラジオ業界再編の経緯は、《ロサンジェルス・タイムズ》（2001年のジェフ・リーズによる "Clear Channel's Dominance Obscures Promotions Conduit"、非営利団体 Future of Music Coalition による2006年のレポート "False Premises, False Promises: A Quantitative History of Ownership Consolidation in the Radio Industry"、前出のレイチェル・M・スティルウェルによる論文 "Which Public–Whose Interest–How the FCC's Deregulation of Radio Station Ownership Has Harmed the Public Interest, and How We Can Escape from the Swamp"、「モントレー・カウンティ・ナウ」のレポートから（"In an Era of Consolidation, the Future of Radio Is Uncertain," September 1, 2016）。

4 2006年 Future of Music Coalition の Peter DiCola による論文 "False Premises, False Promises: A Quantitative History of Ownership Consolidation in the Radio Industry" より。

5 続篇、前日譚、リブート、リメイクの興行収入トップ10入り本数は、リサーチャーのミリアム・ガルシアが本書のために分析したもの。

6 この統計は、映画データ・リサーチャーのスティーブン・フォローズが2015年6月8日にブログに投稿した "How Original Are Hollywood Movies? " による（https://stephenfollows.com/how-original-are-hollywood-movies）。

7 映画スタジオの大企業による買収の背景は、映画史家ティム・ダークスのリサーチ "The

History of Film: The 1980s" による（https://www.filmsite.org/80sintro.html）。

8 続篇を製作する安全性についての引用は、オンラインマガジン《デッドライン》の映画担当エディター、アニタ・ブッシュが「ABC ニュース」に語ったもの（"What's Driving the Resurgence of Reboots, Remakes, and Revivals in TV and Film," May 2017）。

9 映画の続篇の歴史に関する背景は、スチュアート・ヘンダーソンの *The Hollywood Sequel: History and Form, 1911– 2010* による。

10 銀行支店の増加に関するデータは、《ウォール・ストリート・ジャーナル》（"All Those Banks in New York City? It's Our Fault," June 6, 2014）による。

11 2015 年に《ニューヨーク・タイムズ》に掲載されたハンクの追悼記事に、2005 年に《ニューヨーク・オブザーバー》の記者に語ったコメントが引用されている。

12 ニューヨーク市の家賃の歴史に関するデータは、ニューヨークの不動産鑑定士ジョナサン・ミラーがニューヨークの不動産会社の雑誌に発表した調査結果（"Change Is the Constant in a Century of New York City Real Estate," *Elliman* magazine）と、《ニューヨーク・タイムズ》（"In an Earlier Time of Boom and Bust, Rentals Also Gained Favor," October 17, 2011）のレポートに基づく。

13 コインランドリーの店舗家賃が 7,000 ドルから 21,000 ドルになったという話は、《ハーパーズ・マガジン》（"The Death of a Once Great City," July 2018）から。

14 このパラグラフの統計学的数値はすべて非営利団体センター・フォー・アーバン・フューチャーの 2017 年版 "State of the Chains" レポートによる。

15 ジョン・バルベイトスはボクサー・ブリーフの発明者であり、現在は CBGB があった場所で高級ファッションブランド店を経営している。

16 ニューヨークのチェーン店の増加に関する情報は、センター・フォー・アーバン・フューチャーの委託によって 2008 年以降毎年実施されている State of the Chains 調査によるものである。ローワー・イーストサイドにチェーン店がもっとも多い（コリアタウンと同数）という統計学的数値は、2017 年版 "State of the Chains" レポートによる。センター・フォー・アーバン・フューチャーのディレクター、ジョナサン・ボウルズに話を聞き、ニューヨークの変化の特徴についての情報を引用させてもらった。直接の情報源ではないけれど、ジェレマイア・モスの *Vanishing New York: How a Great City Lost Its Soul*（消えゆくニューヨーク――ソウルを失った街）というブログと本も、ニューヨークに起こったことを力強い筆致で概観している。

17 ショッピングモールの増加と税法上の減価償却の歴史についての情報は、歴史家トーマス・ハンチェットの論文 "U.S. Tax Policy and the Shopping-Center Boom of the 1950s and 1960s"（1996 年に米国歴史学会が発行）による。この論文を見つけたのは、《ニューヨーカー》のマルコム・グラッドウェルによるショッピングモールの歴史に関する記事（"The Terrazzo Jungle," March 15, 2004）で言及されていたからだ。

18 連邦準備制度理事会（FRB）の経済学者ウィリアム・ヘルマス・ジュニアの 1955 年の

論文“Depreciation and the 1954 Internal Revenue Code”によると、この税法改正は「税の永遠の延期」に相当する。

19 “Profits in Losses,” *Wall Street Journal*, July 17, 1961。

20 市街中心部の小売業の衰退についてのデータは、前述のロバート・ギブス著 *Principles of Urban Retail Planning and Development* から。同書は、「ショッピングモールによって、400年以上かけて築かれてきたアメリカの街は1世代で作り変えられた」と述べ、「それはおおいに家賃に影響されている」と指摘している。

21 1996年に発表された次の論文から（“What Happened When Wal-Mart Came to Town? A Report on Three Iowa Communities with a Statistical Analysis of Seven Iowa Counties,” by Thomas Muller and Elizabeth Humstone for the National Trust for Historic Preservation）。

22 2015年に発表された Center for Economic Studies による次の論文より（“The Evolution of National Retail Chains: How We Got Here”）。この論文から、チェーン店の増大や規模、運営に関する情報も得た。

23 Civic Economics' Andersonville Study of Retail Economics（2004）によると、地元の小売店で消費された100ドルのうち68ドルは地元に再分配されていたが、チェーン店で消費された場合の再分配は43ドルだった。

24 カウフマン財団のアメリカの起業率を調査している“Kauffman Index”から。これらの特定のデータポイントは“Startup Density”指標に由来する。喫煙率の低下に関する統計学的数値は、ギャラップ社が1940年代から毎年行なっている喫煙習慣についての調査に由来する。1977年、アメリカ人の38%がギャラップの調査で喫煙していると答えた。2015年には喫煙しているアメリカ人は19%だった。

25《USA トゥデイ》が報じた2018年の UPS Stores' Inside Small Business Survey による（“Survey: Two-thirds of Americans Dream of Opening a Small Business,” May 4, 2018）。

26 チェーン店の成長に関する情報は、国勢調査局の2人の職員による論文“Supersize It: The Growth of Retail Chains and the Rise of the ‘Big Box’ Retail Format”から。この論文は企業の規模と拡大に関する40年間の国勢調査データに基づいて作成され、2012年に *Journal of Economics and Management Strategy* に掲載された。この論文によると、「1970年代後半までは、消費全体の半分以上が1店舗のみの小売店に費やされていたが、［2012年には］消費全体の60%以上がチェーン店で消費され、1954年と比べて割合が2倍になっている」。同じ国勢調査局職員らの別の論文“The Evolution of National Retail Chains: How We Got Here”（国勢調査局 Center for Economic Studies のリサーチ結果として）も情報源として活用した。

27 技術系企業の起業率が低下しているというニュースは、2018年に発表された National Bureau of Economic Research の論文から（“Changing Business Dynamism and Productivity: Shocks vs Responsiveness,” by Ryan Decker, John Haltiwanger, Ron Jarmin, and Javier Miranda）。

28 クレディ・スイス社の2018年のレポートに基づく（“Traditional Stores Are Doomed,”

April 18, 2018)。
29《タイム》より（“Why the Death of Malls Is About More Than Shopping,” July 20, 2017)。

第4章　マレットエコノミー

1 リサイクル率のデータは、2015年の米国環境保護庁の直近のファクトシートから。
2 マルチ・ストリームからシングル・ストリーム・リサイクルへの転換についてのデータは、《サイエンティフィック・アメリカン》から得た（“Single Stream Recycling,” September 2013)。より詳しい情報は *Wired*（“Listen Up America: You Need to Learn How to Recycle. Again,” August 21, 2015)。
3 Container Recycling Institute（“Understanding Economic and Environmental Impacts of Single-Stream Collection Systems,” 2009)。
4 中国の新たなリサイクルのルールに関する情報は、《ウォール・ストリート・ジャーナル》（“Amid Trade Feud, Recycling Is in Danger of Landing on Trash Pile,” April 12, 2018）による。
5 フィラデルフィア郊外の廃棄物処理施設が回収したリサイクル品を燃やしている疑いがあるというレポートは《ガーディアン》のもの（“ ‘Moment of Reckoning’: US Cities Burn Recyclables after China Bans Imports,” February 2019)。
6《ウォール・ストリート・ジャーナル》（“Recycling, Once Embraced by Businesses and Environmentalists, Now Under Siege,” May 13, 2018)。
7 ミルトン・フリードマンが1970年9月13日に発表した《ニューヨーク・タイムズ》の論評のタイトルは “The Social Responsibility of Business Is to Increase Its Profits”。
8 僕が「利潤最大化層」と呼ぶものには、いくつかの情報源がある。もっとも重要なのは、経済学者のウィリアム・ラゾニックとメアリー・オサリバンによる分析だ。2010年に《エコノミー・アンド・ソサエティ》に掲載された “Maximizing Shareholder Value: A New Ideology for Corporate Governance” という論文で、ラゾニックとオサリバンは、僕が利潤最大化と呼ぶものの歴史をくわしく説明している。ふたりの研究によると、この新しい考え方が登場した1970年代前半よりまえは、企業は「内部留保と再投資」モデルにしたがっており、収益は追加サービスや製品、昇給、従業員の研修などに回されていた。ところが1970年代になると、企業は「縮小と売却」という戦略に移行し、従業員数を減らし、経営陣と株主のボーナスを増やす戦略に変わった。ここで解説されている慣行は、僕が「最大化層」の特性と考える行動だ。
9 ダフ・マクドナルド『マッキンゼー――世界の経済・政治・軍事を動かす巨大コンサルティング・ファームの秘密』（日暮雅通訳、ダイヤモンド社、2013年)。
10 歴史的な賃金率のデータは、労働統計局のデータに基づいて2018年に発表された Economic Policy Institute の “The Productivity-Pay Gap” から。
11 Economic Policy Institute の調査報告 “CEO Compensation Surged in 2017” から。

12 アメリカのクレジットカード負債残高に関するデータは、"Federal Reserve's Consumer Credit Outstanding (Levels) 1943–2018" と米国国勢調査局の Households by Type データから。

13 自社株買いについての情報は、経済学者ウィリアム・ラゾニックが2010年にブルッキングス研究所で発表した論文 "Stock Buybacks: From Retain-and-Reinvest to Downsize-and-Distribute" と 2011 年の論文 "From Innovation to Financialization: How Shareholder Value Ideology Is Destroying the US Economy"（オックスフォード大学出版局 *The Handbook of the Political Economy of Financial Crises* 所収）から。その他 "Stock Buybacks: Misunderstood, Misanalyzed, and Misdiagnosed" by Aswath Damodaran for the American Association of Individual Investors およびゴールドマン・サックスのアナリスト、スチュアート・カイザーによる調査報告のデータからも情報を得た。

14《フォーチュン》が最初に自社株買いに光を当てたのは、1985年4月29日付のキャロル・J・ルーミスによる記事 "Beating the Market by Buying Back Stock" だった。

15 自社株買いに費やされた額とその他の投資に費やされた額を比較するデータは、デロイト社のデータから（"Decoding Corporate Share Buybacks: Is It at the Cost of Investment?" November 2017）。

16《フィナンシャル・タイムズ》（"China Is Winning the Global Tech Race" on June 17, 2018）。

17《ニューヨーク・タイムズ》（"Layoff Rate at 8.7%, Highest Since 80's," August 2, 2004）。

18《ニューヨーク・タイムズ》（"In Yahoo, Another Example of the Buyback Mirage," March 25, 2016）。

19 CNN（"How Sears Wasted $6 Billion That Could Have Kept It out of Bankruptcy," October 30, 2018）。

20 NPR（"While Trump Touts Stock Market, Many Americans Are Left Out of the Conversation," March 1, 2017）。

21 2018年5月24日～25日に開催されたダラス連邦準備銀行のイベント "Technology-Enabled Disruption: Implications for Business, Labor Markets, and Monetary Policy" での発言としてニュースウェブサイト、アクシオスが報じた（"Forget About Broad-Based Pay Raises, Executives Say," May 27, 2018）。

22 ラゾニックが自社株買いを「繁栄なき利益」と評したのは、《ハーバード・ビジネス・レビュー》（"Profits Without Prosperity," September 2014）。

23 ベーシックインカムがさらにわかるようになる、お薦めの本2冊をここで紹介する。ルトガー・ブレグマン『隷属なき道―― AI との競争に勝つベーシックインカムと一日三時間労働』とアニー・ローリー『みんなにお金を配ったら――ベーシックインカムは世界でどう議論されているか?』。

24 学生ローンに関する背景と統計は CNBC（"Why Does a College Degree Cost So Much?" in

2015 and “Student Loan Balances Jump Nearly 150 Percent in a Decade” in 2017）から得た。

25 選挙運動の費用と選挙結果との関係についての2015年の報告（“How Money Drives US Congressional Elections: More Evidence”）は、Thomas Ferguson, Paul Jorgensen, Jie Chenによって著され、Institute for New Economic Thinkingから出版された。

26 自社株買いのルールは1982年に変更された。証券取引委員会が規則10b-18を制定し、自社株買いが合法的に行なえるプロセスが決められた。

27 複数の州にまたがる銀行の規制緩和は、1994年リーグル・ニール州際銀行支店設置効率化法によって実現した。

28 銀行業界の重大な規制緩和法案は、1999年に制定されたグラム・リーチ・ブライリー法だ。

29 米国科学振興協会（AAAS）による米国の予算データと分析によると、1970年から2016年までのあいだに、連邦予算に占める研究開発への投資の割合は、4%近くから2%未満へと低下した。

30 ビジネス・ラウンドテーブルの「企業の責任に関する声明」についてのラルフ・ゴモリーの見解は、「最大化層がさらに一般的になる」と記述しているゴモリーの文書の一部を抜粋した。ゴモリー自身のウェブサイトで、ビジネス・ラウンドテーブルの過去の声明文のPDFをすべて見ることができる（http://www.ralphgomory.com）。

31 マリアナ・マッツカートの *The Value of Everything*（160ページ）。

32 役員報酬の1,000%上昇に関する統計は、《ブルームバーグ・ビジネスウィーク》（“American CEO Pay Is Soaring, but the Gender Pay Gap Is Drawing the Rage,” August 2018）による。

第5章　罠

1《ハーバード・ビジネス・レビュー》2015年10月号の表紙。

2 UCLA高等教育研究所の学内研究プログラム（CIRP）である新入生調査の報告書は、1966年から現在に至るまでオンラインで見ることができる（https://heri.ucla.edu/publications-tfs/）。

3 これはマリアナ・マッツカートの *The Value of Everything*（167ページ）からの引用。

4 1759年に出版されたアダム・スミスのもうひとつの代表作『道徳感情論』（水田洋訳、筑摩書房、1973年）第3章から引用。

5 人生の目標に関する研究は“The Path Taken: Consequences of Attaining Intrinsic and Extrinsic Aspirations in Post-College Life” by Christopher P. Niemiec, Richard M. Ryan, and Edward L. Deci（2009）。Tim Kasser and Richard M. Ryanによる別の論文では、内因性の価値（自己受容、帰属意識、コミュニティとのつながり）よりも外因性の価値（地位、金銭など）を重視する人のほうが、不幸になっていることが明らかになった（“Further Examining the American Dream: Differential Correlates of Intrinsic and Extrinsic Goals,” March

1996)。

6 ゼネフィッツ社に関する《ニューヨーク・タイムズ》の記事は2014年9月20日に掲載された。

7 その1年半後、《ニューヨーク・タイムズ》はゼネフィッツ社の凋落も紹介した（"Zenefits Scandal Highlights Perils of Hypergrowth at Start-Ups," February 17, 2016)。

8 グルーポンに関するアンドリュー・メイソンのコメントは、《ニューヨーク・マガジン》で報じられたもの（"The Super-Quick Rise and Even Faster Fall of Groupon," October 2018)。

9 *Wired* からの引用（"Waymo v. Uber Kicks Off with Travis Kalanick in the Crosshairs," February 5, 2018)。

10《ニューヨーク・タイムズ》より（"Delay, Deny, Deflect: How Facebook's Leaders Fought Through Crisis," November 14, 2018)。

11 松下幸之助の名言は松下幸之助著 *Not for Bread Alone: a Business Ethos, a Management Ethic*（日本語名　わが実践的経営理念）より引用。

12 旧称・松下電器産業の週休2日制への変更に関する詳細は、パナソニックの公式社史による。日本の労働基準に関する情報は、僕の義父S.J.キムが僕の代わりに日本で調査してくれた。

第6章　本当に価値があるのは何か

1《フォーブス》の2019年版億万長者リストによる。

2 United Way ALICE Project の2018年の調査から（"51 Million U.S. Households Can't Afford Basics," May 17, 2018)。同報告書は「米国政府のデータ分析によると、約5,080万世帯、または全世帯の43%が、住居、食費、交通費、養育費、医療費、毎月のスマートフォン代など、毎月の基本的な費用を賄う余裕がない」としている。

3 たとえば、米国国勢調査局の報告によると、所得上位25%の家庭の出身者は、下位25%の家庭の出身者に比べて大卒の学位を取得する確率が8倍高い（"Income and Poverty in the United States: 2014," September 2015)。

4 ノエル・オシェロフという89歳になる僕の友人（マズローの論文が発表されたとき13歳だった）は、お金を持っている人や、お金のことを気にする人は下層階級と信じて育ったと言っていた。そういう人びとは人生に何が重要かについての分別がないことを示していた。現在とは価値観がちがっていた。彼女の記憶では、これが大半の人びとの一般的な考え方だったようだが、1980年代くらいから考え方が変わっていった。

5 7万5,000ドルという閾値を明らかにした論文はDaniel Kahneman and Angus Deatonの"High Income Improves Evaluation of Life but Not Emotional Well-Being"だ（September 2010 issue of the *Proceedings of the National Academy of Sciences of the United States of America*)。個人の収入が増えるにつれて、幸福感はあるポイントまで上昇した。だがそれ以後は、幸福感の高まりは大幅に緩くなることが明らかになった。

6 身体的な安全が収入と同様に分配されるとしたら、ジェフ・ベゾス個人を守る警察官の数はどうなるかを計算してみた。データはすべて2019年2月現在のもの。

米国の純資産総額123.8兆ドル
上位1%の総資産：33.4兆ドル
ジェフ・ベゾスの総資産：1350億ドル
下位50%の総資産：2500億ドル

これらの比率をアメリカの警察官の総数に当てはめてみると

アメリカの警官の総数：775,000人（オンライン推定値）
上位1%を守る警官の合計数：209,087人
ジェフ・ベゾスを守る警官の合計数：845人
下位50%の人びとを守る警官の合計数：1億6,300万人に警官1,565人（10万4,000人に警官1人）

7 この研究は、卒業後の学生を調査した大学生生活目標研究の同じ研究者であるEdward Deciによって行なわれた。この実験を説明した論文“Effects of Externally Mediated Rewards on Intrinsic Motivation”は1971年に*Journal of Personality and Social Psychology*に掲載された。
8『モチベーション3.0』の一節で、読んで以来ずっと考えていることがある。ダニエル・ピンクは、『フロー体験 喜びの現象学』（今村浩明訳、世界思想社、1996年）の著者である心理学者ミハイ・チクセントミハイを紹介し、次のように書いている。

　チクセントミハイは数年前――正確な年月は思い出せなかった――、スイスのダボスで毎年開催される世界的なエリートが集結するダボス会議に招待された。主宰者のクラウス・シュワブに呼ばれたのだ。ダボス会議には、ほかのシカゴ大学の教授陣、ゲイリー・ベッカー、ジョージ・スティグラー、ミルトン・フリードマンも招かれていた。みな経済学者でノーベル賞を受賞している面々だった。ある晩、この5人が夕食を共にした。食事の終わりにシュワブはほかのみんなに、現代の経済学でいちばん重要な問題は何だと思うか尋ねた。
「心底驚いたんだが、ベッカーもスティグラーもフリードマンもみな、表現はちがうが最終的には『何かが欠けている』という答えだった」とチクセントミハイは当時を振り返って言った。そのせいで、経済学のあらゆる用語を駆使しても、ビジネスの場に限ってさえ、人のふるまいについては経済学では充分な説明ができないのだと。

9 クズネッツの議会での発表内容は、“National Income, 1929-1932,” 73rd US Congress, 2nd

session, Senate document no. 124, page 5, 1934。
10 GDP の背景はマリアナ・マッツカートの *The Value of Everything* から。
11 マッキンゼー・グローバル・インスティテュートの試算。アニー・ローリーの『みんなにお金を配ったら——ベーシックインカムは世界でどう議論されているか？』からの引用。
12 ベンチャーキャピタリスト、ジョン・ドーアの著書のタイトル〔『Measure What Matters（メジャー・ホワット・マターズ）——伝説のベンチャー投資家が Google に教えた成功手法 OKR』（土方奈美訳、日本経済新聞出版、2018 年)〕。

第7章　ベントーイズム

1 価値についてのアリストテレスの言葉は『ニコマコス倫理学』から。
2 ドイツのファンサイト pulpfiction.de で見つけた、クエンティン・タランティーノ監督の「パルプ・フィクション」の撮影台本から。
3 ただし『マジカル・ミステリー・ツアー』、『ホワイト・アルバム』、『レット・イット・ビー』は例外。
4 ガーフィールド大統領暗殺の詳細は次の文献から情報を得た（"The Stalking of the President" by Gilbert King in *Smithsonian* magazine、*Assassination Vacation* by Sarah Vowell)。
5 僕がいう「医療」は西洋医学をさす。その歴史に関する情報は、いくつかの情報源から得ている。歴史家デイヴィッド・ウートンの *Bad Medicine: Doctors Doing Harm Since Hippocrates* は、医学の長い暗黒時代に光を当てているところがきわめて貴重で、シッダールタ・ムカジー『がん―4000 年の歴史―』は、医学史全般ととくにがんの歴史について、広い背景を設定しているところが秀逸だった。
6 センメルヴェイス・イグナーツ、ジョゼフ・リスターとその時代に関する詳細は、シャーウィン・バーナード・ヌーランド『医学をきずいた人びと——名医の伝記と近代医学の歴史』（曽田能宗訳、河出書房新社、1991 年)、デイヴィッド・ウートンの *Bad Medicine: Doctors Doing Harm Since Hippocrates* から。
7 米国疾病予防管理センター（Centers for Disease Control and Prevention）の *Morbidity and Mortality Weekly Report*（"Achievements in Public Health, 1900–1999: Healthier Mothers and Babies," October 1, 1999）による。
8 ウートンの *Bad Medicine: Doctors Doing Harm Since Hippocrates* から。
9 ベントーイズムの哲学的ルーツについては、「ベントーイズムの起源」というエッセイが付録にある。

第8章　アデルのツアーは続く

1 アデルの言葉は 2015 年 12 月 11 日、ノルウェーとスウェーデンで共同制作されているトーク番組「Scavlan」でのインタビューから。
2 チケットの転売行為への業界の意見に関する情報は《ローリング・ストーン》から得た

（"Is Ticketmaster's New Resale Program Helping or Hurting Fans?," May 27, 2014）。

3 カナダ放送協会（"'I'm Getting Ripped Off': A Look Inside Ticketmaster's Price-Hiking Bag of Tricks," September 18, 2018）。

4《ウォール・ストリート・ジャーナル》（"Concert Tickets Get Set Aside, Marked Up by Artists, Managers," March 2009）。

5 チケットの転売行為への業界の意見に関する情報は《ローリング・ストーン》から得た（"Is Ticketmaster's New Resale Program Helping or Hurting Fans?," May 27, 2014）。

6 このコラボレーションとアデルのファンがチケット代を650万ドル節約できたという情報は《アトランティック》から得た（"Adele Versus the Scalpers," December 25, 2015）。

7 NBAのシュートの質を分析した図表の出典元は、NBAのチームやライターに詳細な分析を提供するサービス、セカンド・スペクトラムの共同設立者であるYu-Han Changによる"Quantifying Shot Quality in the NBA"という論文だ。この論文は2014年、MITのスローン・スポーツ・アナリティクス会議で発表された。このムーブメントにかかわったほかの重要人物としては、ジョン・ホリンジャー、カーク・ゴールズベリー、マーティン・マンリー、ダリル・モリーなどがいる。

8 その年の暮れ、ソングキックはライブネーションを相手取り、チケット販売の巨大企業であるライブネーションがソングキックに対して不正な行為を行なったとして連邦反トラスト法違反訴訟を起こした。不正行為のひとつが、ライブネーションの所有する会場で行なわれるライブパフォーマンスにこの新しいツールを使うことを禁止するという脅しだった。ライブネーションはこの訴訟で和解し、ソングキックに1億1,000万ドルを支払い、ソングキックの技術のパテントを取得した。《ニューヨーク・タイムズ》（"Songkick Sues Live Nation, Saying It Abuses Its Market Power," December 22, 2015）、《ウォール・ストリート・ジャーナル》（"Songkick Suing Live Nation, Ticketmaster," December 22, 2015）、《ニューヨーク・タイムズ》（"Live Nation Settles Suit with Ticketing Startup, Buying Its Assets," January 12, 2018）から。

9〈チック・フィレイ〉は、2018年の米国顧客満足度指数でもっとも高い評価を受けたファストフード店に選ばれた。

10 日曜日に休業することによる〈チック・フィレイ〉の推定損失額は、Quora〔クオラ、Q&A形式のコミュニティサイト〕のユーザー、マックスウェル・アーノルドが同社の年間売上高に基づいて計算した。

11「ミスター・マネー・マスタシュ」のFIREについての熱烈なピッチは、2013年2月22日のブログ記事"Getting Rich: From Zero to Hero in One Blog Post"から。

12 BMWを売った女性と、身の丈を下回る生活をしている人についての引用元は《ニューヨーク・タイムズ》（"How to Retire in Your 30s with $1 Million in the Bank," September 1, 2018）。

13 ベン&ジェリーズの複雑な運命については、ブラッド・エドモンドソンの *Ice Cream*

Social: The Struggle for the Soul of Ben & Jerry's（アイスクリーム・ソーシャル：ベン＆ジェリーズの精神をめぐる闘い）や、《ニューヨーク・タイムズ》が同社の一投資家の次の言葉を引用している。「企業が最高入札者に売却されるか、訴えられるか、どちらかしか選択肢がないというのは恐ろしい話だとわれわれは考えています」（"Ben & Jerry's to Unilever, with Attitude," April 13, 2000）。

14 ジェイ・コーエン・ギルバート、アンドリュー・カッソイ、バート・ホウラハンの3人は、米国におけるPBCムーブメントを始めた。この活動が始まったのは2007年。3人は前職を辞め、長期的な価値創造に焦点を絞った、企業の新たなカテゴリーを提唱した。2010年には、アメリカの1つの州が口火を切ってこの新しい構造を合法化した。2018年現在、35州がPBCを認めている。キックスターター、パタゴニア、メソッドなどが価値の隙間を埋める自社の活動から恩恵を受けている。

15 キックスターターのPBC憲章の全文はオンラインで見ることができる（https://www.kickstarter.com/charter）。

16「クリエイティブ・インディペンデント」のサイトはこちら（https://www.thecreativeindependent.com）。

17 パタゴニアの修理プログラムに関する情報は、同社ウェブサイトおよび《ファスト・カンパニー》（"Don't Throw That Jacket Away; Patagonia Is Taking Its Worn Wear Program on the Road," April 2015）による。パタゴニアの企業方針に関する詳細は、『新版 社員をサーフィンに行かせよう——パタゴニア経営のすべて』による。

18 パタゴニアのパブリック・ベネフィットに関する声明は次のサイトで読むことができる（https://www.patagonia.com/b-lab.html）。

19 バイオラバーの話はグローバル・コミュニティである「サステナブル・ブランド」のレポート（"Patagonia Sharing Proprietary Biorubber to Advance Sustainable Surf Industry"）による。

20 テスラの新しい特許方針を発表したイーロン・マスクのブログ記事は、2014年6月12日の"All Our Patent Are Belong to You"（https://www.tesla.com/blog/all-our-patent-are-belong-you）から。

第9章　完璧な逆立ちの仕方

1 変化に30年かかるという理論について考えるきっかけとなったのは、トマ・ピケティの『21世紀の資本』だ。とくにピケティが示した、1％の成長率が30年間に及ぼす影響に刺激を受けた。基本的な会計管理と資金管理の方法を用いて、ピケティは小さな変化が時間とともにいかに加速していくかを示した。僕は思った。これが自分たちの周りで起きていることなのか、と。このレンズを通して世界を見るようになると、変化はピケティの資本成長率のようなものだと思うようになった。エクササイズ、リサイクル、オーガニック食品、同性婚に対する意見、利潤最大化の成長、そしてヒップホップさえも、どれも最初

はささやかなムーブメントだった。ところが30年後、それらは新たな標準となり、成長の最終段階はきわめて急速だった。

2 マンハイムの論文“The problem of Generation”でも、30年が変化の重大な期間として言及されている。20世紀前半のスペインの哲学者、ホセ・オルテガ・イ・ガセットも、変化には準備に15年、実動に15年かかると述べている（これは彼の弟子であるフリアン・マリーアスが1970年に出版した*Generations: A Historical Method*による）。フランスの哲学者オーギュスト・コントも、彼の19世紀の著作集*The Positive Philosophy and the Study of Society*のなかで、フランスの歴史における30年間の重要な変化の証拠をいくつも明らかにしている。シャロン・オパール・スカリーの修士論文“The Theory of Generational Change: A Critical Reassessment”は、概観として有用だった。

3 僕らは寿命が長くなった世界を、平和で牧歌的な世界のように想像する。けれどもぜんぜん違っている可能性もある。寿命が長くなった世界では、ダンスフロアが混みあう世界となる。力を持っている世代はもはや、差し迫った死というブレーキがなくなり、ダンスフロアから出ていかなくなる。その結果、社会は保守的になり、高齢化した世代が長く権力を維持し、若い世代の影響力が弱くなる可能性がある。

4 出生率と死亡率はCIAの*World Factbook*による。

5 この主張は、アメリカの国勢調査の予測に基づいている（“Projection of the Size and Composition of U.S. Population: 2014 to 2060,” March 2015）。

6 ジョゼフ・リスターによる戴冠式目前だった英国王の治療に関する情報は、ウェストミンスター市でガイドをしているシェルドン・K・グッドマンが運営するブログCemetery Club（“The Man Who Saved a King,” February 29, 2016）や、ウルリッヒ・トレーラーの論文から得た（“Statistics and the British Controversy About the Effects of Joseph Lister's System of Antisepsis for Surgery, 1867-1890,” in the *Journal of the Royal Society of Medicine,* July 2015）。

7 30年という変化の時間枠は、「サイクル理論」と呼ばれる考え方でも裏付けられている。これは、人類史において、経済、社会、その他の歴史的行動は何度もパターンを繰り返すという理論だ。

たとえば、歴史家のアーサー・シュレジンジャー・シニアは、政治権力は15年ごとに左から右へ、あるいはその逆へとシフトすると理論づけた。保守派が15年間権力を握ったら、そのあとは進歩派が15年間対抗する。「各世代は、政治的な成人年齢になった最初の15年間を、すでに権力を握っている世代に挑戦することに費やす。その後、新しい世代が権力を握って次の15年間が過ぎるが、その後、その政策は影を潜め、その次の世代が現れて権力を引き継ぐと主張する」

シュレジンジャーは1939年に発表した“Tides of American Politics”と題する論文のなかで上のように書いた。シュレジンジャーはこのモデルを、時間を進めたり戻したりしながら驚くほど正確に描きだした。シュレジンジャーのモデルはニューディールを特定し、進歩的な1960年代と保守的な1980年代を予測した。また彼の理論では、1990年から15

年間は進歩的な時代と予測されていた。この視点でいえば、ブッシュ対ゴアの最高裁判決によってパターンが崩れ、混乱が起こり、それ以降世界が混乱したままであることになる。2000年にゴアが勝っていれば、イラク戦争は起こらなかっただろうし、中東の人びとの大規模な移民も起こらなかっただろうし、トランプやブレグジットも起こらなかっただろう。だがそれは、また別の話だ。

もっと長い周期理論もある。経済学者のヨーゼフ・シュンペーターは、自らが「長期波動」と呼ぶ、60年ごとに経済成長と不景気を繰りかえすという景気循環の理論に魅了された。これは最初に観測したソ連の経済学者にちなんで、コンドラチェフ波と命名された。シュンペーターをはじめとする経済学者たちは、コンドラチェフの波が、工業化から自動車、インターネットに至るまで、主要な技術革新と一致している証拠を発見した。これらの事例では、まず鉄道建設のように30年にわたるインフラ整備が行なわれ、その新技術が活用されて30年にわたる第二の好況が起こった。インターネットはこの景気循環のもうひとつの例だ。

シュンペーターの理論のなかでもとくに興味深いのは、いつ技術的ブレイクスルーが起こるかだ。それは好況時に起こるのではない。不景気時に起こるのだ。つまり、楽に儲けられなくなると、人びとはリスクの高い、長期的なものに投資するようになるという理論だ。僕らは絶望の淵から、必要に駆られてほかの分野に目を向ける。そうしてチャンスを見つけるのだ。

楽観主義者なら、エクササイズ、オーガニック食品、リサイクルもコンドラチェフの波のような傾向があると主張するだろう。最初の30年間はインフラ整備と、通常の科学を行なうことに費やされた。次の30年間で、それらの行動が新たな標準としてフル稼働される。

この分野の背景となる重要な情報源がほかにふたつある。トマス・S・クーンの『科学革命の構造　新版』と、J・Z・ヤングの『人間はどこまで機械か——脳と意識の生理学』だ。クーンの著書は、パラダイムと「通常の科学」（新しい見方を試しながら構築するプロセス）がいかにして、知識への新しいアプローチを生みだすのかを解説している点がすばらしい。ヤングは生物学者として、僕らの脳が新しい知識をどのように学習して獲得していくのかを、説得力ある鮮やかな語り口で詳細に説明している。僕らはなぜ自分たちのような人間なのか、その神経学的な背景が描かれている。

8 ジョン・F・ケネディが著した論文より（*Sports Illustrated* article "The Soft American" was published on December 26, 1960）。

9 ハロルド・ジンキンの回想録 *Remembering Muscle Beach: Where Hard Bodies Began* より。

10 アーノルド・シュワルツェネッガーのCNN論説より（"How I Fought My Way Back to Fitness," December 2018）。

11 ストロム・サーモンドがジョギング中に逮捕されたという話と、ジョギングの流行に関する話は *Vox* の記事から（"When Running for Exercise Was for Weirdos," August 9, 2015）。

12 マーク・スターンの論文 "The Fitness Movement and the Fitness Center Industry, 1960–2000" より。
13 ボトル入り飲料水に関するこの言葉は、当時クエーカー・オーツ・カンパニーの米国飲料部門の取締役であったスーザン・ウェリントンの言葉。引用元はピーター・グリックの *Bottled and Sold: The Story Behind Our Obsession with Bottled Water*。
14 ロンドンに新しい飲用給水器が増設されたという話は《ガーディアン》に掲載された（"First of London's New Drinking Fountains Revealed," March 25, 2018）。
15 トランプはどうだろうか。あるいはブレグジットはどうだったか。これらは即座に目に見える結果が出た例ではないだろうか。そのとおり。それでも、それらのいくつかは暴力的な変化だと僕は思う。変化は人びとに起こるのであって、時間をかけて人びとのあいだで交渉される変化ではない。それは僕らが必要としている変化ではない。
16 アイザック・アシモフの未来予測はカナダの新聞《スター》に掲載されたもの（"35 Years Ago, Isaac Asimov Was Asked by the *Star* to Predict the World of 2019. Here Is What He Wrote," December 27, 2018）。

第 10 章　社会的価値最大化層

1 ジョン・メイナード・ケインズが資本主義の本質について語ったこの言葉は、『ケインズ説得論集』（山岡洋一訳、日経ビジネス人文庫、2021 年）というケインズの著作集に収められている 1930 年の論文「孫の世代の経済的可能性」から引用した。
2《フォーチュン》より（"CEO Pay: Top Execs Make 271 Times More Than Workers," July 20, 2017）。
3 *U.S. News & World Report*（"Quality of Life" 2018 ratings）より。
4 チリ鉱山労働者の物語の情報は次の文献から得た。NPR（"The Incredible Story of Chilean Miners Rescued from the 'Deep Down Dark,' " October 29, 2014）、*Deep Down Dark* by Héctor Tobar、ハーバードビジネススクールのケーススタディ（"The 2010 Chilean Mining Rescue," October 2014 by Amy C. Edmondson, Faaiza Rashid, and Herman "Dutch" Leonard）。
5 個人の責任と集団的責任のあいだの緊張に関して注目すべきもうひとつの物語が描かれているのが、僕が強くお薦めするE・F・シューマッハーの『スモール・イズ・ビューティフル』だ。シューマッハーはこう書いている。

> この［個人と集団の］二項対立について、土地利用の仕方ほど顕著な例はない。たとえば農家は、消費者という立場からすれば、土壌の健全さや景観の美しさが破壊され、最終的な結果として土地の過疎化や都市の過密化が招かれるとしても、生産者としては、あらゆる手段を使ってコストを削減し、効率を上げなければならないとされる。こんにち大規模農家、園芸家、食品製造業者、食品生産者のなかには、自分たちが生産した農産物を自分たちで消費することなど考えもしない人たちがいる。「幸いなことに、私た

ちは毒物を使わずに有機栽培された製品を購入するのに充分なお金を持っています」と彼らは言う。なぜ自ら有機農法にこだわったり、毒物の使用を避けたりしようとしないのかと尋ねると、「そんな余裕はありません」と答える。生産者として買えるものと、消費者として買えるものはまったく別物なのだ。しかし、この二者は同じ人物であるため、人間あるいは社会には実際のところ、土地を健全に保つ余裕があるのかどうかという疑問が湧き、果てしない混乱を引き起こす。

このことについて、「クリエイティブ・インディペンデント」のために僕が行なったインタビュー（“Adam Curtis on the Dangers of Self- Expression,” March 14, 2017）で、映画監督のアダム・カーティスが語ってくれた話に、説得力のある言葉があった。

世の中をもっと心地よい場所にしたいのなら、権力がどこからくるのかをまず知らなくちゃならない。そこを理解するのがとてもむずかしい。私たちは、自分自身を独立した個人とみなす世界に生きている。独立した個人であれば、権力に関して真剣に考えたりしない。自分が世界に及ぼす影響だけを考えるものだ。

あなたに見えていないのは、昔の人びとならもっと見えていたものだ。集団のなかにいれば、あなたはもっと権力が持てる。物事を変えることができる。物事がうまくいかないときでも、自分ひとりだったら持てなかった自信を持つことができる。だから、権力という概念全体がだんだん薄れていった。私たちは自分自身や他人に対する自分の気持ちについてのみ話すよう奨励されている。自分たちが何かに属しているとみなすようには奨励されない。

しかし、コンピューターは真実を知っている。コンピューターは私たちをひとつのグループとして見ている。私たちは実際、お互いよく似ている。同じ欲望、野心、恐れを抱いている。コンピューターは相関関係やパターンを介してこれを見抜く。

コンピューターは私たちを大きなグループとして見ることができるが、ただ黙々と私たちを寄せ集めて、ものを売るだけだ。現実には、コンピューターはグループ間の共通のアイデンティティの力について大きなヒントをくれる。だが、誰もそれを生かしていない。コンピューターの傍らには、新しいグループを見抜く方法と、人びとのあいだにある新しい共通のアイデンティティを見る方法が存在するというのに。

6 自分だけのベントーが作れるガイド付き体験については、https://www.ystrickler.com/bento を参照のこと。

7 松下幸之助の *Not for Bread Alone* より。

8 2050年に銀行が2階にあるというアイデアは、ゲイル・ブリュワーという女性からヒントを得た。2012年、ニューヨーク市議会議員だった彼女は、自身が選出されたマンハッタンのアッパー・イーストサイドで、銀行が使用できる店舗面積を制限するゾーニングの

変更を提案した。その結果、銀行は通りに面した入口を小さくして、店舗を1階ではなくビルの2階に置くようになった。インスピレーションに満ちたシンプルな解決策だ。

9 デイヴィッド・ヒュームは1752年に“Of the Original Contract”を書いた。僕はカール・マンハイムの論文“The Problem of Generations”でヒュームの研究を発見した。マンハイムは次のように書いている。

［ヒュームいわく］たとえば、人間の世代交代の形式がチョウやイモムシのように完全に変化し、古い世代が一挙に消え、新しい世代が一挙に生まれるものだとする。さらに、人間が高度に精神的に発達し、自分たちにもっとも適した政治形態を合理的に選択できるとする（もちろん、これがヒュームの時代の重要な問題だった）。このような条件が与えられれば、先祖の歩んだ道を参考にすることなく、各世代で独自のその世代にふさわしい国家形態を新たに選択することができるだろう。人類は、ひとりの人間が死ぬたびに、それに代わる別の人間が生まれ、世代から世代へと切れ目なく連綿と続いていくからこそ、われわれは政治形態の連続性を維持する必要がある。このようにしてヒュームは、政治的連続性の原則を、生物学的な世代の連続性に変換した。

2050年を生きる僕らのマニフェスト
「お金」からの解放

2023年11月20日　初版印刷
2023年11月25日　初版発行

＊

著　者　ヤンシー・ストリックラー
訳　者　久保美代子
発行者　早川　浩

＊

印刷所　三松堂株式会社
製本所　株式会社フォーネット社

＊

発行所　株式会社　早川書房
東京都千代田区神田多町2−2
電話　03-3252-3111
振替　00160-3-47799
https://www.hayakawa-online.co.jp
定価はカバーに表示してあります
ISBN978-4-15-210281-2　C0030
Printed and bound in Japan
乱丁・落丁本は小社制作部宛お送り下さい。
送料小社負担にてお取りかえいたします。